POESÍA DE LA EDAD DE ORO
II
BARROCO

COLECCIÓN FUNDADA POR
DON ANTONIO RODRÍGUEZ-MOÑINO

DIRECTOR
DON ALONSO ZAMORA VICENTE

Colaboradores de los volúmenes publicados:

J. L. Abellán. F. Aguilar Piñal. G. Allegra. A. Amorós. F. Anderson. R. Andioc. J. Arce. I. Arellano. E. Asensio. R. Asún. J. B. Avalle-Arce. F. Ayala. G. Azam. P. L. Barcia. G. Baudot. H. E. Bergman. B. Blanco González. A. Blecua. J. M. Blecua. L. Bonet. C. Bravo-Villasante. J. M. Cacho Blecua. M.ª J. Canellada. J. L. Cano. S. Carrasco. J. Caso González. E. Catena. B. Ciplijauskaité. A. Comas. E. Correa Calderón. C. C. de Coster. D. W. Cruickshank. C. Cuevas. B. Damiani. G. Demerson. A. Dérozier. J. M.ª Díez Borque. F. J. Díez de Revenga. R. Doménech. J. Dowling. A. Duque Amusco. M. Durán. H. Ettinghausen. A. R. Fernández. R. Ferreres. M. J. Flys. I.-R. Fonquerne. E. I. Fox. V. Gaos. S. García. L. García Lorenzo. M. García-Posada. A. A. Gómez Yebra. J. González-Muela. F. González Ollé. G. B. Gybbon-Monypenny. R. Jammes. E. Jareño. P. Jauralde. R. O. Jones. J. M.ª Jover Zamora. A. D. Kossoff. T. Labarta de Chaves. M.ª J. Lacarra. C. R. Lee. I. Lerner. J. M. Lope Blanch. F. López Estrada. L. López-Grigera. L. de Luis. F. C. R. Maldonado. N. Marín. E. Marini-Palmieri. R. Marrast. F. Martínez García. M. Mayoral. D. W. McPheeters. G. Mercadier. W. Mettmann. I. Michael. M. Mihura. J. F. Montesinos. E. S. Morby. C. Monedero. H. Montes. L. A. Murillo. A. Nougué. G. Orduna. B. Pallares. E. Paola. J. Paulino. M. A. Penella. J. Pérez. M. A. Pérez Priego. J.-L. Picoche. J. H. R. Polt. A. Prieto. A. Ramoneda. J.-P. Ressot. R. Reyes. F. Rico. D. Ridruejo. E. L. Rivers. E. Rodríguez Tordera. J. Rodríguez-Luis. J. Rodríguez Puértolas. L. Romero. J. M. Rozas. E. Rubio Cremades. F. Ruiz Ramón. C. Ruiz Silva. G. Sabat de Rivers. C. Sabor de Cortazar. F. G. Salinero, J. Sanchis-Banús. R. P. Sebold. D. S. Severin. D. L. Shaw. S. Shepard. M. Smerdou Altolaguirre. G. Sobejano. N. Spadaccini. O. Steggink. G. Stiffoni. J. Testas. A. Tordera. J. C. de Torres. I. Uría Maqua. J. M.ª Valverde. D. Villanueva. S. B. Vranich. F. Weber de Kurlat. K. Whinnom. A. N. Zahareas. I. de Zuleta.

POESÍA DE LA EDAD DE ORO
II
BARROCO

Edición,
introducción y notas
de

JOSÉ MANUEL BLECUA

Madrid

Zurbano, 39 - 28010 Madrid - Tel. 319 58 57

Cubierta de Víctor Sanz

Impreso en España - Printed in Spain
Unigraf, S. A. Móstoles (Madrid)

I.S.B.N.: 84-7039-427-4 (Obra completa)
I.S.B.N.: 84-7039-434-7 (Tomo II)
Depósito Legal: M. 24.342-1990

SUMARIO

INTRODUCCIÓN

Si la palabra 'Barroco' es ya inesquivable en los estudios de historia literaria española, no sucede lo mismo con esa antesala llamada 'Manierismo', entre otras razones porque los límites cronológicos son muy difusos, y si yo me detuve en el volumen anterior en los poetas que nacen alrededor de 1560, y comienzan a escribir hacia 1580, fue por esta causa. Porque si un Herrera publica en 1582 *Algunas obras,* su estética ya no es la de los jóvenes de esa época, aunque fuese leído, y muy bien, por Góngora y Lope, como no lo es tampoco la de fray Luis de León, aunque su neoclasicismo perdure en el Barroco, porque la sensibilidad y la actitud ante el mundo son distintas.

Que los límites cronológicos, al menos en poesía, son muy vagos lo atestigua un conocedor tan profundo como Emilio Orozco, que escribe:

> El Manierismo viene a coincidir con el momento inmediato o previo a lo barroco y en consecuencia los medios expresivos que maneja el artista o el pintor de estas fechas supone un coincidir de recursos y rasgos manieristas y barrocos.
>
> En nuestra poesía, el caso de Herrera, aunque en un punto medio entre lo manierista y lo barroco, entraña la misma complejidad, y tras de él Góngora arrancará desde un ambiente de franco manierismo, para desde él, y a través de sus recursos, dar el gran salto, ya pleno dueño y

consciente de una técnica y con honda formación de poeta, a impulsos de un espíritu de sentido barroco.[1]

Por ahora no hay razones, pues, para incluir un nuevo apartado en la historia de la poesía española de la Edad de Oro y creo que basta la palabra 'Barroco' para designar el período poético que sigue al Renacimiento, aunque entre Garcilaso y Herrera o San Juan de la Cruz existan notables diferencias, porque no en balde son de distintas generaciones y de muy distinta formación.

Es bien sabido que el Barroco, como todos los grandes cambios culturales, está ocasionado por una serie de concausas de todo tipo, políticas, religiosas, estéticas y de pensamiento, que aparecen estrechamente unidas entre 1600 y 1700. Orozco nos dice que las formas barrocas "son producto de unos determinantes vitales e ideológicos que suponen una especial actitud, no sólo ante el arte, sino ante el mundo en toda su complejidad".[2]

Todos los estudiosos de la cultura barroca han insistido en los profundos cambios que experimenta la sociedad del siglo XVII, cambios que alterarán la visión del mundo frente a la que tuvieron los renacentistas. José Antonio Maravall, que ha dedicado un bello libro a estudiar estos cambios, dice:

> Es así como la economía en crisis, los trastornos monetarios, la inseguridad del crédito, las guerras económicas, y, junto a esto, la vigorización de la propiedad agraria y señorial y el creciente empobrecimiento de las masas, crean un sentimiento de amenaza e inestabilidad en la vida social y personal, dominado por fuerzas de imposición represiva que están en la base de la gesticulación dramática del hombre barroco y que nos permiten llamar a éste con tal nombre.[3]

[1] *Manierismo y Barroco* (Madrid, Cátedra, 1945), pp. 69-70.

[2] En José M.ª Díez Borque, *Historia de la literatura española,* II (Madrid, 1975), p. 24.

[3] *La cultura del Barroco* (Barcelona, Ariel), p. 29.

Esta honda crisis es la que lleva a una nueva metafísica o a una nueva actitud del hombre ante el mundo, el cual concibe como un inmenso oxímoron, un concierto de desconciertos, como dirá Gracián:

> Me estaba contemplando —dice Andrenio— esta armonía tan plausible del Universo, compuesta de una extraña contrariedad, que según es grande no parece había de poder mantenerse el mundo un solo día: esto me tenía suspenso, porque ¿a quién no pasmará de ver un concierto tan extraño compuesto de oposiciones? —Así es, respondió Critilo, que todo este Universo se compone de contrarios y se concierta de desconciertos.[4]

Esta 'discordia concors' es la que conduce al uso y abuso de la antítesis, hasta en los títulos de algunas obras, como *La cuna y la sepultura,* de Quevedo, al gusto por las figuras de Demócrito y Heráclito, tan traídas y llevadas en el Barroco, y a la aguda sensación de que todo es inestable. El mismo Gracián dice "la definición de la vida es el moverse".[5] Todo cambia y sólo "lo fugitivo permanece y dura" según el conocido verso de Quevedo. Pérez de Herrera sentenciará: "todo es mudable en el mundo",[6] al paso que Bocángel nos dirá que "sólo la mudanza es firme".[7] Como es lógico la mudanza va unida al tiempo y por eso el Tiempo "es el verdadero protagonista del Barroco", como dice Emilio Orozco.[8] Los testimonios que se pueden aducir sobre el tema son sencillamente abrumadores y no hay estudiante español que no conozca los estremecedores versos de un Quevedo cuando escribe:

4 *El Criticón,* edic. de M. Romera-Navarro, I (Philadelphia, 1939), p. 137.

5 *Ibid.,* II, p. 259.

6 *Proverbios morales,* BAE, t. XLII, p. 241.

7 *Obras,* edic. de R. Benítez Claros, I (Madrid, CSIC, 1946), p. 95.

8 *Manierismo y Barroco,* p. 57.

Ya no es ayer, mañana no ha llegado;
hoy pasa, y es, y fue con movimiento
que a la muerte me lleva despeñado.
Azadas son la hora y el momento,
que a jornal de mi pena y mi cuidado
cavan en mi vivir mi monumento. [9]

Mientras Fernández de Andrada nos dirá:

¿Qué es nuestra vida más que un breve día
do apenas sale el sol cuando se pierde
en las tinieblas de la noche fría? [10]

Recordemos, por último, a Góngora escribiendo aquella bellísima décima que dice:

Si quiero por las estrellas
saber, tiempo, dónde estás,
miro que con ellas vas,
pero no vuelves con ellas.
¿Adónde imprimes tus huellas
que con tu curso no doy?
Mas, ay, que engañado estoy,
que vuelas, corres y ruedas;
tú eres, tiempo, el que te quedas
y yo soy el que me voy. [11]

Por esta razón abunda también la poesía sobre las ruinas, ejemplo perfecto del paso del tiempo que deshace hasta los muros más resistentes; incluso podrá escribirse, como lo hace Rioja, un soneto a las ruinas de la Atlántida. Lo mismo ocurre con el bien conocido tema de la belleza y caducidad de la rosa y en los textos que edito podrá verse más de un ejemplo.

De aquí, de lo fugitivo de la existencia, derivará la melancolía del Barroco, tan bien conocida, lo mismo que el pesimismo y el desengaño, que lleva a las ideas de

[9] *Obra poética,* edic. de J. M. Blecua, I (Madrid, Castalia, 1969), p. 150.

[10] Página 153 de la presente antología.

[11] *Obras completas,* edic. de I. y J. Millé y Giménez (Madrid [1932]), p. 452.

que la vida es sueño o simplemente nada, como dirá Quevedo. Por eso escribe Maravall que "el carácter de fiesta que el Barroco ofrece no elimina el fondo de acritud y de melancolía, de pesimismo y desengaño, como nos demuestra la obra de un Calderón". [12] A esto se une, como es lógico, el gusto por la soledad, tan bien estudiado por Vossler en su conocido libro, y el gusto epicúreo por las cosas, que llevará al bodegón, lo mismo en la pintura que en la poesía. Azorín, tan enamorado de los "primores de lo vulgar", subrayó este gusto en Lope: "Espigando entre las obras de Lope se podría hacer un curioso catálogo de las cosas de España; de sus producciones, artefactos, trebejos, enseres, trajes, herramientas, comidas, plantas..." [13] Lo mismo Emilio Orozco que G. Díaz Plaja han destacado la presencia de las cosas en la poesía barroca [14] y aportado numerosas citas. Pondré sólo dos ejemplos, uno de Lope y otro de Góngora:

Mesa pobre y pobres sillas,
sin espalda y de costillas,
su vasar limpio y bizarro,
más seguro, aunque de barro,
que las doradas vajillas. [15]

El celestial humor recién cuajado
que la almendra guardó, entre verde y seca,
en blanda mimbre se la puso al lado,
y un copo, en verdes juncos, de manteca;
en breve corcho, pero bien labrado,
un rubio hijo de una encina hueca
dulcísimo panal, a cuya cera
su néctar vinculó la Primavera. [16]

[12] *Op. cit.*, p. 319.

[13] *Lope en silueta* (Buenos Aires, Losada, 1960), p. 36.

[14] E. Orozco, *Manierismo y Barroco,* pp. 54-56, y G. Díaz-Plaja, "En torno al Barroco", en *Ensayos escogidos* (Madrid, Revista de Occidente, 1964), pp. 167-252.

[15] Lope de Vega, *Obras completas,* edic. de Joaquín de Entrambasaguas, I (Madrid, CSIC, 1965), p. 291.

[16] *Fábula de Polifemo y Galatea,* vv. 200-208.

Y como las cosas se perciben por los sentidos, esto dará origen a la conocida sensualidad barroca, al gozo por lo bello, los colores brillantes, la pompa hasta en los trajes, etc., etc. Lo suntuoso va a ser una nota muy característica de la poesía barroca frente a la renacentista.

También, y es lógico, se da un cambio profundo en la estética. Mientras los renacentistas exaltan la Naturaleza y postulan su imitación, los hombres del Barroco ensalzan las cualidades del artificio, pasando de la *imitatio* a la *inventio*. Gracián, al que hay que citar numerosas veces, dice en la *Agudeza y Arte de ingenio*: "La imitación suplía al arte, pero con las desigualdades de substituto, con carencias de variedad." [17] Muchas veces se trata de presentar "lo no natural, lo vario, lo injertado, lo fiero, incluso lo fiero y monstruoso; lo contrario a lo armónico, equilibrado e igual". [18] Tirso de Molina, para defender el sistema dramático de Lope y su escuela dice con suma habilidad:

> Esta diferencia hay de la naturaleza al arte: que lo que aquella desde su creación constituyó no se puede variar, y así siempre el peral producirá peras y la encina su grosero fruto [...] Fuera de que, ya que no en todo, pueda variar estas cosas el hortelano, a lo menos en parte, mediando la industria del injerir [...] en lo natural se producen, por medio de los injertos, cada día diferentes frutos ¿qué mucho que la comedia [...] varíe las leyes de sus antepasados, e injiera industriosamente lo trágico con lo cómico, sacando una mezcla apacible de estos dos encontrados poemas? [19]

De aquí deriva el gusto por los jardines, laberintos, fuentes, tan importantes en la poesía descriptiva de la poesía

[17] Edición de E. Correa Calderón, I (Madrid, Castalia, 1969), p. 48.
[18] *Op. cit.*, p. 39.
[19] Cito a través de A. Collard, *Nueva poesía* (Madrid, Castalia, 1967), pp. 65-66.

barroca. Recuérdese sólo el curioso jardín de Soto de Rojas en su carmen granadino y su barroca descripción en el *Paraíso cerrado para muchos, jardines abiertos para pocos,* del que se da una muestra en las páginas 266-269, o el *Jardín de la Tapada,* "insigne monte y recreación del excelentísimo señor duque de Braganza", incluido por Lope de Vega en *La Filomena.*[20] De *Las Soledades* derivará abundante poesía descriptiva, como es bien sabido, y esta poesía es sumamente original, sin ninguna deuda con la renacentista, que no conoció el tema, sí la Naturaleza más o menos estilizada al servicio de otras cosas, pero no como un fin en sí misma. Pero Medrano dice en un soneto a Arguijo, continuando la estética renacentista:

> Cansa la vista el artificio humano
> cuanto mayor más presto; la más clara
> fuente y jardín compuestos dan en cara:
> que nuestro ingenio es breve y nuestra mano.
> Aquel, aquel descuido soberano
> de la Naturaleza, en nada avara,
> con luenga admiración suspende y para
> a quien lo advierte con sentido sano.
> Ver cómo corre eternamente un río,
> cómo el campo se tiende en las llanuras,
> y en los montes se anuda y se reduce,
> grandeza es siempre nueva y grata, Argío,
> tal, pero es el autor que las produce,
> ¡oh Dios inmenso!, en todas sus criaturas.[21]

La segunda parte de la estética del Barroco consistirá en pensar que uno de los fines de la obra literaria debe consistir en causar asombro, producir sorpresa usando todos los artificios conocidos, desde la más simple antí-

[20] Puede verse en mi edic. de la *Poesía de Lope de Vega* (Barcelona, Planeta, 1969), pp. 704 y ss.

[21] *Obras de Medrano,* edic. de D. Alonso y S. Reckert, II (Madrid, CSIC, 1948), p. 171.

tesis a la metáfora más audaz o la hipérbole más extremada. Y todos los estudiosos coinciden hoy en afirmar que la base de la estética literaria barroca reside en la agudeza conceptuosa. Gracián dice: "Es la agudeza pasto del alma."[22] El teórico aragonés escribe que "son las voces lo que las hojas en el árbol, y los conceptos el fruto",[23] y "lo que es para los ojos la hermosura y para los oídos la consonancia, ése es para el entendimiento el concepto".[24] Es decir, un gozo mental subidísimo. Gracián definirá el concepto de una manera muy simple: "Es un acto del entendimiento que exprime la correspondencia que se halla entre los objetos."[25] Nótese que en esta definición entra lo mismo un equívoco muy sutil que una metáfora muy original, un símbolo o una antítesis, puesto que se trata de relacionar posibles semejanzas, aun muy lejanas. "La semejanza, escribe Gracián, es el origen de una inmensidad conceptuosa", pero "pretende la desemejanza aún más peregrino su artificio".[26] Si Góngora nos dice que Acis bebe agua y mira al mismo tiempo a Galatea, escribirá esto:

> su boca dio y sus ojos cuanto pudo
> al sonoro cristal, al cristal mudo,[27]

aludiendo al agua como "cristal sonoro" y a Galatea como "cristal mudo". Pero Quevedo, partiendo del tópico renacentista de que la dama es nieve o hielo, se atreverá a decir:

> Hermosísimo invierno de mi vida.[28]

22 *Agudeza y Arte de ingenio,* edic. cit., I, p. 49.
23 *Ibid.,* II, p. 229.
24 *Ibid.,* I, p. 51.
25 *Ibid.,* I, p. 55.
26 *Ibid.,* I, pp. 114 y 144.
27 *Fábula de Polifemo y Galatea,* vv. 191-192.
28 Edic. cit., p. 357. El soneto lleva el siguiente epígrafe: "Admírase de que Flora, siendo toda fuego y luz, sea toda hielo".

Nótese que en los dos casos se trata de metáforas, es decir, de semejanzas, de conceptos muy originales y agudos, como desea Gracián.

Don Luis de Góngora en un romance que se fecha en 1580, al comienzo de su obra literaria, empezará así una imprecación contra el Amor:

> Ciego que apuntas y atinas,
> caduco Dios y rapaz,
> vendado que me has vendido
> y niño mayor de edad,
> por el alma de tu madre
> —que murió siendo inmortal,
> de invidia de mi señora—
> que no me persigas más.[29]

El lector menos advertido notará que casi todos los versos incluyen una paradoja y que el tercero es una paronomasia. Es decir, puro conceptismo.

Por eso, nadie cree hoy en la dicotomía de culteranismo y conceptismo, porque las raíces son las mismas. Los propios contemporáneos de Góngora no establecieron esas direcciones poéticas o escuelas, que son producto de la crítica muy posterior. Sí sabemos muy bien que las novedades de don Luis escandalizan a partir de 1613, pero no escandalizaron tanto, ni mucho menos, los poetas "conceptistas", aquellos jugadores de vocablos como Ledesma o Bonilla que buscaron con ahínco los conceptos más peregrinos, en lo que también cayó un Lope de Vega, al paso que Rengifo en su *Arte poética española* (Salamanca, 1592), clasifica abundantes conceptos. (Ocioso me parece advertir que cuando Lope echa en cara a Góngora la falta de "conceptos", ese 'concepto' tiene el viejo valor de 'pensamiento', 'sentencia' o 'contenido' y que para un Gracián, Góngora era uno de los más primorosos conceptistas, al que cita abundantes veces, muchísimas más que a Quevedo.)

[29] Edic., cit., p. 3.

Esta lengua conceptuosa se caracteriza por una serie de recursos, que más de una vez rozan la sutileza más elevada, con dificultades extraordinarias. Lo mismo en Góngora que en Quevedo se hallarán abundantes paronomasias, anáforas, bimembraciones, aposiciones, equívocos, antítesis y paradojas. La vertiente conceptuosa de Góngora culminará en la *Fábula de Píramo y Tisbe.*

Pero también es evidente que lo que llamó la atención de los poetas y críticos del siglo XVII fue la divulgación de las *Soledades* y el *Polifemo,* ya que la obra anterior de Góngora no causó la menor inquietud estética. Es verdad que los recursos poéticos de que hace gala don Luis en esos poemas tenían una larga tradición y que no escasean en los anteriores a 1613; pero los contemporáneos vieron con nitidez que estaban ante algo muy nuevo y que se parecía muy poco a lo conocido. Las críticas más comunes se referían al constante uso del hipérbaton, las voces cultas y las metáforas originales, aquellas "metáforas de metáforas" de que hablaba Lope, aparte de que las *Soledades* no contenían un argumento, por decirlo así, sino una realidad embellecida prodigiosamente, pero también con muchas dificultades para el lector. No es el caso de repetir lo que es ya materia incorporada a los manuales de nuestra historia literaria, ni las numerosas polémicas que suscitó, ni los caracteres de esta lengua estudiados tan magistralmente por Dámaso Alonso. Góngora tuvo conciencia muy clara de no escribir "para los muchos", de ser difícil, de que su obra cumplía el dictado clásico de deleitar aprovechando, y por eso escribe, no sin acritud, la conocida carta de 1615, en la que se lee:

> Y [si] la oscuridad y estilo intrincado de Ovidio (que en lo *de Ponto* y en lo *de Tristibus* fue tan claro como se ve, y tan obscuro en las *Transformaciones* [*Metamorfosis*]) da causa a que, vacilando el entendimiento en fuerza de discurso, trabajándole (pues crece con cualquier acto de valor), alcance lo que así en la lectura superficial de

> sus versos no pudo entender, luego hase de confesar que tiene utilidad avivar el ingenio, y eso nació de la obscuridad del poeta. Eso mismo hallará V.m. en mis *Soledades,* si tiene capacidad para quitar la corteza y descubrir lo misterioso que encubren. De honroso, en dos maneras considero me ha sido honrosa esta poesía: si entendida para los doctos, causarme ha autoridad, siendo lance forzoso venerar que nuestra lengua a costa de mi trabajo haya llegado a la perfección y alteza de la latina [...] Demás que honra me ha causado hacerme escuro a los ignorantes, que esa es la distinción de los hombres doctos, hablar de manera que a ellos les parezca griego; pues no se han de dar las piedras preciosas a animales de cerda [...] Deleitable tiene lo que en los dos puntos de arriba queda explicado, pues si deleitar el entendimiento es darle razones que le concluyan y se midan con su contento, descubierto lo que está debajo de esos tropos, por fuerza el entendimiento ha de quedar convencido, y convencido, satisfecho.[30]

Que esta poesía de Góngora deja una huella profunda a lo largo del siglo XVII es también harto sabido. Ni siquiera Lope y Quevedo, tan poco amigos del genial cordobés, se libraron de los encantos de esa nueva poesía. Gracián resumió muy bien cómo muchos seguidores lo fueron sólo de un modo cortical y externo: "Algunos le han querido seguir [a Góngora] como Ícaro a Dédalo; cógenle algunas palabras de las más sonoras y aun frases de las más sobresalientes [...] incúlcanlas muchas veces de modo que a cuatro o seis voces reducen su cultura. ¡Oh qué bien lo nota el juicioso Bartolomé Leonardo:

> Con mármoles de nobles inscripciones
> (teatro un tiempo y aras) en Sagunto
> fabrican hoy tabernas y mesones."[31]

Paralela a esta tendencia embellecedora se da en Góngora, y también en Quevedo y otros, la corriente degra-

[30] Edic. cit., pp. 956-957.
[31] *Agudeza y Arte de ingenio,* II, pp. 251-252.

dadora de la realidad. De ahí la abundancia de poemas burlescos, satíricos y corrosivos en todo el siglo XVII, lo mismo en romances y letrillas que en sonetos o tercetos. Ni siquiera los mitos más bellos, como Ero y Leandro, Apolo y Dafne, Píramo y Tisbe se libraron de la tendencia a la burla y al sarcasmo.

La generación de 1560 o de 1580 heredó una poesía muy culta, la que inician Boscán y Garcilaso, con una lengua poética prodigiosamente hecha en Herrera, Aldana y Fray Luis de León, lengua que llevarán a sus últimos límites. El cambio es ya muy perceptible antes de 1600 en los poemas de Góngora, Lope y los Argensola, pero lo será más a partir de esa fecha, en que, como veremos, comienza también a escribir otra generación, la de Quevedo, Villamediana y Carrillo y Sotomayor. Heredaron todas las fórmulas, desde el soneto a los tercetos, pero también aparecieron las 'silvas', de tanta aceptación en el Barroco, en las que se escribirán poemas como las *Soledades,* el *Paraíso cerrado para muchos...*, de Soto de Rojas o las muy bellas y muy diversas de contenido de un Quevedo.

Con el endecasílabo y sus estrofas se heredó también el petrarquismo, tan perceptible en muchos sonetos de las *Rimas,* de Lope de Vega y de un Quevedo, sin que tampoco desapareciese el platonismo ni siquiera el amor cortés, propio de los viejos cancioneros, por lo que Luis Rosales pudo llamar 'poetas cortesanos' a Villamediana y al conde de Salinas, tan extraordinarios los dos. También se sostuvo el horacionismo, muy cultivado por los Argensolas, Medrano y otros, junto con la sátira a lo Persio y Juvenal, que encajaba muy bien en la época.

Pero al lado de la poesía italianista, los mismos poetas y otros muchos escribieron incontables romances, que se cantaron por todas partes, romances amorosos (pastoriles y moriscos), de cautivos, religiosos y satíricos, que se empiezan a recopilar muy tempranamente, en 1589, en el volumen de Pedro de Moncayo titulado *Flor de romances nuevos y canciones,* todos anónimos y recogidos la mayor parte de viva voz, por lo que abundan las variantes. A este volumen siguieron ocho más entre 1589 y 1597,[32] que se reunieron en el famoso *Romancero general* de 1600, reimpreso "nuevamente añadido" en 1602, y aun apareció otra vez en 1604 conteniendo trece partes. Para José F. Montesinos, de estas adiciones, "lo más nuevo y atractivo [...] son las letras y aun diría que sobre todo aquellas fundadas en seguidilla o con seguidillas como estribillo", ya que los romances añadidos son "romances secos y áridos, destinados desde luego a la lectura y no al canto".[33]

Todavía en 1605 Miguel de Madrigal publica en Valladolid una *Segunda parte del Romancero general y Flor de diversa poesía,* que no sólo contiene romances, sino poesía culta de Lope, los Argensola y otros.

Aunque a partir de esa fecha ya no se publican romanceros extensos, sí aparecen los que J. F. Montesinos llama "romancerillos tardíos", cuya mejor característica es la de ser poesía lírica "en el sentido más genuino y etimológico de la palabra",[34] a veces con un final de cancioncilla, que con mucha frecuencia es una seguidilla, al paso que desaparece el romance morisco, de tanto éxito en los años anteriores. Algunos de estos romancerillos contienen poemas muy bellos, como el de Juan de Chen titulado muy significativamente *Laberinto amoroso de los mejores, y más nuevos romances [...] con las más curiosas letrillas de cuantas se han cantado* (Barcelona, 1618), el muy difundido de Pedro Arias Pérez, *Primavera y flor de los mejores romances* (Madrid, 1621), y el de Jorge Pinto de Morales, *Maravillas del Parnaso* (Lisboa, 1637), que incluye los romances de *La Dorotea,* de Lope, entre otros muchos.

No todos los romances de hacia 1600 son precisamente amorosos, porque los hay también tabernarios o pros-

[32] Reimpresos en facsímil por la Real Academia de la Lengua, con prólogos de A. Rodríguez-Moñino, Madrid, 1957.

[33] Prólogo a los *Romancerillos tardíos* (Salamanca, Clásicos Anaya, 1964), p. 5.

[34] *Ibid.,* p. 23.

tibularios, aquellos romances cuya boga corre pareja con la novela picaresca, puestos en boca de bravos, chulos y coimas, en lengua 'germanesca', que reunió Juan Hidalgo en sus *Romances de germanía de varios autores con su Bocabulario* (Barcelona, 1609). A este género rufianesco pertenecen las célebres jácaras de Quevedo, que nos dejó alguna tan lograda como la "Carta de Escarramán a la Méndez", que puede verse en las páginas 206-209, se llegó a convertir a lo divino y se cantó en algunos conventos madrileños.

Aunque en el Barroco no abundan los cancioneros musicales como en el siglo XVI, la canción de tipo tradicional siguió muy viva, especialmente dentro del teatro de Lope de Vega y sus seguidores. Como es harto sabido, Lope es un enamorado de esa lírica y siempre que puede utiliza una canción para redondear mejor la atmósfera de una escena y por eso abundan en su obra las canciones de trabajo, de bodas, de bautizos, etc., canciones que muchas veces son creación del propio Lope y otras auténticamente tradicionales (a veces con leves cambios), usando además todas las fórmulas conocidas, desde el zéjel a la canción paralelística o a la repetición coral de un mismo verso a lo largo del poema. Más de una vez la canción es la que engendra una obra como *El caballero de Olmedo,* mientras en algunos casos sólo cita un verso, bien conocido por el público. Lo mismo harán Tirso de Molina, Vélez de Guevara y hasta Calderón y los entremesistas.

Notable boga adquirió a partir de 1580 la letrilla, que nace muy vinculada al villancico tradicional, con su cabeza, muchas veces harto vieja, y su glosa nueva. Fue cultivada intensamente a lo largo de todo el siglo XVII, destacando las de Góngora y Quevedo, que llegaron a tradicionalizarse o poco menos. Las letrillas suelen ser de contenido muy diverso, predominando las amorosas, las satíricas y las religiosas. Lope de Vega escribió la comedia de *No son todo ruiseñores* rindiendo así un homenaje a su poco amigo Góngora, el autor de esa letrilla tan bella.

Muy cultivada fue también la seguidilla, cuyos orígenes no son demasiado claros y cuya tradicionalización fue evidente, hasta el punto de que F. García Lorca divulgó con su música correspondiente la conocida: "¡Ay, río de Sevilla, / quién te pasase", que creyó del siglo XVIII, cuando se cantaba ya en la juventud de Lope. Las seguidillas figuran muchas veces en los romances como final lírico, pero también se escribieron poemas enteros con esa fórmula de tanta gracia poética.

Si es difícil, como veremos, agrupar los poetas barrocos dentro de determinadas tendencias, no lo es, en cambio, la posibilidad de establecer las generaciones que se van sucediendo a lo largo de tan dilatada época; basta reunirlos, sencillamente por los años de nacimiento.

La primera generación, la que iniciará todas las novedades de la lírica y del teatro, es la de los que nacen hacia 1560, como Lupercio Leonardo de Argensola, José de Valdivielso, don Luis de Góngora, Lope de Vega, B. Leonardo de Argensola, Juan de Salinas, el conde de Salinas y don Juan de Arguijo. Basta repasar los poemas incluidos en la antología para notar inmediatamente que nos encontramos ante una poesía nueva, con tendencias muy diversas también.

Don Francisco de Quevedo (1580-1645) puede encabezar perfectamente la segunda generación poética del Barroco, que ya no parte de Garcilaso, Herrera y fray Luis de León como la anterior. A esta generación pertenecen don Francisco de Borja, príncipe de Esquilache, Pedro Espinosa, López de Zárate, el conde de Villamediana, Juan de Jáuregui, Francisco de Rioja y Carrillo y Sotomayor.

Por último, la tercera generación estará constituida por los que nacen alrededor de 1600, como un Calderón, Enríquez Gómez, Pantaleón de Ribera, Polo de Medina, Gabriel Bocángel y Pedro de Quirós. Esta generación tiene ya delante figuras tan extraordinarias como Góngora,

Lope y Quevedo, cuyas soluciones poéticas seguirán inexcusablemente.

En cambio, ya no es tan sencillo agrupar esa abundancia de poetas con arreglo a las distintas tendencias, porque lo mismo Góngora, que Lope o Quevedo tienen imitadores que tampoco tienen el menor inconveniente en mezclar los estilos de los maestros. No se puede hablar de Lope como poeta 'llano', porque tanto *La Filomena* como *La Circe* son a ráfagas bastante gongorinas y ya Gerardo Diego incluyó en su *Antología poética en honor de Góngora* el "Himno a las estrellas", de Quevedo, al paso que un Carrillo y Sotomayor escribe una poesía muy distinta a la de don Luis, a pesar de su *Libro de la erudición poética,* que se ha tenido por una especie de manifiesto del culteranismo. Y tampoco es fácil agruparlos por regiones, porque pueden convivir en Sevilla Arguijo y Medrano, cuya obra poética es muy dispar; tampoco Jáuregui se parecerá a Fernández de Andrada o a Rodrigo Caro, por ejemplo. Lo mismo sucede con el grupo de poetas aragoneses, donde el predominio de los Argensola, tan evidente, no fue obstáculo para que se admirase profundamente la poesía gongorina.

Sí, en cambio, parece claro que el grupo antequerano-granadino alrededor de Pedro Espinosa cultivó una poesía más sensorial que la de los sevillanos, por ejemplo. La sensualidad del propio Espinosa y la de un Martín de la Plaza es más nítida que la de otros poetas de hacia 1600. Pero ya no se pueden hacer más divisiones regionales; aunque sí se puede hablar de un grupo gongorino, con Villamediana, Bocángel y otros; de los amigos de Lope de Vega, como Valdivielso, don Francisco de Borja, López de Zárate, pero ya no de seguidores de un Quevedo, aunque su influencia sea muy clara hasta bien entrado el siglo XVIII.

Como sucede con muchos poetas del Renacimiento, tampoco los del Barroco sintieron la tentación de la obra impresa, salvo el caso de Lope de Vega, porque ni Góngora, los Argensola, Arguijo, Quevedo, Villamediana o Rioja vieron sus poemas publicados. El caso de Quevedo, editor de la poesía de fray Luis de León y de Francisco de la Torre, pero no la suya, es sumamente curioso y muy revelador.

Esta poesía barroca ha sufrido los vaivenes de la crítica literaria desde el siglo XVIII hasta nuestros días. Aunque hay una veta muy barroca en el siglo XVIII, con claras influencias de Góngora y Quevedo, a los neoclásicos les interesó mucho más la poesía de Garcilaso, fray Luis de León, con Herrera, que la de Góngora y sus seguidores. En el Romanticismo, un Martínez de la Rosa analiza con mucha agudeza, aunque poca comprensión, la poesía de Góngora y, curiosamente, su influencia en Lope.[35] El extraordinario saber de don M. Menéndez Pelayo, no le llevó, a pesar de ello, a comprender la genialidad de las *Soledades,* como tampoco la comprendieron Unamuno y A. Machado. En la poética de Juan de Mairena, tan poco propicio a la poesía barroca, hay, sin embargo, una observación muy curiosa, que antecede en mucho a estudios posteriores:

> Culteranismo y conceptismo son, pues, para Mairena dos expresiones de una misma oquedad y cuya concomitancia se explica por un creciente empobrecimiento del alma española. La misma inopia de intuiciones que, incapaz de elevarse a las ideas, lleva al pensamiento conceptista y de éste a la pura agudeza verbal, crea la metáfora culterana, no menos conceptual que el concepto conceptista, la seca y árida tropología gongorina.[36]

Hay que llegar a la generación del 27 para encontrar la mejor revalorización de la poesía barroca, con la biografía de Góngora escrita por Miguel Artigas, los geniales estudios de Dámaso Alonso y la admiración de J. Guillén, G. Diego, F. García Lorca, R. Alberti y otros. Ne-

[35] *Obras literarias,* I (Londres, 1838), pp. 88-93.
[36] Cito por las *Poesías completas* (Madrid, Espasa Calpe, 1933), p. 375.

ruda no dejará de admirar a Quevedo, lo mismo que Borges, Dámaso Alonso y Miguel Hernández o los jóvenes poetas de hoy, que a su vez han vuelto con mucho gozo a la poesía de Góngora, y por eso no es difícil hallar sus huellas en más de uno.

Como en el volumen anterior, remito al lector interesado al *Manual de bibliografía de la literatura española,* de J. Simón Díaz, al que se puede añadir *La poesía de la edad barroca,* de María del Pilar Palomo (Madrid, 1975), el *Manual de literatura española. III. Barroco*: *Introducción, prosa y poesía,* de Felipe B. Pedraza y Milagros Rodríguez (Cénlit Ediciones, 1980) y a la *Historia y crítica de la literatura española, III, Siglos de Oro*: *Barroco,* dirigida por Francisco Rico y volumen a cargo de Bruce W. A. Wardropper (Barcelona, 1983), donde se encontrará la bibliografía última.

JOSÉ MANUEL BLECUA

POESÍA DE LA EDAD DE ORO

BARROCO

PEDRO LIÑÁN DE RIAZA *

(1557?-1607)

1 LA CONDICIÓN HUMANA

Si el que es más desdichado alcanza muerte,
ninguno es con extremo desdichado;
que el tiempo libre le pondrá en estado
que no espere ni tema injusta suerte.

Todos viven penando si se advierte: 5
éste por no perder lo que ha ganado,
aquél porque jamás se vio premiado.
¡Condición de la vida injusta y fuerte!

Tal suerte aumenta el bien, y tal le ataja;
a tal despojan porque tal posea; 10
sucede a gran pesar grande alegría,

mas, ¡ay!, que al fin les viene en la mortaja,
al que era triste lo que más desea,
al que es alegre lo que más temía.

* Pedro Liñán de Riaza, de origen toledano, amigo de Lope de Vega, estudió en Salamanca, fue secretario del marqués de Camarasa y del duque de Ahumada. Hacia 1600 se ordenó de sacerdote y murió en 1607.

2

LA NOCHE

La noche es madre de los pensamientos,
cama de peregrinos y cansados,
velo de pobres y de enamorados
y día de ladrones y avarientos;

cueva de fugitivos y sangrientos, 5
guerra de enfermos, paz de maltratados,
reino de vicios, tierra de pecados
y testigo de santos pensamientos.

Es un rebozo de naturaleza,
es máscara del sol, luz de estudiosos, 10
capa de pecadores y de justos;

es una sombra llena de extrañeza,
espuela de cobardes y animosos
y causa, en fin, de gustos y disgustos.

3

La niña morena
que yendo a la fuente
perdió sus zarcillos
gran pena merece.
"Diérame mi amado 5
antes que se fuese
zarcillos dorados
ahora hace tres meses.
"Dos candados eran
para que no oyese 10
palabras de amores
que otros me dijesen.
"Perdílos lavando;
¿qué dirá mi ausente,
sino que son unas 15
todas las mujeres?
"Dirá que no quise
candados que cierren,
sino falsas llaves,
mudanza y desdenes; 20

"dirá que me hablan
cuantos van y vienen,
y que somos unas
todas las mujeres.
"Dirá que me huelgo 25
de que no parece
el domingo en misa
ni en mercado el jueves;
"que mi amor sencillo
tiene mil dobleces, 30
y que somos unas
todas las mujeres.
"Diráme: "—Traidora,
que con alfileres
prendes de tu cofia 35
lo que mi alma prende.—"
"Cuando esto me diga,
diréle que miente,
y que no son unas
todas las mujeres. 40
"Diré que me agrada
su pellico el verde
muy más que el brocado
que visten marqueses;
"que su amor primero 45
primero fue siempre;
que no somos unas
todas las mujeres.
"Diré que en el tiempo
que el mundo revuelve, 50
la verdad que digo
verá si quisiere:
"Amor de mis ojos,
burlada me dejes
si yo me mudare 55
como otras mujeres."

[De las *Poesías,* edición de Julián F. Randolph (Barcelona, Puvill, 1982), pp. 72, 73 y 208.]

GABRIEL LASSO DE LA VEGA *

(1558?-1615?)

4 OTRO ROMANCE

¿Quién compra diez y seis moros
que han quedado de unas cañas
como fiambre de boda,
y otros tantos de una zambra?
Dáranse en honestos precios 5
mozos de silla y de albarda,
para lacayos dispuestos
y para mozos de plaza.
Y no es gente como quiera,
sino compuesta y gallarda, 10
y sepa quien los comprare
que los vestidos no paga.
Pregúntenlo a los que zumban
en las mesas sus guitarras,
que dirán sus atavíos 15
sus motes, empresas, galas,

* Gabriel Lasso de la Vega, quizá madrileño, en la *Primera parte del Romancero y Tragedias* (1587) se llama "criado del Rey nuestro señor" y en la *Segunda parte del Manojuelo de romances* (1603), "continuo". Es autor además de dos tragedias y de la *Primera parte de Cortés Valeroso y Mejicana* (Madrid, 1588), que con el título de *Mexicana* "enmendada y añadida por el mismo autor" se publicó en 1594.

2 *cañas*: fiesta o torneo en que distintas cuadrillas de jinetes se lanzaban cañas recíprocamente.

16 *mote*: frase que adoptaban los caballeros como distintivo en los torneos o que figura como leyenda en los escudos. *Empresa*: divisa, emblema, figura simbólica, a veces completada con una leyenda.

sus soles, lunas y estrellas,
sus letras, divisas, jarcias,
pues que les vale, no menos
que el comer el pregonarlas; 20
la división de los cuerpos
y entre dos partirse una alma.
Y verlos han tan meliflos
que casi parecen mayas.
No quiero decir sus nombres, 25
que será posible que haya
entre ellos algún Azarque
que no todos echan agua.
"Yo quiero comprar dos dellos
que leña del monte traigan, 30
y escogeré dos Alcaides
pues que tan baratos andan;
"las marlotas venderé
de damasco azul y plata,
que me escusará, a lo menos, 35
el tomar una mohatra,
"y a un hombre que alquila hatos
el Corpus para las danzas,
venderé toca y turbante,
los datilados y manga; 40
"dejárelos en pelota,
pues con unas alpargatas
y un zaragüelle de angeo
tendrán al fin lo que basta.

18 *letras*: las palabras que llevaban los motes y las empresas. *Jarcias*: aquí, mezcla de cosas desordenadas.
33 *marlota*: vestido morisco que cubría todo el cuerpo.
36 *mohatra*: compra fingida o simulada.
40 *datilado*: del color del dátil. *Manga*: en algunos 'balandranes', trozo de tela que cuelga del hombro y llega hasta los pies.
43 *zaragüelles*: "pantalones de perneras anchas que forman pliegues". *Dicc. de Auts.*

"Contaránme del invierno 45
las noches prolijas, largas,
los asaltos de Jaén
y los combates de Baza,
"la muerte de Reduán
y los amores de Audalla, 50
con el destierro de Muza,
porque el Rey quiso a su dama;
"y tras esto dormirán
en el pajar con dos mantas.
Hasta que les ponga el día 55
en las manos dos azadas,
"escabaránme las viñas,
regáranme huerta y granja
y vender los he a galera
cuando monedas no haya." 60

5 LETRA

Cual más cual menos
toda la lana es pelos.

Amor y la muerte
nos hacen iguales,
grandes, y no tales, 5
que uno y otro es fuerte
y en diversa suerte,
aunque hay más y menos,
toda la lana es pelos.
Aunque hay variedad 10
en el padecer,
todo viene a ser
de una calidad,
sana voluntad
y enfermos recelos, 15
toda la lana es pelos.

59 *a galera*: es decir, para ser remeros en las galeras.

Unos son amantes
otros son amados,
dellos desdeñados
y perseverantes, 20
varios, y constantes,
celos, y no celos,
toda la lana es pelos.
Necios y discretos
caídos y ufanos, 25
nobles y villanos,
odiosos y acetos,
como estén sujetos
a amorosos duelos,
toda la lana es pelos. 30

[Del *Manojuelo de romances nuevos* (Zaragoza, 1601), edic. de E. Mele y A. González Palencia (Madrid, 1942), pp. 101 y 163.]

JUAN DE SALINAS *

(1559-1643)

6 ROMANCE EN ENDECHAS

La moza gallega
que está en la posada,
subiendo maletas
y dando cebada,

* El doctor Juan de Salinas, sevillano, estudió en Salamanca, "donde se aplicó al buen gusto de la poesía", según el padre Gabriel de Aranda. Pasó a Italia y más tarde fue canónigo de la catedral de Segovia, pero al heredar, renunció a la canonjía y volvió a Sevilla, donde murió en 1642.

penosa se sienta 5
encima de un arca,
por ver ir un huésped
que tiene en el alma,
mocito espigado,
de trenza de plata, 10
que canta bonito
y tañe guitarra.
Con lágrimas vivas
que al suelo derrama,
con tristes suspiros, 15
con quejas amargas,
del pecho rabioso
descubre las ansias.
¡Mal haya quien fía
de gente que pasa! 20
"Pensé que estuviera
dos meses de estancia,
y, cuando se fuera,
que allá me llevara.
"Pensé que el amor 25
y fe que cantaba,
supiera rezado
tenello y guardalla.
"¡Pensé que eran ciertas
sus falsas palabras! 30
¡Mal haya quien fía
de gente que pasa!
"Diérale mi cuerpo,
mi cuerpo de grana,
para que sobre él 35
la mano probara
"y jurara a medias,
perdiera o ganara.
¡Ay Dios! si lo sabe,
¿qué dirá mi hermana? 40
"Dirame que soy
una perdularia,

pues di de mis prendas
la más estimada,
”y él va tan alegre 45
y más que una Pascua.
¡Mal haya quien fia
de gente que pasa!
”¿Qué pude hacer más
que darle polainas 50
con encaje y puntas
de muy fina holanda;
”cocerle su carne
y hacerle su salsa;
encenderle vela 55
de noche si llama,
”y, en dándole gusto,
soplar y matalla?
¡Mal haya quien fia
de gente que pasa!” 60
En esto ya el huésped
la cuenta remata,
y, el pie en el estribo,
furioso cabalga,
”y, antes de partirse, 65
para consolarla,
de ella se despide
con estas palabras:
“Isabel, no llores;
no llores, amores. 70
Si por dicha lloras
porque yo no lloro,
”sabrás que mi lloro
no es a todas horas,
y, aunque me desdoras, 75
otros hay peores.
”Isabel, no llores;
no llores, amores.”

7 EN ALABANZA DE LA ROSA EN COMPETENCIA DEL JAZMÍN

El que eligió en el jardín
el jazmín, no fue discreto,
que no tiene olor perfeto
si se marchita el jazmín.
Mas la rosa hasta su fin, 5
porque aun su morir se alabe,
tiene olor más dulce y suave,
fragancia más olorosa:
luego mejor es la rosa
y el jazmín menos süave. 10

Tú, que rosa y jazmín ves,
eliges la pompa breve
del jazmín, fragante nieve,
que un soplo al céfiro es;
mas conociendo después 15
la altiva lisonja hermosa
de la rosa, cuidadosa
la antepondrás en tu amor;
que es el jazmín poca flor,
mucha fragancia la rosa. 20

[De las *Poesías del Doctor Juan de Salinas* (Sevilla, 1869), t. I, p. 83, y II, p. 163.]

ANTONIO DE MALUENDA *

8 LOS TRABAJOS DE LA VIDA

¡Trabajos, peso dulce, don precioso,
al que con humildad os sufre y lleva;
toque de la virtud; ilustre prueba
del corazón constante y generoso!

¡Saludable licor, néctar sabroso 5
que las fuerzas del ánimo renueva;
breve y seguro atajo; senda nueva
para llegar al reino del reposo!

¡Dichoso el que os abraza y se sustenta
del fruto del honor y de la gloria 10
que entre vuestras espinas nace y crece!

Mas ¡ay de aquel que, en ocio y vida exenta,
dejando al mundo infame su memoria,
sin beber de este cáliz envejece!

9 ELOCUENCIA DEL LLANTO

Estas lágrimas vivas que corriendo
van publicando lo que el alma calla,
es una diligencia sin pensalla
que está el dolor en su favor haciendo.

* De Antonio de Maluenda, monje benedictino, natural de Burgos, sólo sabemos que en 1586 era canónigo de aquella catedral y abad de San Millán. Lo elogió Villamediana llamándole "Fénix español y Virgilio castellano".

Quien llora, está atreviéndose y temiendo, 5
vencido de su pena, por no dalla;
toma el llanto a su cargo el declaralla;
nadie la dice y él la está diciendo.

Vos podréis disfrazar algún suspiro,
sin que yo pierda el nombre de callado, 10
pues palabra no oiréis de mis enojos.

Pero tendré por fuerza, cuando os miro,
remitido el deciros mi cuidado,
a la lengua del agua de mis ojos.

[De *Algunas rimas castellanas del abad D. Antonio de Maluenda,* edic. de Juan Pérez de Guzmán y Gallo (Sevilla, 1892), pp. 42 y 65.]

LUPERCIO LEONARDO DE ARGENSOLA

(1559-1613)

10 CANCIÓN A LA ESPERANZA

Aplácase muy presto
el temor importuno
y déjase llevar de la esperanza;
infierno es manifiesto
no ver indicio alguno 5
de que puede en la pena hacer mudanza.
Aflije la tardanza
del bien, pero consuela,
si se espera, saber que el tiempo vuela.
Alivia sus fatigas 10
el labrador cansado
cuando su yerta barba escarcha cubre,
pensando en las espigas

del agosto abrasado
y en los lagares ricos del octubre; 15
la hoz se le descubre
cuando el aradro apaña,
y con dulces memorias le acompaña.
Carga de hierro duro
sus miembros y se obliga 20
el joven al trabajo de la guerra.
Huye el ocio seguro,
trueca por la enemiga
su dulce, natural y amiga tierra;
mas cuando se destierra, 25
o al asalto acomete,
mil triunfos y mil glorias se promete.
La vida al mar confía,
y a dos tablas delgadas,
el otro, que del oro está sediento. 30
Escóndesele el día,
y las olas hinchadas
suben a combatir el firmamento;
él quita el pensamiento
de la muerte vecina, 35
y en el oro le pone y en la mina.
Deja el lecho caliente
con la esposa dormida
el cazador solícito y robusto.
Sufre el cierzo inclemente, 40
la nieve endurecida,
y tiene de su afán por premio justo
interrumpir el gusto
y la paz de las fieras,
en vano cautas, fuertes y ligeras. 45
Premio y cierto fin tiene
cualquier trabajo humano,
y el uno llama al otro sin mudanza;
el invierno entretiene
la opinión del verano, 50
y un tiempo sirve al otro de templanza.
El bien de la esperanza

solo quedó en el suelo
cuando todos huyeron para el cielo.
Si la esperanza quitas, 55
¿qué le dejas al mundo?
Su máquina disuelves y destruyes;
todo lo precipitas
en olvido profundo,
y ¿del fin natural, Flérida, huyes? 60
Si la cerviz rehuyes
de los brazos amados,
¿qué premio piensas dar a los cuidados?
Amor, en diferentes
géneros dividido, 65
él publica su fin, y quien le admite.
Todos los accidentes
de un amante atrevido
(niéguelo o disimúlelo) permite.
Limite, pues, limite 70
la avara resistencia:
que, dada la ocasión, todo es licencia.

11 Dentro quiero vivir de mi fortuna
y huir los grandes nombres que derrama
con estatuas y títulos la Fama
por el cóncavo cerco de la luna.

Si con ellos no tengo cosa alguna 5
común de las que el vulgo sigue y ama,
bástame ver común la postrer cama,
del modo que lo fue la primer cuna.

Y entre estos dos umbrales de la vida,
distantes un espacio tan estrecho, 10
que en la entrada comienza la salida,

¿qué más aplauso quiero, o más provecho,
que ver mi fe de Filis admitida
y estar yo de la suya satisfecho?

12 No fueron tus divinos ojos, Ana,
los que al yugo amoroso me han rendido;
ni los rosados labios, dulce nido
del ciego niño, donde néctar mana;

ni las mejillas de color de grana; 5
ni el cabello, que al oro es preferido;
ni las manos, que a tantos han vencido;
ni la voz, que está en duda si es humana.

Tu alma, que en tus obras se trasluce,
es la que sujetar pudo la mía, 10
porque fuese inmortal su cautiverio.

Así todo lo dicho se reduce
a solo su poder, porque tenía
por ella cada cual su ministerio.

13 Si quiere Amor que siga sus antojos
y a sus hierros de nuevo rinda el cuello;
que por ídolo adore un rostro bello
y que vistan su templo mis despojos,

la flaca luz renueve de mis ojos, 5
restituya a mi frente su cabello,
a mis labios la rosa y primer vello,
que ya pendiente y yerto es dos manojos.

Y entonces, como sierpe renovada,
a la puerta de Filis inclemente 10
resistiré a la lluvia y a los vientos.

Mas si no ha de volver la edad pasada,
y todo con la edad es diferente,
¿por qué no lo han de ser mis pensamientos?

14 Esos cabellos en tu frente enjertos
(por más que disimules y los rices)
en otros cuerpos dejan las raíces,
y por ventura en otros cuerpos muertos.

¿Por qué pueblas, o Gala, los desiertos 5
de la Libia? ¿Por qué con tus barnices
ofendes nuestros ojos y narices,
cual si viesen sepulcros descubiertos?

Que aunque vuelvas a ser la que solías,
no puedes competir con Galatea; 10
oye, verás si la ventaja es poca:

en ti son años los que en ella días;
está en duda si el tiempo la hará fea,
y está en verdad que nunca la hará loca.

15 Llevó tras sí los pámpanos otubre,
y con las grandes lluvias, insolente,
no sufre Ibero márgenes ni puente,
mas antes los vecinos campos cubre.

Moncayo, como suele, ya descubre 5
coronada de nieve la alta frente,
y el sol apenas vemos en Oriente
cuando la opaca tierra nos lo encubre.

Sienten el mar y selvas ya la saña
del aquilón, y encierra su bramido 10
gente en el puerto y gente en la cabaña.

Y Fabio, en el umbral de Tais tendido,
con vergonzosas lágrimas lo baña,
debiéndolas al tiempo que ha perdido.

[De las *Rimas,* edic. de J. M. Blecua en Clásicos Castellanos, n. 173.]

JOSÉ DE VALDIVIELSO

(¿1560?-1638)

16

LETRA A UNA ALMA PERDIDA

La malva morenica, y va,
la malva morená.

Por irte tras tus antojos,
alma, olvidas mis amores,
y pensando coger flores, 5
tienes de coger abrojos.
¡Ay, morena de mis ojos!
De ti, sin mí, ¿qué será?
La malva morenica, y va,
la malva morená. 10

Después que a verme no vienes,
estás tan marchita y lacia,
que sé que no tienes gracia
ni que cosa buena tienes;
vuelve a tus seguros bienes, 15
que con los que el mundo da,
la malva morenica, y va,
la malva morená.

Basta ya tanto desdén
pues ves que por tu amor muero, 20
el pecho abierto te espero,
a aqueste pecho te ven;
yo sé que en él te irá bien,
que si te estás por allá,
la malva morenica, y va, 25
la malva morená.

1-2 Es una canción de tipo tradicional, como las dos siguientes.

Después, alma, que te fuiste,
diré, pues que me olvidaste,
que sin alma me dejaste,
pues sabes que mi alma fuiste; 30
vuelve al pecho que rompiste,
que como sin alma está,
la malva morenica, y va,
la malva morená.

17 SEGUIDILLAS

Unos ojos bellos
adoro, madre;
téngolos ausentes,
verélos tarde.

Unos ojos bellos, 5
que son de paloma,
donde amor se asoma
a dar vida en ellos;
no hay, madre, sin vellos,
bien que no me falte. 10
Téngolos ausentes,
verélos tarde.
Son dignos de amar,
pues podéis creer,
que no hay más que ver 15
ni que desear;
hícelos llorar,
y llorar me hacen.
Téngolos ausentes,
verélos tarde. 20
No sé qué me vi
cuando los miré,
que en ellos me hallé
y en mí me perdí.
Ya no vivo en mí, 25
sino en ellos, madre.

Téngolos ausentes,
verélos tarde.

18 LETRA AL NIÑO JESÚS

Entra mayo y sale abril;
¡cuán garridico me le vi venir!
Hízose mayo encarnado
el Niño Jesús que adoro,
y entre el pelo rizo de oro, 5
de hermosas flores cercado.
Como un mayo enamorado,
al alma viene a servir;
¡cuán garridico me le vi venir!
Hecho ya un florido mayo, 10
por si su Esposa despierta,
quiere plantarse a su puerta
por dar vida a su desmayo;
estrecho le venia el sayo,
y en Belén se le hizo abrir; 15
¡cuán garridico me le vi venir!
Por servir a sus amores
ciñe sus sienes hermosas
de jazmines y de rosas,
que son de su amor colores; 20
mas, ¡ay Dios!, que tras las flores,
espinas le han de salir:
¡cuán garridico me le vi venir!
Entra mayo y sale abril;
¡cuán garridico me le vi venir! 25

[Del *Romancero espiritual* (Madrid, 1880), pp. 105, 115 y 227.]

LUIS DE GÓNGORA

(1560-1627)

SONETOS

1582

19 De pura honestidad templo sagrado,
cuyo bello cimiento y gentil muro
de blanco nácar y alabastro duro
fue por divina mano fabricado;

pequeña puerta de coral preciado, 5
claras lumbreras de mirar seguro,
que a la esmeralda fina el verde puro
habéis para viriles usurpado;

soberbio techo, cuyas cimbrias de oro
al claro sol, en cuanto en torno gira, 10
ornan de luz, coronan de belleza;

ídolo bello, a quien humilde adoro,
oye piadoso al que por ti suspira,
tus himnos canta, y tus virtudes reza.

1582

20 Ya besando unas manos cristalinas,
ya anudándome a un blanco y liso cuello,
ya esparciendo por él aquel cabello
que Amor sacó entre el oro de sus minas,

8 *viril*: especie de vidrio transparente.

ya quebrando en aquellas perlas finas 5
palabras dulces mil sin merecello,
ya cogiendo de cada labio bello
purpúreas rosas sin temor de espinas,

estaba, oh claro sol invidïoso,
cuando tu luz, hiriéndome los ojos, 10
mató mi gloria y acabó mi suerte.

Si el cielo ya no es menos poderoso,
porque no den los tuyos más enojos,
rayos, como a tu hijo, te den muerte.

1584

21 Con diferencia tal, con gracia tanta
aquel ruiseñor llora, que sospecho
que tiene otros cien mil dentro del pecho
que alternan su dolor por su garganta;

y aun creo que el espíritu levanta 5
—como en información de su derecho—
a escribir del cuñado el atroz hecho
en las hojas de aquella verde planta.

Ponga, pues, fin a las querellas que usa,
pues ni quejarse, ni mudar estanza 10
por pico ni por pluma se le veda;

y llore sólo aquel que su Medusa
en piedra convirtió, porque no pueda
ni publicar su mal, ni hacer mudanza.

[20] 14 Alude al mito de Faetón, hijo de Apolo y el Sol.
[21] 1-8 Recuerda el mito de Filomena, violada por su cuñado Tereo, quien además le cortó la lengua, convertida después en ruiseñor.
12 *Medusa*: una de las tres Gorgonas; sus cabellos fueron convertidos en sierpes que petrificaban a cuantos las miraban.

1585

22

A CÓRDOBA

¡Oh excelso muro, oh torres coronadas
de honor, de majestad, de gallardía!
¡Oh gran río, gran rey de Andalucía,
de arenas nobles, ya que no doradas!

¡Oh fértil llano, oh sierras levantadas, 5
que privilegia el cielo y dora el día!
¡Oh siempre gloriosa patria mía,
tanto por plumas cuanto por espadas!

Si entre aquellas rüinas y despojos
que enriquece Genil y Dauro baña 10
tu memoria no fue alimento mío,

nunca merezcan mis ausentes ojos
ver tu muro, tus torres y tu río,
tu llano y sierra, ¡oh patria, oh flor de España!

1588

23

Duélete de esa puente, Manzanares;
mira que dice por ahí la gente
que no eres río para media puente,
y que ella es puente para muchos mares.

Hoy, arrogante, te ha brotado a pares 5
húmedas crestas tu soberbia frente,
y ayer me dijo humilde tu corriente
que eran en marzo los caniculares.

[22] 8 Alude a los escritores cordobeses, como Séneca, Lucano y Juan de Mena, por ejemplo, y al Gran Capitán, Gonzalo Fernández de Córdoba.

Por el alma de aquel que ha pretendido
con cuatro onzas de agua de chicoria 10
purgar la villa y darte lo purgado,

me dí ¿cómo has menguado y has crecido?
¿cómo ayer te vi en pena y hoy en gloria?
—Bebióme un asno ayer, y hoy me ha meado.

1594

24

DE UN CAMINANTE ENFERMO
QUE SE ENAMORÓ DONDE FUE HOSPEDADO

Descaminado, enfermo, peregrino
en tenebrosa noche, con pie incierto
la confusión pisando del desierto,
voces en vano dio, pasos sin tino.

Repetido latir, si no vecino, 5
distincto oyó de can siempre despierto,
y en pastoral albergue mal cubierto
piedad halló, si no halló camino.

Salió el sol, y entre armiños escondida,
soñolienta beldad con dulce saña 10
salteó al no bien sano pasajero.

Pagará el hospedaje con la vida;
más le valiera errar en la montaña,
que morir de la suerte que yo muero.

1603

25 Valladolid, de lágrimas sois valle,
y no quiero deciros quién las llora,
valle de Josafat, sin que en vos hora,
cuanto más día de jüicio se halle.

Pisado he vuestros muros calle a calle, 5
donde el engaño con la corte mora,
y cortesano sucio os hallo ahora,
siendo villano un tiempo de buen talle.

Todo sois Condes, no sin nuestro daño;
dígalo el andaluz, que en un infierno 10
debajo de una tabla escrita posa.

No encuentra al de Buendía en todo el año;
al de Chinchón sí ahora, y el invierno
al de Niebla, al de Nieva, al de Lodosa.

1620

26 DE UNA DAMA QUE, QUITÁNDOSE UNA SORTIJA, SE PICÓ CON UN ALFILER

Prisión del nácar era articulado
de mi firmeza un émulo luciente,
un dïamante, ingenïosamente
en oro también él aprisionado.

Clori, pues, que su dedo apremïado 5
de metal aun precioso no consiente,
gallarda un día, sobre impacïente,
le redimió del vínculo dorado.

Mas ay, que insidïoso latón breve
en los cristales de su bella mano 10
sacrílego divina sangre bebe:

[25] 10 Parece alusión al propio poeta.
12-14 Buendía, Niebla, Lodosa... son juegos de voces con los nobles de la Corte, entonces en Valladolid.
[26] 1 *nácar articulado*: un dedo.
4 *también él aprisionado*: el diamante está aprisionado con oro, como el poeta en el cabello dorado de la dama.
9 *insidïoso latón breve*: una aguja que pincha la mano de Clori.

púrpura ilustró menos indïano
marfil; invidïosa, sobre nieve
claveles deshojó la Aurora en vano.

[CH 1615] 1614

27 INSCRIPCIÓN PARA EL SEPULCRO DE DOMÍNICO GRECO

Esta en forma elegante, oh peregrino,
de pórfido luciente dura llave
el pincel niega al mundo más süave,
que dio espíritu a leño, vida a lino.

Su nombre, aun de mayor aliento digno   5
que en los clarines de la Fama cabe,
el campo ilustra de ese mármol grave.
Venérale, y prosigue tu camino.

Yace el Griego. Heredó Naturaleza
arte, y el Arte, estudio; Iris, colores;   10
Febo, luces —si no sombras, Morfeo.—

Tanta urna, a pesar de su dureza,
lágrimas beba y cuantos suda olores
corteza funeral de árbol sabeo.

[De los *Sonetos completos,* edic. de B. Ciplijauskaité, en Clásicos Castalia.]

4 Porque se solía pintar sobre tabla = leño o sobre lino.

ROMANCES

1580

28

La más bella niña
de nuestro lugar,
hoy viuda y sola
y ayer por casar,
viendo que sus ojos 5
a la guerra van,
a su madre dice
que escucha su mal:
"*Dejadme llorar*
orillas del mar. 10

"Pues me diste, madre,
en tan tierna edad
tan corto el placer,
tan largo el pesar,
y me cautivastes 15
de quien hoy se va
y lleva las llaves
de mi libertad,
dejadme llorar
orillas del mar. 20

"En llorar conviertan
mis ojos, de hoy más,
el sabroso oficio
del dulce mirar,
pues que no se pueden 25
mejor ocupar,
yéndose a la guerra
quien era mi paz.
Dejadme llorar
orillas del mar. 30

"No me pongáis freno
ni queráis culpar;
que lo uno es justo,
lo otro por demás.

Si me queréis bien 35
no me hagáis mal;
harto peor fuera
morir y callar.
Dejadme llorar
orillas del mar. 40
"Dulce madre mía,
¿quién no llorará
aunque tenga el pecho
como un pedernal,
y no dará voces 45
viendo marchitar
los más verdes años
de mi mocedad?
Dejadme llorar
orillas del mar. 50
Váyanse las noches,
pues ido se han
los ojos que hacían
los míos velar;
váyanse, y no vean 55
tanta soledad,
después que en mi lecho
sobra la mitad.
Dejadme llorar
orillas del mar. 60

1580

29 Hermana Marica,
mañana, que es fiesta,
no irás tú a la amiga
ni yo iré a la escuela.

3 *amiga*: escuela de niñas.

Pondraste el corpiño 5
y la saya buena,
cabezón labrado,
toca y albanega;
y a mí me pondrán
mi camisa nueva, 10
sayo de palmilla,
media de estameña;
y si hace bueno
trairé la montera
que me dio la Pascua 15
mi señora abuela,
y el estadal rojo
con lo que le cuelga,
que trajo el vecino
cuando fue a la feria. 20
Iremos a misa,
veremos la iglesia,
darános un cuarto
mi tía la ollera.
Compraremos de él 25
(que nadie lo sepa)
chochos y garbanzos
para la merienda;
y en la tardecica,
en nuestra plazuela, 30
jugaré yo al toro
y tú a las muñecas

7 *cabezón*: el cuello del vestido y de la camisa.
8 *albanega*: red que llevaban las mujeres en la cabeza para recoger los cabellos.
11 *palmilla*: cierto género de paño que se fabricaba en Cuenca.
12 *estameña*: tejido de lana con trama de estambre.
17 *estadal*: "cinta bendita en algún santuario que se suele poner al cuello". *Dic. de la Real Academia.*
23 *cuarto*: moneda de muy poco valor.
27 *chochos*: los altramuces y también los dulces que solían comprar los niños.

con las dos hermanas,
Juana y Madalena,
y las dos primillas, 35
Marica y la tuerta;
y si quiere madre
dar las castañetas,
podrás tanto dello
bailar en la puerta; 40
y al son del adufe
cantará Andrehuela
No me aprovecharon,
madre, las hierbas;
y yo de papel 45
haré una librea,
teñida con moras
porque bien parezca,
y una caperuza
con muchas almenas; 50
pondré por penacho
las dos plumas negras
del rabo del gallo,
que acullá en la huerta
anaranjeamos 55
las Carnestolendas;
y en la caña larga
pondré una bandera
con dos borlas blancas
en sus tranzaderas; 60

41 *adufe*: pandero morisco.
43-44 Es un estribillo de una canción popular.
53 *rabo*: cola.
55-56 *anaranjeamos / las Carnestolendas*: matar el gallo arrojándole naranjas. Comp.: "Entre toda esta buena gente, sólo uno llevaba coronado el sombrero de plumas de gallo, y viéndole así, creí que los que allí estaban le anaranjerían como a gallo en Antruejo". J. Polo de Medina, *Obras,* 1664, p. 310.

y en mi caballito
pondré una cabeza
de guadamecí,
dos hilos por riendas;
y entraré en la calle 65
haciendo corbetas.
Yo, y otros del barrio
que son más de treinta,
jugaremos cañas
junto a la plazuela, 70
porque Barbolilla
salga acá y nos vea:
Barbola, la hija
de la panadera,
la que suele darme 75
tortas con manteca,
porque algunas veces
hacemos yo y ella
las bellaquerías
detrás de la puerta. 80

1583

30

Amarrado al duro banco
de una galera turquesca,
ambas manos en el remo
y ambos ojos en la tierra,
un forzado de Dragut 5
en la playa de Marbella
se quejaba al ronco son
de el remo y de la cadena:

69 Sobre *cañas,* véase la nota 2 de la p. 30.
5 *forzado*: el condenado a servir como remero en las galeras. *Dragut*: célebre almirante turco del siglo XVI, sucesor de Barbarroja.

"¡Oh sagrado mar de España,
famosa playa serena, 10
teatro donde se han hecho
cien mil navales tragedias!
"Pues eres tú el mismo mar
que con tus crecientes besas
las murallas de mi patria, 15
coronadas y soberbias,
"tráeme nuevas de mi esposa,
y dime si han sido ciertas
las lágrimas y suspiros
que me dice por sus letras; 20
"porque si es verdad que llora
mi cautiverio en tu arena,
bien puedes al mar del Sur
vencer en lucientes perlas.
"Dame ya, sagrado mar, 25
a mis demandas respuesta,
que bien puedes, si es verdad
que las aguas tienen lengua;
"pero, pues no me respondes,
sin duda alguna que es muerta, 30
aunque no lo debe ser,
pues que vivo yo en su ausencia.
"Pues he vivido diez años
sin libertad y sin ella,
siempre al remo condenado, 35
a nadie matarán penas."
En esto se descubrieron
de la Religión seis velas,
y el cómitre mandó usar
al forzado de su fuerza. 40

24 Las perlas orientales, o del mar del Sur, Pacífico, son tópicas en la poesía de la Edad de Oro.
38 *de la Religión seis velas*: seis naves o galeras de las que poseían los caballeros de Malta para luchar contra los piratas en el Mediterráneo.
39 *cómitre*: el que dirigía las maniobras de las galeras y castigaba a los remeros.

1602

31

En un pastoral albergue,
que la guerra entre unos robres
le dejó por escondido
o le perdonó por pobre,
do la paz viste pellico 5
y conduce entre pastores
ovejas del monte al llano
y cabras del llano al monte,
mal herido y bien curado,
se alberga un dichoso joven, 10
que sin clavarle Amor flecha,
le coronó de favores.
Las venas con poca sangre,
los ojos con mucha noche
le halló en el campo aquella 15
vida y muerte de los hombres.
Del palafrén se derriba,
no porque al moro conoce,
sino por ver que la hierba
tanta sangre paga en flores. 20
Límpiale el rostro, y la mano
siente al Amor que se esconde
tras las rosas, que la muerte
va violando sus colores.

[31] El tema del romance procede del *Orlando furioso,* canto XIX.

4 Nótese que el romance está lleno de contraposiciones y paralelismos.

14 *con mucha noche*: "con las sombras de la muerte ya asomándose a ellos", como explica D. Alonso (*La lengua poética de Góngora,* p. 23).

16 Es una perífrasis para designar a Angélica.

18 *moro*: Medoro, príncipe moro del que se enamora Angélica, lo que ocasiona la locura de Orlando.

Escondióse tras las rosas 25
porque labren sus arpones
el diamante del Catay
con aquella sangre noble.
Ya le regala los ojos,
ya le entra, sin ver por dónde, 30
una piedad mal nacida
entre dulces escorpiones.
Ya es herido el pedernal,
ya despide al primer golpe
centellas de agua. ¡Oh piedad, 35
hija de padres traidores!
Hierbas aplica a sus llagas,
que si no sanan entonces,
en virtud de tales manos
lisonjean los dolores. 40
Amor le ofrece su venda,
mas ella sus velos rompe
para ligar sus heridas;
los rayos del sol perdonen.
Los últimos nudos daba 45
cuando el cielo la socorre
de un villano en una yegua
que iba penetrando el bosque.
Enfrénanle de la bella
las tristes piadosas voces, 50
que los firmes troncos mueven
y las sordas piedras oyen;
y la que mejor se halla
en las selvas que en la Corte,

25-28 El Amor, escondido tras las rosas —las facciones de Medoro— dispara sus flechas para que Angélica —reina de Catay—, dura como un diamante, se ablande o apiade, ya que, como creían los antiguos, el diamante no se podía labrar si no era con otro o con la sangre del cabrón caliente, como dice Covarrubias en su *Tesoro.*

33 *pedernal*: corazón de Angélica.

35 *centellas de agua*: lágrimas.

simple bondad, al pío ruego 55
cortésmente corresponde.
Humilde se apea el villano,
y sobre la yegua pone
un cuerpo con poca sangre,
pero con dos corazones; 60
a su cabaña los guía,
que el sol deja su horizonte
y el humo de su cabaña
les va sirviendo de Norte.
Llegaron temprano a ella, 65
do una labradora acoge
un mal vivo con dos almas,
una ciega con dos soles.
Blando heno en vez de pluma
para lecho les compone, 70
que será tálamo luego
do el garzón sus dichas logre.
Las manos, pues, cuyos dedos
desta vida fueron dioses.
restituyen a Medoro 75
salud nueva, fuerzas dobles,
y le entregan, cuando menos,
su beldad y un reino en dote,
segunda invidia de Marte,
primera dicha de Adonis. 80
Corona un lascivo enjambre
de Cupidillos menores
la choza, bien como abejas
hueco tronco de alcornoque.

60 *con dos corazones*: el suyo y el de Angélica.

66-69 Una labradora acoge a Medoro "mal vivo", pero con dos almas, la suya y la de Angélica, que es una ciega de amor con dos ojos como dos soles.

78-80 Es decir: entregan a Medoro la belleza de Angélica y su reino; pero Angélica es tan bella como Venus, que amó a Adonis y "segunda envidia" de Marte casado con la diosa.

¡Qué de nudos le está dando 85
a un áspid la Invidia torpe,
contando de las palomas
los arrullos gemidores!
¡Qué bien la destierra Amor,
haciendo la cuerda azote, 90
porque el caso no se infame
y el lugar no se inficione!
Todo es gala el Africano,
su vestido espira olores,
el lunado arco suspende, 95
y el corvo alfange depone.
Tórtolas enamoradas
son sus roncos atambores,
y los volantes de Venus
sus bien seguidos pendones. 100
Desnuda el pecho anda ella,
vuela el cabello sin orden;
si le abrocha, es con claveles,
con jazmines si le coge.
El pie calza en lazos de oro, 105
porque la nieve se goce,
y no se vaya por pies
la hermosura del orbe.
Todo sirve a los amantes,
plumas les baten, veloces, 110
airecillos lisonjeros,
si no son murmuradores.
Los campos les dan alfombras,
los árboles pabellones,
la apacible fuente sueño, 115
música los ruiseñores.
Los troncos les dan cortezas
en que se guarden sus nombres,

86 La Envidia tiene como atributo el áspid.
93 *el Africano*: Medoro.
99 *volante*: "género de adorno que usan las mujeres para la cabeza, hecho de tela delicada". *Dicc. de Auts.*

mejor que en tablas de mármol
o que en láminas de bronce. 120
No hay verde fresno sin letra,
ni blanco chopo sin mote;
si un valle "Angélica" suena,
otro "Angélica" responde.
Cuevas do el silencio apenas 125
deja que sombras las moren
profanan con sus abrazos
a pesar de sus horrores.
Choza, pues, tálamo y lecho,
cortesanos labradores, 130
aires, campos, fuentes, vegas,
cuevas, troncos, aves, flores,
fresnos, chopos, montes, valles,
contestes de estos amores,
el cielo os guarde, si puede, 135
de las locuras del Conde.

1608

32

Las flores del romero,
niña Isabel,
hoy son flores azules,
mañana serán miel.

Celosa estás, la niña, 5
celosa estás de aquel
dichoso, pues, le buscas,
ciego, pues no te ve,
ingrato, pues te enoja
y confiado, pues 10
no se disculpa hoy
de lo que hizo ayer.

134 *contestes*: testigos.
136 *Conde*: Orlando, que, al enterarse de que Angélica y Medoro van a la India, se vuelve loco.
1-4 Se trata de una canción tradicional, aún viva hoy.

Enjuguen esperanzas
lo que lloras por él;
que celos entre aquellos 15
que se han querido bien
hoy son flores azules,
mañana serán miel.
Aurora de ti misma,
que cuando a amanecer 20
a tu placer empiezas,
te eclipsan tu placer.
Serénense tus ojos,
y más perlas no des,
porque al Sol le está mal 25
lo que a la Aurora bien.
Desata como nieblas
todo lo que no ves;
que sospechas de amantes
y querellas después, 30
hoy son flores azules,
mañana serán miel.

[De la edic. de los *Romances* hecha por Antonio Carreño, Madrid, 1982.]

LETRILLAS

1581

33

Da bienes Fortuna
que no están escritos:
cuando pitos flautas,
cuando flautas pitos.

¡Cuán diversas sendas 5
se suelen seguir
en el repartir
honras y haciendas!

A unos da encomiendas,
a otros sambenitos. 10
Cuando pitos flautas,
cuando flautas pitos.

A veces despoja
de choza y apero
al mayor cabrero; 15
y a quien se le antoja
la cabra más coja
pare dos cabritos.
Cuando pitos flautas,
cuando flautas pitos. 20

[En gustos de amores
suele traer bonanza
y en breve mudanza
los vuelve en dolores.
No da a uno favores, 25
y a otro infinitos.
Cuando pitos flautas,
cuando flautas pitos.]

Porque en una aldea
un pobre mancebo 30
hurtó sólo un huevo,
al sol bambolea;
y otro se pasea
con cien mil delitos.
Cuando pitos flautas, 35
cuando flautas pitos.

9 *encomienda*: dignidad en las órdenes militares.
10 *sambenito*: letrero infamante que se ponía en las iglesias con el nombre y castigo de los penitenciados por la Inquisición, y también el sayo que les colocaban a los condenados a muerte o a los azotes.
32 *al sol bambolea*: es decir, que lo ahorcaron y cuelga al sol.

1581

34 *Andeme yo caliente*
y ríase la gente.

Traten otros del gobierno
del mundo y sus monarquías,
mientras gobiernan mis días 5
mantequillas y pan tierno,
y las mañanas de invierno
naranjada y agua ardiente,
y ríase la gente.
Como en dorada vajilla 10
el príncipe mil cuidados,
como píldoras dorados;
que yo en mi pobre mesilla
quiero más una morcilla
que en el asador reviente, 15
y ríase la gente.
Cuando cubra las montañas
de blanca nieve el enero,
tenga yo lleno el brasero
de bellotas y castañas, 20
y quien las dulces patrañas
del Rey que rabió me cuente,
y ríase la gente.
Busque muy en hora buena
el mercader nuevos soles; 25
yo conchas y caracoles
entre la menuda arena,
escuchando a Filomena
sobre el chopo de la fuente,
y ríase la gente. 30
Pase a media noche el mar
y arda en amorosa llama

28 Sobre Filomena, el ruiseñor, véase la nota 1-8 de la p. 47.

Leandro por ver su dama;
que yo más quiero pasar
del golfo de mi lagar 35
la blanca o roja corriente,
y ríase la gente.

Pues Amor es tan cruel,
que de Píramo y su amada
hace tálamo una espada 40
do se junten ella y él,
sea mi Tisbe un pastel,
y la espada sea mi diente,
y ríase la gente.

1609

35

No son todos ruiseñores
los que cantan entre las flores,
sino campanitas de plata,
que tocan a la alba;
sino trompeticas de oro, 5
que hacen la salva
a los soles que adoro.

No todas las voces ledas
son de sirenas con plumas,
cuyas húmidas espumas 10
son las verdes alamedas;
si suspendido te quedas
a los süaves clamores,
no son todos ruiseñores, etc.

38-42 Píramo y Tisbe, enamorados desde niños, se citaron cierta vez fuera de la ciudad, y habiendo llegado primero Píramo, mientras esperaba, salió una fiera, el joven huyó y al llegar Tisbe creyó que había sido muerto y ella se suicidó; pero al volver Píramo y encontrarla así, también se mató. Los dioses los convirtieron en el moral.

8 *leda*: contenta, alegre.

9 *sirenas con plumas*: pájaros cantores, lo mismo que *violín que vuela* e *inquieta lira,* vv. 17 y 18.

Lo artificioso que admira, 15
y lo dulce que consuela,
no es de aquel violín que vuela
ni de esotra inquieta lira;
otro instrumento es quien tira
de los sentidos mejores: 20
no son todos ruiseñores, etc.
[Las campanitas lucientes,
y los dorados clarines
en coronados jazmines,
los dos hermosos corrientes 25
no sólo recuerdan gentes
sino convocan amores.
No son todos ruiseñores, etc.]

[De la edic. de las *Letrillas,* de Robert Jammes en Clásicos Castalia, 101.]

1600

36 CANCIÓN

¡Qué de invidiosos montes levantados,
de nieves impedidos,
me contienden tus dulces ojos bellos!
¡Qué de ríos, del yelo tan atados,
del agua tan crecidos, 5
me defienden el ya volver a vellos!
¡Y qué, burlando de ellos,
el noble pensamiento
por verte viste plumas, pisa el viento!
Ni a las tinieblas de la noche obscura 10
ni a los yelos perdona,
y a la mayor dificultad engaña;
no hay guardas hoy de llave tan segura,
que nieguen tu persona,

26 *recuerdan*: despiertan.

que no desmienta con discreta maña; 15
ni emprenderá hazaña
tu esposo, cuando lidie,
que no la registre él, y yo no invidie.
Allá vueles, lisonja de mis penas,
que con igual licencia 20
penetras el abismo, el cielo escalas;
y mientras yo te aguardo en las cadenas
desta rabiosa ausencia,
al viento agravien tus ligeras alas.
Ya veo que te calas 25
donde bordada tela
un lecho abriga y mil dulzuras cela.
Tarde batiste la invidiosa pluma,
que en sabrosa fatiga
vieras (muerta la voz, suelto el cabello) 30
la blanca hija de la blanca espuma,
no sé si en brazos diga
de un fiero Marte, o de un Adonis bello;
ya anudada a su cuello
podrás verla dormida, 35
y a él casi trasladado a nueva vida.
Desnuda el brazo, el pecho descubierta,
entre templada nieve
evaporar contempla un fuego helado,
y al esposo, en figura casi muerta, 40
que el silencio le bebe
del sueño con sudor solicitado.
Dormid, que el dios alado,
de vuestras almas dueño,
con el dedo en la boca os guarda el sueño. 45
Dormid, copia gentil de amantes nobles,
en los dichosos nudos
que a los lazos de amor os dio Himeneo;
mientras yo, desterrado, de estos robles
y peñascos desnudos 50
la piedad con mis lágrimas granjeo.
Coronad el deseo
de gloria, en recordando;

sea el lecho de batalla campo blando.
Canción, di al pensamiento 55
que corra la cortina,
y vuelva al desdichado que camina.

[De las *Obras completas,* edic. de Juan e Isabel Millé (Madrid, 1932), p. 593.]

1613

37 SOLEDAD PRIMERA

[*El náufrago. Llegada a una cabaña pastoril*]

Era del año la estación florida
en que el mentido robador de Europa
—media luna las armas de su frente,
y el Sol todos los rayos de su pelo—,
luciente honor del cielo, 5
en campos de zafiro pace estrellas;
cuando el que ministrar podía la copa
a Júpiter mejor que el garzón de Ida
—náufrago y desdeñado, sobre ausente—,
lagrimosas de amor dulces querellas 10
da al mar; que condolido,
fue a las ondas, fue al viento
el mísero gemido,
segundo de Arïón dulce instrumento.
Del siempre en la montaña opuesto pino 15

2 *mentido robador de Europa*: Júpiter se convirtió en toro para raptar a Europa. El signo de Tauro coincide con la primavera.
8 *garzón de Ida*: Ganimedes, que fue arrebatado por un águila para servir de copero a Júpiter.
14 *Arión*: músico de Lesbos que, volviendo a Corinto en una nave, iba a ser asesinado por los marineros, a los que pidió como última gracia que le dejasen cantar; mientras lo escuchaban, se arrojó al mar y fue salvado por un delfín.

al enemigo Noto,
piadoso miembro roto
—breve tabla— delfín no fue pequeño
al inconsiderado peregrino
que a una Libia de ondas su camino 20
fió, y su vida a un leño.
Del Océano, pues, antes sorbido,
y luego vomitado
no lejos de un escollo coronado
de secos juncos, de calientes plumas 25
—alga todo y espumas—,
halló hospitalidad donde halló nido
de Júpiter el ave.
Besa la arena, y de la rota nave
aquella parte poca 30
que le expuso en la playa dio a la roca:
que aun se dejan las peñas
lisonjear de agradecidas señas.
Desnudo el joven, cuanto ya el vestido
Océano ha bebido, 35
restituir le hace a las arenas;
y al sol lo extiende luego,
que, lamiéndolo apenas
su dulce lengua de templado fuego,
lento lo embiste, y con süave estilo 40
la menor onda chupa al menor hilo.
No bien, pues, de su luz los horizontes
—que hacían desigual, confusamente,
montes de agua y piélagos de montes—
desdorados los siente, 45
cuando —entregado el mísero extranjero
en lo que ya del mar redimió fiero—
entre espinas crepúsculos pisando,
riscos que aun igualara mal, volando

20 *Libia de ondas*: el mar, por parecer las ondas a las ondulaciones de las arenas del desierto de Libia.
28 *el ave de Júpiter*: el águila.
34-41 El joven náufrago escurre su ropa empapada de agua y la deja secar al sol.

veloz, intrépida ala 50
—menos cansado que confuso—, escala.
Vencida al fin la cumbre
—del mar siempre sonante,
de la muda campaña
árbitro igual e inexpugnable muro—, 55
con pie ya más seguro
declina al vacilante
breve esplendor de mal distinta lumbre:
farol de una cabaña
que sobre el ferro está, en aquel incierto 60
golfo de sombras anunciando el puerto.

[*Fragmento del himno nupcial*]

CORO I

...Ven, Himeneo, ven donde te espera
con ojos y sin alas un Cupido,
cuyo cabello intonso dulcemente
niega el vello que el vulto ha colorido: 770
el vello, flores de su primavera,
y rayos el cabello de su frente.
Niño amó la que adora adolescente,
villana Psiques, ninfa labradora

60 *ferro*: áncora.
667 *Himeneo*: el dios que preside el cortejo nupcial.
770 *vulto*: rostro.
774 Psiques o Psique era tan bella que asustaba a los pretendientes; sus padres después de consultar al oráculo, la vistieron de novia y la abandonaron en una montaña, donde un monstruo se apoderaría de ella. Pero arrebatada por un viento suave, fue depositada en un profundo valle, donde quedó dormida. Al despertar se encontró en un precioso jardín de un palacio, y al atardecer, Psique sintió una presencia a su lado, que le advirtió la imposibilidad de que ella le viera. Pasaron los días muy felices y volvió a su casa. Al contar su aventura a sus hermanas, éstas le convencieron de que ocultase una lámpara durante la noche para ver la presencia de su amado, lo cual hizo, encontrando dormido un hermoso adolescente, pero al inclinarse para verlo mejor, cayóle una gota de aceite, y

de la tostada Ceres. Esta, ahora, 775
en los inciertos de su edad segunda
crepúsculos, vincule tu coyunda
a su ardiente deseo.
Ven, Himeneo, ven; ven, Himeneo.

CORO II

Ven, Himeneo, donde, entre arreboles 780
de honesto rosicler, previene el día
—aurora de sus ojos soberanos—
virgen tan bella, que hacer podría
tórrida la Noruega con dos soles,
y blanca la Etiopia con dos manos. 785
Claveles del abril, rubíes tempranos,
cuantos engasta el oro del cabello,
cuantas —del uno ya y del otro cuello
cadenas— la concordia engarza rosas,
de sus mejillas, siempre vergonzosas, 790
purpúreo son trofeo.
Ven, Himeneo, ven; ven, Himeneo.

38 FÁBULA DE POLIFEMO Y GALATEA

[FRAGMENTOS]

[...] Un monte era de miembros eminente
este (que, de Neptuno hijo fiero, 50
de un ojo ilustra el orbe de su frente,
émulo casi del mayor lucero)
cíclope, a quien el pino más valiente,
bastón, le obedecía, tan ligero,

Amor, que tal era el joven, huyó para no volver jamás. Venus, irritada y envidiosa, le obligó a descender a los Infiernos para pedir a Perséfone un frasco de agua de Juvencia, pero le estaba prohibido abrirlo. Psique desobedeció y cayó en un profundo sueño. Amor voló hacia ella, la despertó de un flechazo y suplicó a Zeus que le permitiese casarse con ella, lo que le fue concedido. (Es mito que arranca de las *Metamorfosis,* de Apuleyo, IV, 28 a V, 24.)

y al grave peso junco tan delgado, 55
que un día era bastón y otro cayado.
Negro el cabello, imitador undoso
de las obscuras aguas del Leteo,
al viento que lo peina proceloso,
vuela sin orden, pende sin aseo; 60
un torrente es su barba impetüoso,
que (adusto hijo de este Pirineo)
su pecho inunda, o tarde, o mal, o en vano
surcada aun de los dedos de su mano [...]
Ninfa, de Doris hija, la más bella,
adora, que vio el reino de la espuma.
Galatea es su nombre, y dulce en ella
el terno Venus de sus Gracias suma. 100
Son una y otra luminosa estrella
lucientes ojos de su blanca pluma:
si roca de cristal no es de Neptuno,
pavón de Venus es, cisne de Juno.
Purpúreas rosas sobre Galatea 105
la Alba entre lilios cándidos deshoja:
duda el Amor cuál más su color sea,
o púrpura nevada, o nieve roja.
De su frente la perla es, eritrea,
émula vana. El ciego dios se enoja, 110
y, condenado su esplendor, la deja
pender en oro al nácar de su oreja [...]
La fugitiva ninfa, en tanto, donde
hurta un laurel su tronco al sol ardiente,
tantos jazmines cuanta hierba esconde
la nieve de sus miembros, da a una fuente. 180

58 Se suponía que las aguas del Leteo, o río del olvido, eran obscuras, por ser el río que conducía al Infierno.

100 Las tres Gracias eran Eufrósine, Talía y Aglas, hijas de Zeus y Eurínome, hija del Océano. Se atribuyen a las Gracias toda clase de influencia en las obras de arte.

109-110 La perla eritrea es émula vana.

178-180 Por ser Galatea tan blanca, al acostarse encima de la hierba al lado de una fuente, ésta refleja sus miembros como jazmines.

Dulce se queja, dulce le responde
un ruiseñor a otro, y dulcemente
al sueño da sus ojos la armonía,
por no abrasar con tres soles el día.
Salamandria del Sol, vestido estrellas, 185
latiendo el Can del cielo estaba, cuando
(polvo el cabello, húmidas centellas,
si no ardientes aljófares, sudando)
llegó Acis; y, de ambas luces bellas
dulce Occidente viendo al sueño blando, 190
su boca dio, y sus ojos cuanto pudo,
al sonoro cristal, al cristal mudo.
Era Acis un venablo de Cupido,
de un fauno, medio hombre, medio fiera,
en Simetis, hermosa ninfa, habido; 195
gloria del mar, honor de su ribera.
El bello imán, el ídolo dormido,
que acero sigue, idólatra venera,
rico de cuanto el huerto ofrece pobre,
rinden las vacas y fomenta el robre. 200
El celestial humor recién cuajado
que la almendra guardó entre verde y seca,
en blanca mimbre se lo puso al lado,
y un copo, en verdes juncos, de manteca;
en breve corcho, pero bien labrado, 205
un rubio hijo de una encina hueca,
dulcísimo panal, a cuya cera
su néctar vinculó la primavera [...]
Caluroso, al arroyo da las manos,
y con ellas las ondas a su frente, 210
entre dos mirtos que, de espuma canos,
dos verdes garzas son de la corriente.
Vagas cortinas de volantes vanos
corrió Favonio lisonjeramente

186 *Can*: la canícula, el verano.
192 Acis contempla a Galatea, "cristal mudo", mientras bebe el agua, "sonoro cristal".
195 Acis era hijo del dios itálico Fauno y de la ninfa Simetis.

a la (de viento cuando no sea) cama 215
de frescas sombras, de menuda grama.

La ninfa, pues, la sonorosa plata
bullir sintió del arroyuelo apenas,
cuando, a los verdes márgenes ingrata,
segur se hizo de sus azucenas. 220
Huyera; mas tan frío se desata
un temor perezoso por sus venas,
que a la precisa fuga, al presto vuelo,
grillos de nieve fue, plumas de hielo [...]

Sobre una alfombra, que imitara en vano
el tirio sus matices (si bien era
de cuantas sedas ya hiló, gusano, 315
y, artífice, tejió la Primavera)
reclinados, al mirto más lozano,
una y otra lasciva, si ligera,
paloma se caló, cuyos gemidos
—trompas de amor— alteran sus oídos. 320

El ronco arrullo al joven solicita;
mas, con desvíos Galatea suaves,
a su audacia los términos limita,
y el aplauso al concento de las aves.
Entre las ondas y la fruta, imita 325
Acis al siempre ayuno en penas graves:
que, en tanta gloria, infierno son no breve,
fugitivo cristal, pomos de nieve [...]

De los nudos, con esto, más süaves,
los dulces dos amantes desatados,
por duras guijas, por espinas graves 475
solicitan el mar con pies alados:
tal, redimiendo de importunas aves
incauto meseguero sus sembrados,
de liebres dirimió copia, así, amiga,
que vario sexo unió y un surco abriga. 480

314 *tirio*: por la púrpura de Tiro.
324 *concento*: canto acordado y armonioso de varias voces.
326 Alude al suplicio de Tántalo.
478 *meseguero*: el guarda de las mieses.

Viendo el fiero jayán, con paso mudo
correr al mar la fugitiva nieve
(que a tanta vista el líbico desnudo
registra el campo de su adarga breve)
y al garzón viendo, cuantas mover pudo 485
celoso trueno, antiguas hayas mueve:
tal, antes que la opaca nube rompa,
previene rayo fulminante trompa.

Con vïolencia desgajó infinita,
la mayor punta de la excelsa roca, 490
que al joven, sobre quien la precipita,
urna es mucha, pirámide no poca.
Con lágrimas la ninfa solicita
las deidades del mar, que Acis invoca:
concurren todas, y el peñasco duro 495
la sangre que exprimió, cristal fue puro.

[De *Góngora y el "Polifemo"*, de Dámaso Alonso, Gredos (Madrid, 1967).]

481 *fiero jayán*: Polifemo.
483-484 Polifemo es tan alto, que puede ver un joven desnudo de Libia y los dibujos de su adarga o escudo.
496 Aplastado Acis por la roca arrojada por Polifemo es convertido en río.

ROMANCERO GENERAL, EN QVE SE CONTIENEN TODOS los Romances que andan impressos

AORA NVEVAMENTE añadido, y emendado por Pedro Flores.

Año 

1614.

En Madrid, por Juan de la Cuesta.

A costa de Miguel Martinez.

Vendese en la calle mayor a las gradas de S. Felipe.

Retrato de Góngora en el Manuscrito Chacón.
Biblioteca Nacional. Madrid.

GASPAR DE AGUILAR

(1561-1623)

39

CANCIÓN

Ligero pensamiento,
que del profundo abismo a las estrellas
no paras vn momento,
siguiendo el llanto del y el curso dellas,
enfrena las querellas 5
que dél y dellas formas a millares,
y para en viento solamente pares.
No con alas de cera
el gusto humilde de mi amor desdeñes,
ni vueles de manera 10
que en vez de despenarte te despeñes;
mejor es que te enseñes
a medir tu esperanza con el brío
del corto quebrantado aliento mío.
Pues en cualquier subida 15
se prueban los más fuertes y ligeros,
seamos por tu vida
yo en padecer y tu en volar terreros,
mira que tengo aceros
y que es razón que no alcancen tus despojos 20
yo con la mano y nadie con lo ojos.
Pues de subir te agradas
a los rayos del sol inaccesibles,
con las plumas pesadas
de miedos, de peligros, de imposibles, 25
¡qué vuelos tan terribles
a la grandeza de tu gloria vieras
si de ánimo y de suerte las tuvieras!

[De las *Rimas humanas y divinas,* edic. de Francisco Carreras de Calatayud (Valencia, 1951), p. 135.]

BARTOLOMÉ LEONARDO DE ARGENSOLA

(1561-1634)

40

Filis, naturaleza
pide la ostentación y los olores
para sus nuevas flores
a la fértil verdad de tu belleza
y que en meses ajenos 5
pródigas abran sin temor los senos.

De tu cerviz reciba
cándido lustre el de la rosa pura,
como animar procura
su carmesí en tu rostro la más viva; 10
den tus labios crueles
púrpura más soberbia a los claveles.

El cogollo más tierno
crezca con ambición de formar selva,
tan firme, que, aunque vuelva 15
a herirla por asaltos el hibierno,
ni le marchite el brío,
ni agrave más sus hojas que el rocío.

Por ti con los jardines
más prósperos compiten estas peñas, 20
que entre gramas risueñas
te producen violetas y jazmines,
para que de los dones
que tu hermosura influye la corones.

Ya, al favor de tus ojos, 25
entre frutos pendientes, el otubre
segunda flor descubre,
y te ofrece esperanzas y despojos,
porque en entrambas suertes
anticipados regocijos viertes. 30

Mas, ¡ay!, que cuando inspiras
el no esperado honor con que se apresta

para ti la floresta,
haciendo en el vigor de cuanto miras
tan dichosa mudanza, 35
mísera yace y sola mi esperanza.

41

Si amada quieres ser, Lícoris, ama;
que quien desobligando lo pretende,
o las leyes de amor no comprehende,
o a la naturaleza misma infama.

Afectuoso el olmo a la vid llama, 5
con ansias de que el néctar le encomiende,
y ella lo abraza y sus racimos tiende
en la favorecida ajena rama.

¿Querrás tú que a los senos naturales
se retiren avaros los favores, 10
que (imitando a su Autor) son liberales?

No en sí detengan su virtud las flores,
no su benignidad los manantiales,
ni su influjo las luces superiores.

42

Viéndose en un fiel cristal
ya antigua Lice, y que el arte
no hallaba en su rostro parte
sin estrago natural,
dijo: "Hermosura mortal, 5
pues que su origen lo fue,
aunque el mismo Amor le dé
sus flechas para rendir,
viva obligada a morir,
pero a envejecer, ¿por qué?" 10

43 A UNA VIEJA SIN DIENTES

Aunque Ovidio te dé más documentos
para reírte, Cloe, no te rías,
que de pez y de boj en tus encías
tiemblan tus huesos flojos y sangrientos;

y a pocos de esos soplos tan violentos, 5
que con la demasiada risa envías,
las dejarás desiertas y vacías,
escupiendo sus últimos fragmentos.

Huye, pues, de teatros, y a congojas
de los lamentos trágicos te inclina, 10
entre huérfanas madres lastimadas.

Mas paréceme, Cloe, que te enojas;
mi celo es pío; si esto te amohína,
ríete hasta que escupas las quijadas.

44 "Dime, Padre común, pues eres justo,
¿por qué ha de permitir tu providencia,
que, arrastrando prisiones la inocencia,
suba la fraude a tribunal augusto?

"¿Quién da fuerzas al brazo, que robusto 5
hace a tus leyes firme resistencia,
y que el celo, que más la reverencia,
gima a los pies del vencedor injusto?

"Vemos que vibran vitoriosas palmas
manos inicas, la virtud gimiendo 10
del triunfo en el injusto regocijo."

Esto decía yo, cuando, riendo,
celestial ninfa apareció, y me dijo:
"¡Ciego!, ¿es la tierra el centro de las almas?"

45 A UN CABALLERO Y UNA DAMA QUE SE CRIABAN JUNTOS DESDE NIÑOS Y SIENDO MAYORES DE EDAD PERSEVERARON EN LA MISMA CONVERSACIÓN

Firmio, en tu edad ningún peligro hay leve;
porque nos hablas ya con voz escura,
y, aunque dudoso, el bozo a tu blancura
sobre ese labio superior se atreve.

Y en ti, oh Drusila, de sutil relieve 5
el pecho sus dos bultos apresura,
y en cada cual sobre la cumbre pura
vivo forma un rubí su centro breve.

Sienta vuestra amistad leyes mayores:
que siempre Amor para el primer veneno 10
busca la inadvertencia más sencilla.

Si astuto el áspid se escondió en lo ameno
de un campo fértil, ¿quién se maravilla
de que pierdan el crédito sus flores?

46 A UNA PERSONA QUE SE PRECIABA DE PLATÓNICA

Gala, no alegues a Platón o alega
algo más corporal lo que alegares,
que esos cómplices tuyos son vulgares
y escuchan mal la sutileza griega.

Desnudo al sol y al látigo navega 5
más de un amante tuyo en ambos mares
que te sabe los íntimos lunares
y quizá es tan honrado que lo niega.

Y tú, en la metafísica elevada,
dices que unir las almas es tu intento, 10
ruda y sencilla en inferiores cosas;

pues yo sé que Apuleyo más te agrada
cuando rebuzna en forma de jumento
que en la que se quedó comiendo rosas.

DE UNO DE LOS ARGENSOLAS

47 A UNA MUJER QUE SE AFEITABA * Y ESTABA HERMOSA

Yo os quiero confesar, don Juan, primero:
que aquel blanco y color de doña Elvira
no tiene de ella más, si bien se mira,
que el haberle costado su dinero.

Pero tras eso confesaros quiero 5
que es tanta la beldad de su mentira,
que en vano a competir con ella aspira
belleza igual de rostro verdadero.

Mas, ¿qué mucho que yo perdido ande
por un engaño tal, pues que sabemos 10
que nos engaña así Naturaleza?

Porque ese cielo azul que todos vemos
ni es cielo ni es azul. ¡Lástima grande
que no sea verdad tanta belleza!

[Textos según la edic. de las *Rimas,* de J. M. Blecua, en Clásicos Castellanos.]

* *afeitaba*: se daba afeites en el rostro.

ALONSO DE LEDESMA

(1562-1633)

48

AL NIÑO PERDIDO

En metáfora de un refrán

VILLANCICO

El perdido, que es perdido
por buscar a quien se pierde,
que se pierda, ¿qué se pierde?

Que se pierde que os perdáis,
Niño, cuando vos queréis, 5
pues por ganarme os perdéis
y tan cierto me ganáis.
Si el tiempo tan bien gastáis
en buscar a quien se pierde,
que se pierda, ¿qué se pierde? 10
¿Qué se pierde (bien mirado),
si a recoger ha venido
el más ganado perdido
al más perdido ganado?
Quien tan bien anda ocupado 15
en buscar a quien se pierde,
que se pierda, ¿qué se pierde?

49 AL SANTÍSIMO SACRAMENTO

En metáfora de una caza

ROMANCE

¿Quién pasa, quién pasa?
El Rey que va a caza.

Despertad, corazón mío,
si sois amigo de caza,
y veréis al Rey del cielo 5
puesto en espera del alma.
Cielo y tierra van a ojeo
con inspiraciones santas,
que la busquen y la sigan,
que la cerquen y la traigan. 10
Entre aquel granado trigo
se ha escondido por tirarla,
y aunque es tan grande su Alteza,
toda su persona tapa.
¿Quién pasa, quién pasa? 15
El Rey que va a caza.
La Cruz sirve de escopeta,
su dulce vista, de balas,
de pólvora, su dotrina,
y de fuego, sus palabras. 20
Del pedernal de su pecho
ya tengo evidencia clara,
pues hasta mi propio yerro
mil centellas de amor saca.
Apretad, Amor, la llave, 25
muera de amores el alma,
que se ha puesto cabe el trigo,
junto al corriente del agua.
¿Quién pasa, quién pasa?
El Rey que va a caza. 30

Es una pintada corza
esta voluntad humana,
tan hermosa como libre,
tan ligera como varia.
Muere por cazarla el Rey, 35
y le ha costado el buscarla
muchos pasos y sudor
con el sol y con la escarcha.
Diga el huerto donde estuvo
de rodillas por tirarla, 40
el monte adonde subió
y el abismo donde baja.
¿Quién pasa, quién pasa?
El Rey que va a caza.

[De los *Conceptos espirituales y morales,* primera y segunda parte, edic. de E. Juliá Martínez (Madrid, 1969), pp. 106 y 199.]

ALONSO DE BONILLA
(† d. 1635)

50 DE LA DIVINIDAD Y HUMANIDAD DE CRISTO

Cuando en pared lustrosa, blanca y nueva,
introduce su forma la pintura,
si es de colores blancos la figura,
no se conoce, porque no relieva.

Y ansí es forzoso que el pincel embeba 5
algunos lejos, como parte obscura,
relevando con luz la hermosura,
que es el realce, que los ojos lleva.

6 *lejos*: conjunto de lo representado en una pintura lejos de las figuras principales.

Dios en Dios, luz en luz y blanco en blanco,
no pudo el hombre ver su imagen bella, 10
por ser inaccesible en forma y nombre.

Mas diolo a conocer su pincel franco
entre lejos de carne, que antes della
lo más lejos de Dios era ser hombre.

51

DEL SOBERBIO

Es el cohete un hilo manifiesto,
de pólvora y papel acompañado,
que con alas de fuego levantado
vuela por verse en las estrellas puesto.

Gira con furia, mas fenece presto 5
su curso artificial y acelerado,
dejando por señal de que ha pasado
reliquias tristes de un olor molesto.

La vida del soberbio es un cohete,
papel su carne, pólvora su intento, 10
atado con el hilo de la vida.

No hay quien el fuego del furor sujete
mientras vuela esta máquina, y, rompida,
deja el olor de un infernal tormento.

[De los *Peregrinos pensamientos* (Baeza, 1614), fols. 6v y 146.]

52 EL JUEGO DE

¿Dónde pica la pájara pinta?
¿Dónde pica?

AL ESPÍRITU SANTO

Mil disfraces de amor toma
Dios, de puro enamorado,
hasta su Espíritu ha dado
en figura de paloma;
en la cabeza de Roma 5
hace nido celestial,
y viendo su vuelo real,
su dulce esposa replica:
¿Dónde pica la pájara pinta?
¿Dónde pica? 10
Pica en un corazón sano,
donde Dios, como neblí,
gusta de cebarse allí,
teniéndole de su mano.
¿Y en un corazón profano 15
y en alma que es viciosa?
—Ox, que no posa.

[De *Juegos de Noches Buenas* (Barcelona, 1605), pero lo copio de la BAE, XXXV, p. 157.]

LOPE DE VEGA
(1562-1635)

53 "Mira, Zaide, que te aviso
que no pases por mi calle
ni hables con mis mujeres,
ni con mis cautivos trates,

[53] 1 *Zaide*: uno de los nombres poéticos de Lope, como el de Belardo, del romance siguiente.

"ni preguntes en qué entiendo 5
ni quién viene a visitarme,
qué fiestas me dan contento
o qué colores me aplacen;
"basta que son por tu causa
las que en el rostro me salen, 10
corrida de haber mirado
moro que tan poco sabe.
"Confieso que eres valiente,
que hiendes, rajas y partes
y que has muerto más cristianos 15
que tienes gotas de sangre;
"que eres gallardo jinete,
que danzas, cantas y tañes,
gentil hombre, bien criado
cuanto puede imaginarse; 20
"blanco, rubio por extremo,
señalado por linaje,
el gallo de las bravatas,
la nata de los donaires,
"y pierdo mucho en perderte 25
y gano mucho en amarte,
y que si nacieras mudo,
fuera posible adorarte;
"y por este inconviniente
determino de dejarte, 30
que eres pródigo de lengua
y amargan tus libertades,
"y habrá menester ponerte
quien quisiere sustentarte
un alcázar en el pecho 35
y en los labios un alcaide.
"Mucho pueden con las damas
los galanes de tus partes,
porque los quieren briosos,
que rompan y que desgarren; 40
"mas tras esto, Zaide amigo,
si algún convite te hacen
al plato de sus favores

quieren que comas y calles.
  "Costoso fue el que te hice; 45
venturoso fueras, Zaide,
si conservarme supieras
como supiste obligarme.
  "Apenas fuiste salido
de los jardines de Tarfe 50
cuando heciste de la tuya
y de mi desdicha alarde.
  "A un morito mal nacido
me dicen que le enseñaste
la trenza de los cabellos 55
que te puse en el turbante.
  "No quiero que me la vuelvas
ni quiero que me la guardes,
mas quiero que entiendas, moro,
que en mi desgracia la traes. 60
  "También me certificaron
cómo le desafiaste
por las verdades que dijo,
que nunca fueran verdades.
  "De mala gana me río; 65
¡qué donoso disparate!
No guardas tú tu secreto
¿y quieres que otri le guarde?
  "No quiero admitir disculpa;
otra vez vuelvo a avisarte 70
que esta será la postrera
que me hables y te hable."
  Dijo la discreta Zaida
a un altivo bencerraje
y al despedirle repite: 75
"Quien tal hace, que tal pague."

[Del *Segundo cuaderno de varios romances* (Valencia, 1593), pero lo traslado, lo mismo que los restantes de mi selección de Lope de Vega, *Lírica,* Clásicos Castalia, 104.]

73 *Zaida*: Elena Osorio, la gran pasión juvenil de Lope.

54

Hortelano era Belardo
de las güertas de Valencia,
que los trabajos obligan
a lo que el hombre no piensa.
Pasado el hebrero loco, 5
flores para mayo siembra,
que quiere que su esperanza
dé fruto a la primavera.
El trébol para las niñas
pone a un lado de la huerta, 10
porque la fruta de amor
de las tres hojas aprenda.
Albahacas amarillas,
a partes verdes y secas,
trasplanta para casadas 15
que pasan ya de los treinta,
y para las viudas pone
muchos lirios y verbena,
porque lo verde del alma
encubre la saya negra. 20
Toronjil para muchachas
de aquellas que ya comienzan
a deletrear mentiras,
que hay poca verdad en ellas.
El apio a las opiladas 25
y a las preñadas almendras,
para melindrosas cardos
y ortigas para las viejas.
Lechugas para briosas
que cuando llueve se queman, 30
mastuerzo para las frías
y asenjos para las feas.

5 *hebrero*: febrero.
25 *opiladas*: pálidas, amarillentas, porque padecen opilación.
32 *asenjos*: ajenjos, las plantas empleadas en la farmacopea y en la fabricación de licores.

De los vestidos que un tiempo
trujo en la Corte, de seda,
ha hecho para las aves 35
un espantajo de higuera.
Las lechuguillazas grandes,
almidonadas y tiesas,
y el sombrero boleado
que adorna cuello y cabeza, 40
y sobre un jubón de raso
la más guarnecida cuera,
sin olvidarse las calzas
españolas y tudescas.
Andando regando un día, 45
vióle en medio de la higuera
y riéndose de velle,
le dice desta manera:
"¡Oh ricos despojos
de mi edad primera 50
y trofeos vivos
de esperanzas muertas!
"¡Qué bien parecéis
de dentro y de fuera,
sobre que habéis dado 55
fin a mi tragedia!
"¡Galas y penachos
de mi soldadesca,
un tiempo colores
y agora tristeza! 60

37 *lechuguilla*: cuello hecho de holanda o de otra tela y que, recogido, hacía unas ondas semejantes a las hojas de la lechuga.
39 *sombrero boleado*: "el que tiene la copa redonda a modo de bola". Covarrubias, *Tesoro,* s.v. "bola".
41 *jubón*: vestidura que cubría desde los hombros hasta la cintura, ceñida y ajustada al cuerpo.
42 *cuera*: especie de vestidura que se ponía sobre el jubón y que se hacía regularmente de cuero.
44 *tudescas*: alemanas.

"Un día de Pascua
os llevé a mi aldea
por galas costosas,
invenciones nuevas.
"Desde su balcón 65
me vio una doncella
con el pecho blanco
y la ceja negra.
"Dejóse burlar,
caséme con ella, 70
que es bien que se paguen
tan honrosas deudas.
"Supo mi delito
aquella morena
que reinaba en Troya 75
cuando fue mi reina.
"Hizo de mis cosas
una grande hoguera,
tomando venganzas
en plumas y letras." 80

[Del *Ramillete de Flores, cuarta parte de Flor de romances,* de Pedro de Flores (Lisboa, 1593).]

55 Ir y quedarse, y con quedar partirse,
partir sin alma, y ir con alma ajena,
oír la dulce voz de una sirena
y no poder del árbol desasirse;

arder como la vela y consumirse 5
haciendo torres sobre tierna arena;
caer de un cielo, y ser demonio en pena,
y de serlo jamás arrepentirse;

66 Alude a Isabel de Urbina, casada con Lope.
75 Es clara alusión a Elena Osorio.
4 Recuerda el episodio de Ulises, que se hizo atar al palo de la nave, para no ceder al encanto de las sirenas.

hablar entre las mudas soledades,
pedir prestada, sobre fe, paciencia, 10
y lo que es temporal llamar eterno;

creer sospechas y negar verdades,
es lo que llaman en el mundo ausencia,
fuego en el alma y en la vida infierno.

56 A LA NOCHE

Noche, fabricadora de embelecos,
loca, imaginativa, quimerista,
que muestras al que en ti su bien conquista
los montes llanos y los mares secos;

habitadora de celebros huecos, 5
mecánica, filósofa, alquimista,
encubridora vil, lince sin vista,
espantadiza de tus mismos ecos:

la sombra, el miedo, el mal se te atribuya,
solícita, poeta, enferma, fría, 10
manos del bravo y pies del fugitivo.

Que vele o duerma, media vida es tuya:
si velo, te lo pago con el día,
y si duermo, no siento lo que vivo.

57 Suelta mi manso, mayoral extraño,
pues otro tienes de tu igual decoro;
deja la prenda que en el alma adoro,
perdida por tu bien y por mi daño.

[57] 1 *mayoral extraño*: Francisco Perrenot Granvela, que cortejaba o era amante de Elena Osorio.

Ponle su esquila de labrado estaño, 5
y no le engañen tus collares de oro;
toma en albricias este blanco toro,
que a las primeras hierbas cumple un año.

Si pides señas, tiene el vellocino
pardo encrespado, y los ojuelos tiene 10
como durmiendo en regalado sueño.

Si piensas que no soy su dueño, Alcino,
suelta, y verásle si a mi choza viene:
que aun tienen sal las manos de su dueño.

58 Querido manso mío, que venistes
por sal mil veces junto aquella roca,
y en mi grosera mano vuestra boca
y vuestra lengua de clavel pusistes,

¿por qué montañas ásperas subistes 5
que tal selvatiquez el alma os toca?
¿Qué furia os hizo condición tan loca
que la memoria y la razón perdistes?

Paced la anacardina porque os vuelva
de ese cruel y interesable sueño 10
y no bebáis del agua del olvido.

Aquí está vuestra vega, monte y selva;
yo soy vuestro pastor y vos mi dueño;
vos mi ganado, y yo vuestro perdido.

[De las *Rimas* (edic. de Madrid, 1609), a través de mi edic. de *Lope de Vega, Obras poéticas* (Barcelona, 1969).]

[**58**] 9 *anacardina*: la flor del anacardo, que tenía la facultad de devolver la memoria.

59 Serrana hermosa, que de nieve helada
fueras como en color en el efeto,
si amor no hallara en tu rigor posada;
del sol y de mi vista claro objeto,
centro del alma, que a tu gloria aspira, 5
y de mi verso altísimo sujeto;
alba dichosa, en que mi noche espira,
divino basilisco, lince hermoso,
nube de amor, por quien sus rayos tira;
salteadora gentil, monstro amoroso, 10
salamandra de nieve y no de fuego,
para que viva con mayor reposo.
Hoy, que a estos montes y a la muerte llego,
donde vine sin ti, sin alma y vida,
te escribo, de llorar cansado y ciego. 15
Pero dirás que es pena merecida
de quien pudo sufrir mirar tus ojos
con lágrimas de amor en la partida.
Advierte que eres alma en los despojos
desta parte mortal, que a ser la mía, 20
faltara en tantas lágrimas y enojos;
que no viviera quien de ti partía,
ni ausente ahora, a no esforzarle tanto
las esperanzas de un alegre día.
Aquellas noche en su mayor espanto 25
consideré la pena del perderte,
la dura soledad creciendo el llanto,
y llamando mil veces a la muerte,
otras tantas miré que me quitaba
la dulce gloria de volver a verte. 30
A la ciudad famosa que dejaba,
la cabeza volví, que desde lejos
sus muros con sus fuegos me enseñaba,

1 *Serrana hermosa*: Micaela de Luján, Camila Lucinda, que entonces vivía en Sevilla.
11 *salamandra de nieve y no de fuego*: según la leyenda, la salamandra echada en el fuego no se quemaba.
31 *ciudad famosa*: Sevilla, que debió de dejar Lope a fines de 1603.

y dándome en los ojos los reflejos,
gran tiempo hacia la parte en que vivías 35
los tuvo amor suspensos y perplejos.
Y como imaginaba que tendrías
de lágrimas los bellos ojos llenos,
pensándolas juntar crecí las mías.
Mas como los amigos, desto ajenos, 40
reparasen en ver que me paraba
en el mayor dolor, fue el llanto menos.
Ya pues que el alma y la ciudad dejaba,
y no se oía del famoso río
el claro son con que sus muros lava, 45
"Adiós, dije mil veces, dueño mío,
hasta que a verme en tu ribera vuelva,
de quien tan tiernamente me desvío."
No suele el ruiseñor en verde selva
llorar el nido, de uno en otro ramo 50
de florido arrayán y madreselva,
con más doliente voz que yo te llamo,
ausente de mis dulces pajarillos,
por quien en llanto el corazón derramo;
ni brama, si le quitan sus novillos, 55
con más dolor la vaca, atravesando
los campos de agostados amarillos;
ni con arrullo más lloroso y blando
la tórtola se queja, prenda mía,
que yo me estoy de mi dolor quejando. 60
Lucinda, sin tu dulce compañía,
y sin las prendas de tu hermoso pecho,
todo es llorar desde la noche al día,
que con sólo pensar que está deshecho
mi nido ausente, me atraviesa el alma, 65
dando mil nudos a mi cuello estrecho;
que con dolor de que le dejo en calma,
y el fruto de mi amor goza otro dueño,
parece que he sembrado ingrata palma.

53 *dulces pajarillos*: Mariana y Angelilla, hijas de Lope y Camila Lucinda.

Llegué, Lucinda, al fin, sin verme el sueño 70
en tres veces que el sol me vio tan triste,
a la aspereza de un lugar pequeño,
a quien de murtas y peñascos viste
Sierra Morena, que se pone en medio
del dichoso lugar en que naciste. 75
Allí me pareció que sin remedio
llegaba el fin de mi mortal camino,
habiendo apenas caminado el medio,
y cuando ya mi pensamiento vino,
dejando atrás la Sierra, a imaginarte, 80
creció con el dolor el desatino;
que con pensar que estás de la otra parte,
me pareció que me quitó la Sierra
la dulce gloria de poder mirarte.
Bajé a los llanos de esta humilde tierra, 85
adonde me prendiste y cautivaste,
y yo fui esclavo de tu dulce guerra.
No estaba el Tajo con el verde engaste
de su florida margen cual solía
cuando con esos pies su orilla honraste; 90
ni el agua clara a su pesar subía
por las sonoras ruedas ni bajaba,
y en pedazos de plata se rompía;
ni Filomena su dolor cantaba,
ni se enlazaba parra con espino, 95
ni yedra por los árboles trepaba;
ni pastor extranjero ni vecino
se coronaba del laurel ingrato,
que algunos tienen por laurel divino.
Era su valle imagen y retrato 100
del lugar que la corte desampara
del alma de su espléndido aparato.
Yo, como aquel que a contemplar se para
rüinas tristes de pasadas glorias,
en agua de dolor bañé mi cara. 105

92 *sonoras ruedas*: alude a las famosas norias que elevaban el agua del Tajo.

De tropel acudieron las memorias,
los asientos, los gustos, los favores,
que a veces los lugares son historias;
y en más de dos que yo te dije amores,
parece que escuchaba tus respuestas 110
y que estaban allí las mismas flores.
Mas como en desventuras manifiestas
suele ser tan costoso el desengaño
y sus veloces alas son tan prestas,
vencido de la fuerza de mi daño, 115
caí desde mí mismo medio muerto
y conmigo también mi dulce engaño.
Teniendo, pues, mi duro fin por cierto,
las ninfas de las aguas, los pastores
del soto y los vaqueros del desierto, 120
cubriéndome de yerbas y de flores,
me lloraban, diciendo: "Aquí fenece
el hombre que mejor trató de amores,
y puesto que Lucinda le merece
que su vida consista en su presencia, 125
él también con su muerte la engrandece."
Entonces yo, que haciendo resistencia
estaba con tu luz al dolor mío,
abrí los ojos, que cerró tu ausencia.
Luego desamparando el valle frío, 130
las ninfas bellas con sus rubias frentes
rompieron el cristal del manso río,
y en círculos de vidro trasparentes
las divididas aguas resonaron;
y en las peñas los ecos diferentes. 135
Los pastores también desampararon
el muerto vivo, y en la tibia arena
por sombra de quien era me dejaron.
Yo solo, acompañado de mi pena,
volvíte al alma, del dolor quejoso, 140
que de pensar en ti la tuvo ajena.
Así ha llegado aquel pastor dichoso,
Lucinda, que llamabas dueño tuyo,
del Betis rico al Tajo caudaloso:

éste que miras es retrato suyo 145
que así el esclavo que llorando pierdes
a tus divinos ojos restituyo.
O ya me olvides o de mí te acuerdes,
si te olvidares, mientras tengo vida,
marchite Amor mis esperanzas verdes. 150
Cosa que al cielo por mi bien le pida
jamás me cumpla, si otra cosa fuere
de aquestos ojos, donde estás, querida.
En tanto que mi espíritu rigiere
el cuerpo que tus brazos estimaron, 155
nadie los míos ocupar espere;
la memoria que en ellos me dejaron
es alcalde de aquella fortaleza
que tus hermosos ojos conquistaron.
Tú conoces, Lucinda, mi firmeza, 160
y que es de acero el pensamiento mío
con las pastoras de mayor belleza.
Ya sabes el rigor de mi desvío
con Flora, que te tuvo tan celosa,
a cuyo fuego respondí tan frío; 165
pues bien conoces tú que es Flora hermosa,
y que con serlo, sin remedio vive,
envidiosa de ti, de mí quejosa.
Bien sabes que habla bien, que bien escribe,
y que me solicita y me regala 170
por más desprecios que de mí recibe.
Mas yo, que de tu pie, donaire y gala
estimo más la cinta que desecha
que todo el oro con que a Creso iguala,
sólo estimo tenerte sin sospecha, 175
que no ha nacido ahora quien desate
de tanto amor lazada tan estrecha.
Cuando de yerbas de Tesalia trate,
y discurriendo el monte de la luna
los espíritus ínfimos maltrate, 180

164 Se ignora quién puede ser esta Flora, que provocaba los celos de Micaela de Luján.

no hay fuerza en yerba ni en palabra alguna
contra mi voluntad, que hizo el cielo
libre en adversa y próspera fortuna.
Tú sola mereciste mi desvelo,
y yo también después de larga historia 185
con mi fuego de amor vencer tu hielo.
Viva con esto alegre tu memoria,
que como amar con celos es infierno,
amar sin ellos es descanso y gloria;
que yo, sin atender a mi gobierno, 190
no he de apartarme de adorarte ausente,
si de ti lo estuviese un siglo eterno.
El sol mil veces discurriendo cuente
del cielo los dorados paralelos,
y de su blanca hermana el rostro aumente, 195
que los diamantes de sus puros velos,
que viven fijos en su otava esfera,
no han de igualarme aunque me maten celos.
No habrá cosa jamás en la ribera
en que no te contemplen estos ojos, 200
mientras ausente de los tuyos muera:
en el jazmín tus cándidos despojos,
en la rosa encarnada tus mejillas,
tu bella boca en los claveles rojos;
tu olor en las retamas amarillas, 205
y en maravillas que mis cabras pacen
contemplaré también tus maravillas.
Y cuando aquellos arroyuelos que hacen,
templados, a mis quejas consonancia
desde la sierra donde juntos nacen, 210
dejando el sol la furia y arrogancia
de dos tan encendidos animales,
volviere el año a su primera estancia,
a pesar de sus fuentes naturales,
del yelo arrebatadas sus corrientes, 215
cuelguen por estas peñas sus cristales,
contemplaré tus concertados dientes,
y a veces en carámbanos mayores
los dedos de tus manos trasparentes.

Tu voz me acordarán los ruiseñores, 220
y de estas yedras y olmos los abrazos
nuestros hermafrodíticos amores.
Aquestos nidos de diversos lazos,
donde ahora se besan dos palomas,
por ver mis prendas burlarán mis brazos. 225
Tú, si mejor tus pensamientos domas,
en tanto que yo quedo sin sentido,
dime el remedio de vivir que tomas,
que aunque todas las aguas del olvido
bebiese yo, por imposible tengo 230
que me escapase de tu lazo asido,
donde la vida a más dolor prevengo:
¡triste de aquel que por estrellas ama,
si no soy yo, porque a tus manos vengo!
Donde si espero de mis versos fama, 235
a ti lo debo, que tú sola puedes
dar a mi frente de laurel la rama,
donde muriendo vencedora quedes.

[De *El Peregrino en su patria* (Sevilla, 1604), edic. de J. B. Avalle-Arce (Madrid, Castalia, 1973), p. 262.]

60

La Niña, a quien dijo el Ángel
que estaba de gracia llena,
cuando de ser de Dios madre
le trujo tan altas nuevas,
ya le mira en un pesebre, 5
llorando lágrimas tiernas,
que obligándose a ser hombre,
también se obliga a sus penas.

222 Alude al mito de Hermafrodito y Salmacis, que, viéndole bañar, se arrojó al agua y le abrazó tan fuerte, que los dioses los convirtieron en un nuevo ser, dotado de doble naturaleza.

"¿Qué tenéis, dulce Jesús?,
le dice la Niña bella; 10
¿tan presto sentís, mis ojos,
el dolor de mi pobreza?
"Yo no tengo otros palacios
en que recibiros pueda,
sino mis brazos y pechos, 15
que os regalan y sustentan.
"No puedo más, amor mío,
porque si yo más pudiera,
vos sabéis que vuestros cielos
envidiaran mi riqueza." 20
El Niño recién nacido
no mueve la pura lengua,
aunque es la sabiduría
de su eterno Padre inmensa.
Mas revelándole al alma 25
de la Virgen la respuesta,
cubrió de sueño en sus brazos
blandamente sus estrellas.
Ella entonces desatando
la voz regalada y tierna, 30
así tuvo a su armonía
la de los cielos suspensa:
"Pues andáis en las palmas,
Ángeles santos,
que se duerme mi niño, 35
tened los ramos.

"Palmas de Belén,
que mueven airados
los furiosos vientos,
que suenan tanto, 40
no le hagáis ruido,
corred más paso,
que se duerme mi niño,
tened los ramos.

"El niño divino, 45
que está cansado
de llorar en la tierra
por su descanso,
sosegar quiere un poco
del tierno llanto, 50
que se duerme mi niño,
tened los ramos.
"Rigurosos hielos
le están cercando,
ya veis que no tengo 55
con que guardarlo;
Ángeles divinos,
que vais volando,
que se duerme mi niño,
tened los ramos." 60

[De *Los pastores de Belén* (Madrid, 1612), pero lo copio de las *Obras sueltas,* XVI (Madrid, 1778), p. 331.]

61 ¿Qué tengo yo, que mi amistad procuras?
¿Qué interés se te sigue, Jesús mío,
que a mi puerta cubierto de rocío
pasas las noches del invierno escuras?

¡Oh cuánto fueron mis entrañas duras, 5
pues no te abrí! ¡Qué extraño desvarío,
si de mi ingratitud el hielo frío
secó las llagas de tus plantas puras!

¡Cuántas veces el Ángel me decía:
"Alma, asómate agora a la ventana, 10
verás con cuánto amor llamar porfía!"

¡Y cuántas, hermosura soberana,
"Mañana le abriremos", respondía,
para lo mismo responder mañana!

62

La lengua del amor, a quien no sabe
lo que es amor, ¡qué bárbara parece!;
pues como por instantes enmudece,
tiene pausas de música süave.

Tal vez suspensa, tal aguda y grave, 5
rotos conceptos al amante ofrece;
aguarda los compases que padece,
porque la causa su destreza alabe.

¡Oh dulcísimo bien, que al bien me guía!,
¿con qué lengua os diré mi sentimiento, 10
ya que tengo de hablaros osadía?

Mas si es de los conceptos instrumento,
¿qué importa que calléis, oh lengua mía,
pues que vos penetráis mi pensamiento?

63

No sabe qué es amor quien no te ama,
celestial hermosura, esposo bello;
tu cabeza es de oro, y tu cabello
como el cogollo que la palma enrama.

Tu boca como lirio que derrama 5
licor al alba; de marfil tu cuello;
tu mano el torno y en su palma el sello
que el alma por disfraz jacintos llama.

¡Ay Dios!, ¿en qué pensé cuando, dejando
tanta belleza y las mortales viendo, 10
perdí lo que pudiera estar gozando?

Mas si del tiempo que perdí me ofendo,
tal prisa me daré, que un hora amando
venza los años que pasé fingiendo.

[De las *Rimas Sacras* (Madrid, 1614), pero los copio de mi edic. de las *Obras poéticas*.]

64 LA FILOMENA

[FRAGMENTO]

[...] "¿Son éstas las palabras que le diste
al rey mi padre, aquel tan noble anciano,
que en la orilla del mar llorando viste 315
asir tus brazos y besar tu mano?
¿Son éstas las promesas que le hiciste
de quererme y tratarme como hermano,
y de volverme a su ciudad tan presto?
¡Qué bien lo cumple el deshonor propuesto! 320

"¿Son éstos los regalos que decías
que me habías de hacer, príncipe ingrato?
¿Las verdes huertas y las fuentes frías,
o las que yo con lágrimas dilato?
¿Todo el amor que a Progne le debías 325
paga tu obligación en este trato?
¿Al rey, a Progne, a mí y a dios, Tereo,
ha de vencer un bárbaro deseo?

"¡Ay, viejo padre mío, cuánto engaño
los dos tuvimos: yo en pedir licencia, 330
tú en dejarme venir, pues tanto daño
excusara tan justa resistencia!
Diste la propia oveja al lobo extraño,
en justa confianza, sin prudencia;
ninguno con mujer tenerla intente 335
del más amigo y del mayor pariente.

"Por los dioses te ruego que refrenes
esa loca pasión; que si esto acabas,
yo te amaré, creyendo el que me tienes,
pues que dejas por mí lo que intentabas; 340
y si resuelto a tu apetito vienes,
como antes de escucharme imaginabas,
presume que primero dé mi vida:
que de mi honor serás fiero homicida."

Tereo, que escuchaba por los ojos, 345
áspid de los oídos, dio en la hierba
con los castos bellísimos despojos,
que respeto jamás furor reserva.
Tal suele entre los crespos lazos rojos
del hambriento león tímida cierva 350
palpitando bramar, pero más fuerte:
que nunca firme honor temió la muerte.

Robusta fuerza del mancebo tracio
rindió las resistencias femeniles,
después de haber luchado largo espacio 355
con diligencias de artificios viles;
turbóse todo el celestial palacio,
cubrieron los auríferos viriles
de las doradas rejas las deidades:
dolor no visto en círculos de edades. 360

Ya se remite a la vergüenza el lloro;
triunfa la fuerza del traidor Tereo,
el prado del cabello goza el oro,
corrido niega amor que fue tan feo;
ya no se guarda el virginal decoro, 365
todo se rinde al descortés deseo;
que, como el viento bárbaro se atreve,
algún sátiro vio márfil y nieve.

[*La Filomena* (Madrid, 1621), copio el fragmento de *Obras poéticas*, pp. 598-599.]

65

A mis soledades voy,
de mis soledades vengo,
porque para andar conmigo
me bastan mis pensamientos.

No sé qué tiene el aldea 5
donde vivo, y donde muero,
que con venir de mí mismo,
no puedo venir más lejos.

Ni estoy bien ni mal conmigo;
mas dice mi entendimiento 10
que un hombre que todo es alma
está cautivo en su cuerpo.

Entiendo lo que me basta,
y solamente no entiendo
cómo se sufre a sí mismo 15
un ignorante soberbio.

De cuantas cosas me cansan,
fácilmente me defiendo;
pero no puedo guardarme
de los peligros de un necio. 20

Él dirá que yo lo soy,
pero con falso argumento;
que humildad y necedad
no caben en un sujeto.

La diferencia conozco, 25
porque en él y en mí contemplo
su locura en su arrogancia,
mi humildad en mi desprecio.

O sabe naturaleza
más que supo en este tiempo, 30
o tantos que nacen sabios
es porque lo dicen ellos.

"Sólo sé que no sé nada",
dijo un filósofo, haciendo
la cuenta con su humildad, 35
adonde lo más es menos.

No me precio de entendido,
de desdichado me precio;
que los que no son dichosos,
¿cómo pueden ser discretos? 40

No puede durar el mundo,
porque dicen, y lo creo,
que suena a vidro quebrado
y que ha de romperse presto.

Señales son del jüicio 45
ver que todos le perdemos,
unos por carta de más,

otros por carta de menos.
Dijeron que antiguamente
se fue la verdad al cielo: 50
tal la pusieron los hombres,
que desde entonces no ha vuelto.
En dos edades vivimos
los propios y los ajenos:
la de plata los extraños, 55
y la de cobre los nuestros.
¿A quién no dará cuidado,
si es español verdadero,
ver los hombres a lo antiguo,
y el valor a lo moderno? 60
Todos andan bien vestidos,
y quéjanse de los precios,
de medio arriba romanos,
de medio abajo romeros.
Dijo Dios que comería 65
su pan el hombre primero
en el sudor de su cara
por quebrar su mandamiento,
y algunos, inobedientes
a la vergüenza y al miedo, 70
con las prendas de su honor
han trocado los efetos.
Virtud y filosofía
peregrinan como ciegos;
el uno se lleva al otro, 75
llorando van y pidiendo.
Dos polos tiene la tierra,
universal movimiento:
la mejor vida, el favor;
la mejor sangre, el dinero. 80
Oigo tañer las campanas,
y no me espanto, aunque puedo,
que en lugar de tantas cruces
haya tantos hombres muertos.
Mirando estoy los sepulcros, 85
cuyos mármoles eternos

están diciendo sin lengua
que no lo fueron sus dueños.
¡Oh! ¡Bien haya quien los hizo,
porque solamente en ellos 90
de los poderosos grandes
se vengaron los pequeños!
Fea pintan a la envidia;
yo confieso que la tengo
de unos hombres que no saben 95
quién vive pared en medio.
Sin libros y sin papeles,
sin tratos, cuentas ni cuentos,
cuando quieren escribir,
piden prestado el tintero. 100
Sin ser pobres ni ser ricos,
tienen chimenea y huerto;
no los despiertan cuidados,
ni pretensiones ni pleitos,
ni murmuraron del grande, 105
ni ofendieron al pequeño;
nunca, como yo, firmaron
parabién, ni Pascuas dieron.
Con esta envidia que digo,
y lo que paso en silencio, 110
a mis soledades voy,
de mis soledades vengo.

66

Pobre barquilla mía,
entre peñascos rota,
sin velas desvelada,
y entre las olas sola;
¿adónde vas perdida? 5
¿adónde, di, te engolfas?
que no hay deseos cuerdos
con esperanzas locas.
Como las altas naves,
te apartas animosa 10

de la vecina tierra,
y al fiero mar te arrojas.
  Igual en las fortunas,
mayor en las congojas,
pequeño en las defensas, 15
incitas a las ondas,
  advierte que te llevan
a dar entre las rocas
de la soberbia envidia,
naufragio de las honras. 20
  Cuando por las riberas
andabas costa a costa,
nunca del mar temiste
las iras procelosas.
  Segura navegabas; 25
que por la tierra propia
nunca el peligro es mucho
adonde el agua es poca.
  Verdad es que en la patria
no es la virtud dichosa, 30
ni se estimó la perla
hasta dejar la concha.
  Dirás que muchas barcas
con el favor en popa,
saliendo desdichadas, 35
volvieron venturosas.
  No mires los ejemplos
de las que van y tornan;
que a muchas ha perdido
la dicha de las otras. 40
  Para los altos mares
no llevas cautelosa,
ni velas de mentiras,
ni remos de lisonjas.
  ¿Quién te engañó, barquilla? 45
Vuelve, vuelve la proa,
que presumir de nave
fortunas ocasiona.

¿Qué jarcias te entretejen?
¿Qué ricas banderolas 50
azote son del viento
y de las aguas sombra?
¿En qué gabia descubres,
del árbol alta copa,
la tierra en perspectiva 55
del mar incultas orlas?
¿En qué celajes fundas
que es bien echar la sonda,
cuando, perdido el rumbo,
erraste la derrota? 60
Si te sepulta arena,
¿qué sirve fama heroica?
Que nunca desdichados
sus pensamientos logran.
¿Qué importa que te ciñan 65
ramas verdes o rojas,
que en selvas de corales
salado césped brota?
Laureles de la orilla
solamente coronan 70
navíos de alto bordo
que jarcias de oro adornan.
No quieras que yo sea
por tu soberbia pompa
Faetonte de barqueros, 75
que los laureles lloran.
Pasaron ya los tiempos,
cuando lamiendo rosas
el céfiro bullía
y suspiraba aromas. 80
Ya fieros huracanes
tan arrogantes soplan,
que, salpicando estrellas,
del sol la frente mojan.
Ya los valientes rayos 85
de la vulcana forja,
en vez de torres altas,

abrasan pobres chozas.
  Contenta con tus redes,
a la playa arenosa 90
mojado me sacabas;
pero vivo, ¿qué importa?
  Cuando de rojo nácar
se afeitaba la aurora,
más peces te llenaban 95
que ella lloraba aljófar.
  Al bello sol que adoro,
enjuta ya la ropa,
nos daba una cabaña
la cama de sus hojas. 100
  Esposo me llamaba,
yo la llamaba esposa,
parándose de envidia
la celestial antorcha.
  Sin pleito, sin disgusto, 105
la muerte nos divorcia:
¡ay de la pobre barca
que en lágrimas se ahoga!
  Quedad sobre la arena,
inútiles escotas; 110
que no ha menester velas
quien a su bien no torna.
  Si con eternas plantas
las fijas luces doras,
¡oh dueño de mi barca!, 115
y en dulce paz reposas,
  merezca que le pidas
al bien que eterno gozas,
que adonde estás me lleve
más pura y más hermosa. 120
  Mi honesto amor te obligue;
que no es digna vitoria
para quejas humanas
ser las deidades sordas.
  Mas ¡ay que no me escuchas! 125
Pero la vida es corta:

viviendo, todo falta;
muriendo, todo sobra.

[De *La Dorotea. Acción en prosa* (Madrid, 1632), copiados de la edic. de E. S. Morby (Castalia, 1980), pp. 96 y 291.]

67 A UN SECRETO MUY SECRETO

¡Oh, qué secreto, damas; oh galanes,
qué secreto de amor; oh, qué secreto,
qué ilustre idea, qué sutil conceto!
¡Por Dios que es hoja de me fecit Ioanes!

Hoy cesan los melindres y ademanes, 5
todo interés, todo celoso efeto;
de hoy más Amor será firme y perfeto,
sin ver jardines, ni escalar desvanes.

No es esto filosófica fatiga,
trasmutación sutil o alquimia vana, 10
sino esencia real, que al tacto obliga.

Va de secreto, pero cosa es llana,
que quiere el buen letor que se le diga:
pues váyase con Dios hasta mañana.

68 CÁNSASE EL POETA DE LA DILACIÓN DE SU ESPERANZA

¡Tanto mañana, y nunca ser mañana!
Amor se ha vuelto cuervo, o se me antoja.
¿En qué región el sol su carro aloja
desta imposible aurora tramontana?

[67] 4 *me fecit Ioanes*: alude a la espada, por Juan o Juanes de Orta, espadero sevillano muy famoso.

Sígueme inútil la esperanza vana, 5
como nave zorrera o mula coja;
porque no me tratara Barbarroja
de la manera que me tratas, Juana.

Juntos Amor y yo buscando vamos
esta mañana. ¡Oh dulces desvaríos! 10
Siempre mañana, y nunca mañanamos.

Pues si vencer no puedo tus desvíos,
sáquente cuervos destos verdes ramos
los ojos. Pero no, ¡que son los míos!

69 LA GATOMAQUIA

[FRAGMENTO]

[...] Los gatos, en efeto,
son del Amor un índice perfeto,
que a los demás prefiere;
y quien no lo creyere, 70
asómese a un tejado
con frías noches de un invierno helado,
cuando miren las Hélices noturnas
las estrelladas urnas
del frígido Acüario, 75
verá de gatos el concurso vario
por los melindres de la amada gata,
que sobre tejas de escarchada plata
su estrado tiene puesto,
y con mirlado gesto 80
responde a los maúllos amorosos
de los competidores,
no de otra suerte, oyendo sus amores,
que Angélica la bella

73 *Hélices nocturnas*: las dos Osas, Mayor y Menor.
84 Sobre Angélica, véase el romance de Góngora, p. 58.

de Ferragut y Orlando, 85
amantes belicosos,
cuando andaban por ella
sin comer y dormir, acuchillando
franceses y españoles,
de que no se le dio dos caracoles. 90
¿Qué cosa puede haber con que se iguale
la paciencia de un gato enamorado,
en la canal metido de un tejado
hasta que el alba sale,
que, en vez de rayos, coronó el oriente 95
de carámbanos frígidos la frente?
Pues sin gabán, abrigo ni sombrero,
Febo oriental le mirará primero
que él deje de obligar con tristes quejas
las de su gata rígidas orejas, 100
por más que el cielo llueva
mariposas de plata cuando nieva.

[De las *Rimas humanas y divinas del Licenciado Tomé de Burguillos* (Madrid, 1634), pero copiados de mi edic. de las *Obras poéticas*, pp. 1319, 1322 y 1475-1476.]

70 LETRAS PARA CANTAR

No ser, Lucinda, tus bellas
niñas formalmente estrellas,
bien puede ser;
pero que en su claridad
no tengan cierta deidad, 5
no puede ser.
Que su boca celestial
no sea el mismo coral,
bien puede ser;
mas que no exceda la rosa 10
en ser roja y olorosa,
no puede ser.

Que no sea el blanco pecho
de nieve o cristales hecho,
bien puede ser; 15
mas que no exceda en blancura
cristales y nieve pura,
no puede ser.
Que no sea sol ni Apolo
ángel puro y fénix solo, 20
bien puede ser;
pero que de ángel no tenga
lo que con ángel convenga,
no puede ser.
Que no sean lirios sus venas 25
ni sus manos azucenas,
bien puede ser;
mas que en ellas no se vean
cuantas gracias se desean,
no puede ser. 30

[De *Lo fingido verdadero,* Acad. IV, pp. 61-62.]

71

Ésta sí que es siega de vida;
ésta sí que es siega de flor.

Hoy, segadores de España,
vení a ver a la Moraña
trigo blanco y sin argaña 5
que de verlo es bendición.
Ésta sí que es siega de vida,
ésta sí que es siega de flor.

5 *argaña*: como 'argaya', aristas del trigo.

Labradores de Castilla,
vení a ver a maravilla 10
trigo blanco y sin neguilla,
que de verlo es bendición.
Ésta sí que es siega de vida,
ésta sí que es siega de flor.

[De *El vaquero de Moraña,* Acad. VII, p. 566.]

72 *Una voz.* Este niño se lleva la flor
que los otros no.

Este niño atán garrido,
Todos. se lleva la flor,
Voz. que es hermoso y bien nacido, 5
Todos. se lleva la flor.
Voz. La dama que le ha parido,
Todos. se lleva la flor.
Voz. Cuando llegue a estar crecido,
ha de ser un gran señor. 10
Este niño se lleva la flor,
que los otros no.

[De *El piadoso aragonés,* Acad. X, p. 262.]

73 Río de Sevilla,
¡quién te pasase
sin que la mi servilla
se me mojase!

[71] 11 *neguilla*: lo mismo que 'agenuz', planta abundante en los sembrados.
[73] 3 *servilla*: zapatilla de cordován, con suela delgada.

Salí de Sevilla 5
a buscar mi dueño,
puse al pie pequeño
dorada servilla.
Como estoy a la orilla
mi amor mirando, 10
digo suspirando:
¡quién te pasase
sin que la mi servilla
se me mojase!

[De *Amar, servir y esperar,* Acad. N., III, p. 236.]

74

Ya no cogeré verbena
la mañana de San Juan,
pues mis amores se van.

Ya no cogeré verbena,
que era la hierba amorosa, 5
ni con la encarnada rosa
pondré la blanca azucena.
Prados de tristeza y pena
sus espinos me darán,
pues mis amores se van. 10
Ya no cogeré verbena
la mañana de San Juan,
pues mis amores se van.

[De *La burgalesa de Lerma,* Acad. N., IV, p. 67.]

PEDRO DE MEDINA MEDINILLA *
(† a. de 1621)

75 ÉGLOGA EN LA MUERTE DE DOÑA ISABEL DE URBINA

[FRAGMENTO]

Belardo

Otro mundo, otra luz me parece ésta,
y aunque hay pocas estrellas, yo solía
tales noches pasarlas con más gusto.
¡Oh, cuán caro el mirar al cielo cuesta, 230
y qué cielo me cuesta un triste día,
y qué días me ha dado el tiempo injusto!
Cuando el dolor es justo,
puede mejor un hora
descansar el que llora; 235
mas yo, con ser tan justo el mal que siento,
un hora no descanso, ni un momento,
ni tal pediré yo, ni Dios lo quiera:
que muerto mi contento,
mayor tormento que sentir quisiera. 240

* Pedro de Medina Medinilla, quizá militar, según el propio Lope era sevillano y parece ser que murió en Indias, a juzgar por los versos del *Laurel de Apolo*:

¿A qué región, a qué desierta parte,
a qué remota orilla,
oh Pedro de Medina Medinilla,
llevó tu pluma el envidioso Marte?
¿Qué bárbaro horizonte,
poeta celebérrimo en España,
que indiano mar, qué monte
tu lira infelicísima acompaña?

Lo elogió también Cervantes en su *Viaje del Parnaso*. Véase la nota que le dedicó F. Rodríguez Marín en su edic. (Madrid, 1935), pp. 191-192.

¿Cómo, fingido Tormes, es buen trato
burlar al peregrino, y al que trata
de hacer su patria tus ajenos valles?
Oh, ya siempre de hoy más Tormes ingrato,
indigno de urna de cristal y plata, 245
digno de arroyo de afrentosas calles.
Ruego a Dios que no halles
agua cuando la quieras,
ni pan en tus riberas,
ni techo vedrïado del rocío 250
te cubra de la nieve, ni del frío,
y que nadie te escriba, ni te nombre,
y que, turbio y vacío,
encuentres río que te quite el nombre.

¿Qué te había hecho el Tajo por ventura, 255
o qué nuestro Salicio a tus Albanos,
si no es cantar sus glorias y despojos?
¿Qué te hizo mi luz eterna y pura,
si no es acrecentarte por los llanos,
derritiendo las nieves con sus ojos? 260
¡Oh, qué amargos manojos
de retama y torbisco
pace mi flaco aprisco!
¡Oh, mi cordera sobre el cielo amada,
a pan y a pensamientos regalada! 265
¡Oh, qué noche tan larga se me ofrece,
larga, oscura y helada,
que un alba puse en Alba y no amanece!

Elisa, de mis ojos norte y guía,
mi bien, amores míos, mi señora, 270
mi amor en competencia el verdadero,
luz de los ojos en que fuiste aurora,
mi postrera esperanza, toda mía,
por quien en Dios, y en ti de verte espero;

249 *pan*: trigo.
256 *Salicio*: Garcilaso. *Albanos,* los duques de Alba.
268 Isabel de Urbina murió en Alba de Tormes en 1594.

mi requiebro primero 275
con quien yo tuve amados
coloquios alternados;
cuando la mano con tu fe me dabas,
cuando verdad y veras me enseñabas,
y cuando para esclavo me rendías, 280
¿por qué no me avisabas
que me comprabas por tan pocos días?
¿Adónde están los ojos de paloma
que al Amor contra España dieron jaras
con que leyes impuso y quebró fueros? 285
¿Adónde el labio de carmín en goma,
y aquellas dos mejillas, blancas aras
donde Amor degollaba mil corderos?
Los cadejos primeros
carmenados y bellos, 290
que ardió nieve cabe ellos,
¿a qué sombra siguieron? Mas el puerto
por donde yo pasé herido y muerto,
de manzanas de plata coronado,
dirá, llano y desierto, 295
que no es bien cierto el bien de un desdichado.
Por ti al pasto primero vez ninguna
vi volver a las redes la parida
que trajese las ubres con alforza.
Por ti, a pesar del hielo y de la luna, 300

286 *goma*: "es cierta gota viscosa que suelen llevar algunos árboles por las hendiduras de las cortezas". *Dicc. de Auts.* Supongo que alude a alguna mixtura para pintar la boca.
289 *cadejo*: "parte de la madexa de hilo o seda para devanar; y más propiamente la madexa pequeña abierta para este efecto. Llámase también assí la porción o parte del cabello largo que se separa quando está muy enmarañado para poderlo fácilmente peinar y desenredar". *Dicc. de Auts.*
290 *carmenado*: lo mismo que 'cardado'.
299 *alforza*: "es aquella porción que se recoge a las basquiñas y guardapieses de las mujeres por lo alto, para que no arrastren y puedan soltarla quando quieran". *Dicc. de Auts.*

la más flaca, primal y comalida
de cándido licor bañó la orza;
la nata como alcorza
caliente se cuajaba
y en la leche nadaba. 305
Tú el año seco en lluvias le trocaste,
y en flores los abrojos que pisaste.
Por ti fue rey el monte y la espesura;
mas como nos dejaste,
dejónos el contento y la ventura. 310
Ya no saca mi honda al lobo fiero
el hurto de los dientes, ya no estampo
mis dichas en los olmos que solía,
ya no soy hombre, ni aun zagal entero,
ya te llamo en el monte, ya en el campo, 315
y otra voz me responde todo el día.
Si digo: —Elisa mía,
¿adónde está mi vida?
De allá me dicen: —"Ida."
Yo en tanto mal, para vivir cobarde, 320
la muerte juzgo para luego tarde;
y así, mi Elisa, en tanto desconsuelo
no tengo bien que aguarde
sino sólo pedir mi muerte al cielo.
Oh maravilla octava de Filipo, 325
mayor que la potencia de fortuna,
de mejor duración y más firmeza;
pues yo de vuestra gloria participo,
¿por qué vos no lloráis por la coluna
que os prestó gravedad y suma alteza? 330
Cayó mi fortaleza,
aquel templo divino
forzado a tierra vino,

301 *primal*: se aplica al cordero o cabra que pasa de un año y no llega a dos. *Comalida*: enfermiza.
303 *alcorza*: pasta muy blanca hecha de azúcar y almidón con que se hacen ciertos dulces o se recubren.
325 Alude a El Escorial.

y entre las armas, triunfos y banderas
perdiéronse las ricas vedrïeras; 335
y, puesto ya por tierra el noble fuerte,
poblé cadenas fieras,
desierta argolla que forjó la muerte.
Yo me era un pajarillo prisionero
que hice en monte ajeno el nido vano, 340
del azor en mis vegas perseguido;
mas asechado allá del pastor fiero
prendió con dura percha y cruda mano
de mi querida alondra el cuello y nido;
y yo, al caso venido, 345
la vi al lazo rendida,
en el surco tendida,
alrededor las plumas polvorosas,
fieras señales de la lucha odiosas,
cual deja el cierzo al olmo deshojado 350
o como están las rosas
que el niño pisa cuando está enojado.
Y así cual tierno infante que teniendo
en una mano el pan y en otra flores,
si le quitan las flores, impaciente, 355
de enojo, rabia y de coraje ardiendo,
con el mucho regalo y los amores,
arroja pan y flores juntamente;
tal de razón ausente
con gran razón me enojo 360
y mi salud arrojo;
la muerte un fiero intento resucita,
desnuda el crudo hierro, el brazo incita,
la cual presto será de mí creída;
que pues mi flor me quita, 365
no quiero yo el sustento que es la vida.
Mas no es posible, Elisa, que vivimos
en una voz, un cuerpo, un alma, un nudo,
pues no me llevas ni de mí te acuerdas.

343 *percha*: "un género de lazos de que se sirven los cazadores". *Dicc. de Auts.*

Si dos templadas cuerdas siempre fuimos, 370
¿cómo es posible que la muerte pudo
tocarte sin tocar entrambas cuerdas?
Mas allá donde acuerdas
en ternos más subidos
los signos no aprendidos, 375
si tal vez entre coros de almas santas
de dulces y clarísimas gargantas
alabanzas a Dios cantar quisieres,
canta por mí, si cantas,
que bien saben allá que mi voz eres. 380

Acaba de llevarme donde halle
aquellos ojos míos de mi vida,
y aquella vida mía de mis ojos,
aquellas iris, paz de nuestro valle,
aquel cabello donde amor se anida 385
y aquellas manos donde fui despojos;
no han de ser los enojos,
Elisa, tan de veras;
llévame a ti; ¿qué esperas?;
desátame estos nudos, baste agora, 390
desata por la vida que te adora,
pide que parta, y suba sin tardanza,
pide, esposa y señora,
que un huésped nuevo cuanto pide alcanza.

Pide ya, Elisa, amor de mis amores, 395
que yo presto te vea, y no suspire
uno, sin noche, eterno y claro día;
que asidos por las manos entre flores,
firme y leda me mires y te mire
respirando en tu vista, y tú en la mía. 400
Oh ilustre mediodía
que naces de ti mismo
y te vido el abismo,
pues en tus paralelos nace el alba,
que al presidio del mundo rinde salva, 405

404 *paralelo*: círculo o circunferencia paralelo al Ecuador en la esfera terrestre o en la celeste.

mientras mi día sale por tu cumbre,
sin lumbre quedo en Alba,
esperando la muerte que me alumbre.
Y tú, mi vida que por mí no vienes
por no ser a tus fuerzas más posible, 410
como yo de tu fe tengo creído;
aquellos tuyos mal logrados bienes
de esta cansada vida e insufrible
(que más muerte sin ti que vida ha sido)
ofrezco al mudo olvido: 415
un laurel y una lira
y una voz que suspira,
quedando en este tronco duro y pardo
escrito con la punta de este dardo,
porque haya troncos de mis males llenos: 420
"Aquí acabó Belardo
que más amó, y gozó su gloria menos."
Allí murió la voz con dulce calma
y se trocó el acento en un gemido
que la respiración le suspendía; 425
que como el gran dolor tocó en el alma
quedó la unión y fuerzas del sentido
sin el uso y acciones que solía.
Ya comenzaba el día,
y el aurora aliñosa 430
madrugaba en la rosa,
barriendo con escobas recamadas
las sombras perezosas y olvidadas.
Mas en cuanto descansa el triste amante
de las penas pasadas, 435
tú, Mecenas, espera que yo cante.

[De *La Filomena,* de Lope de Vega, *Obras poéticas,* edic. de J. M. Blecua (Barcelona, 1969), pp. 891 y ss.]

430 *aliñosa*: adornada, compuesta.

CRISTÓBAL DE MESA

(1562-1633)

76

Esta desierta, solitaria tierra,
estas rocas estériles y frías
vide sembradas de esperanzas mías
y verde aquesta inculta y seca tierra.

Por donde agora el paso Amor me cierra, 5
hallé para mi bien diversas vías;
mas nunca duran los alegres días,
ni hay breve paz sin triste y larga guerra.

Cuán en breve a la fértil primavera
se sigue el cano tiempo del estío, 10
y al verde otoño, el negro y frío invierno.

Durable el daño, la alegría ligera,
el pesar lleno y el placer vacío,
el bien es limitado, el mal eterno.

77

Teatro, Capitolio, Coliseo,
colunas, arcos, mármoles, medallas,
estatuas, obeliscos y murallas,
do vencieron las obras al deseo;

templos, carros triunfales, gran trofeo 5
de reinos, de vitorias, de batallas,
colosos, epitafios, antiguallas
de los sepulcros que desiertos veo;

pirámides, pinturas, termas, baños,
reliquias y rüinas de la pompa 10
del edificio de la antigua Roma.

Si puede tanto el curso de los años,
podrá ser que también el tiempo rompa
mi mal, pues toda cosa acaba y doma.

[Del *Valle de lágrimas y diversas rimas* (Madrid, 1607), pp. 98 y 103.]

78

El que alaba la vida de la Corte
no goce el bien del campo solitario,
y su ambicioso pensamiento vario
nunca sepa regir por firme norte.

Con despachos y cartas de gran porte, 5
desesperado espere al ordinario,
y ande de secretario en secretario,
dando en varios negocios vario corte.

Procure ser privado del privado,
adule por diversas pretensiones 10
a todos los que gozan el gobierno.

Afane por saber cosas de estado,
de las llaves doradas y bastones,
y tenga mal verano y mal invierno.

[De las *Rimas* (Madrid, 1611), pero lo copio de A. Rodríguez-Moñino, *Cristóbal de Mesa, estudio bibliográfico* (Badajoz, 1951), p. 67.]

13 *llaves doradas*: las que llevaban los gentileshombres de la cámara del Rey. Se llamó también "llave de oro" al soborno. *Bastones,* por símbolos de mando.

DIEGO DE SILVA Y MENDOZA, CONDE DE SALINAS *
(1564-1630)

79

De tu muerte que fue un breve suspiro,
¡qué largo suspirar se ha comenzado!,
es cilicio en el alma mi cuidado
que le estrecha y aprieta cuanto miro.

Si hay vez en que esforzándome respiro, 5
mas me ahoga un aliento procurado:
ni sé si trueco o si renuevo estado
cuando a escuchar el alma me retiro.

Cual gusano que va de sí tejiendo
su cárcel y su eterna sepultura 10
así me enredo yo en mi pensamiento.

Si es morir acabar de estar muriendo,
lo que nunca esperé de la ventura
esperaré del mal de un bien violento.

80

Una, dos, tres estrellas, veinte, ciento,
mil, un millón, millares de millares,
¡válgame Dios, que tienen mis pesares
su retrato en el alto firmamento!

* Diego de Silva y Mendoza, hijo del príncipe Ruy Gómes de Silva, aunque nació en Madrid, se le considera portugués. Felipe III le nombró del Consejo de Estado de Portugal y Veedor de la Real Hacienda. En 1616 fue hecho Marqués de Alenquer y Virrey y Capitán general de Portugal. Fue muy elogiado por los poetas de su tiempo, aunque su obra poética no se ha publicado íntegramente.

Tú, Norte, siempre firme en un asiento, 5
a mi fe será bien que te compares;
tú, Bocina, con vueltas circulares,
y todas a un nivel, con mi tormento.

Las estrellas errantes son mis dichas, 10
las siempre fijas son los males míos,
los luceros los ojos que yo adoro,

las nubes, en su efecto, mis desdichas,
que lloviendo, crecer hacen los ríos,
como yo con las lágrimas que lloro. 15

81 Este largo martirio de la vida,
la fe tan viva y la esperanza muerta,
el alma desvelada y tan despierta
al dolor y al consuelo tan dormida;

esta perpetua ausencia y despedida, 5
entrar el mal, cerrar tras sí la puerta,
con diligencia y gana descubierta
de que el bien no halle entrada ni salida;

ser los alivios más sangrientos lazos
y riendas libres de los desconciertos, 10
efecto son, Señor, de mis pecados,

de que me han de librar esos tus brazos
que para recibirme están abiertos
y por no castigarme están clavados.

82 Nunca ofendí la fe con la esperanza;
vivo presente en olvidada ausencia;
después de eternidades de paciencia
no merezco quejarme de tardanza.

[80] 7 *Bocina*: la Osa Menor.

Soy sacrificio que arde en tu alabanza, 5
—fuera morir no arder sin resistencia—
¡oh puro amor, oh nueva quintaesencia!,
de infierno sacas bienaventuranza.

Cerca de visto y lejos de mirado,
ni de agravios me vi favorecido, 10
ni tu olvido alcanzó de qué olvidarse;

tu descuido encarece mi cuidado;
quererte más no puedo, ni he podido,
que esto es amarte y lo demás amarse.

83

Ni el corazón, ni el alma, ni la vida
os entregué, señora, enteramente,
lo que de esto padece y lo que siente
quiso dejar conmigo la partida.

Parte es del fuego a vos restituída 5
lo tímido, lo hermoso y lo luciente;
lo claro, vivo, puro y más ardiente,
¡no hay partir que del alma lo divida!

Los asombros, congojas y cuidados,
ardientes ansias y encogidos hechos 10
con que continuamente me persigo,

esto no va con vos, en mí ha quedado;
lágrimas tristes que penetran cielos,
éstas corren tras vos, de mí y conmigo.

[De las *Poesías,* publicadas por L. Rosales en *Escorial,* n. 47, 1944.]

LUISA DE CARVAJAL *

(1566-1614)

84 En el siniestro brazo recostada
de su amado pastor, Silva dormía,
y con la diestra mano la tenía
con un estrecho abrazo a sí allegada.

Y de aquel dulce sueño recordada, 5
le dijo: "El corazón del alma mía
vela, y yo duermo. ¡Ay! Suma alegría,
cuál me tiene tu amor tan traspasada.

"Ninfas del paraíso soberanas,
sabed que estoy enferma y muy herida 10
de unos abrasadísimos amores.

"Cercadme de odoríferas manzanas,
pues me veis, como fénix, encendida,
y cercadme también de amenas flores."

[De la *Antología de poetisas líricas,* de M. Serrano y Sanz, I (Madrid, 1915), p. 86.]

* Luisa de Carvajal, natural de la villa de Jaraicejo (Extremadura). Vivió en León y en la Corte muy devotamente, y en 1605 marchó a Inglaterra para predicar la fe. En Londres fue encarcelada dos veces y reunió en su casa una pequeña congregación.

JUAN DE ARGUIJO

(1567-1623)

85 A FAETÓN

Pudo quitarte el nuevo atrevimiento,
bello hijo del Sol, la dulce vida;
la memoria no pudo, que extendida
dejó la fama de tan alto intento.

Glorioso aunque infelice pensamiento 5
desculpó la carrera mal regida;
y del paterno carro la caída
subió tu nombre a más ilustre asiento.

En tal demanda al mundo aseguraste
que de Apolo eras hijo, pues pudiste 10
alcanzar dél la empresa a que aspiraste.

Término ponga a su lamento triste
Climene, si la gloria que ganaste
excede al bien que por osar perdiste.

86 A NARCISO *

Crece el insano ardor, crece el engaño
del que en las aguas vio su imagen bella;
y él, sola causa en su mortal querella,
busca el remedio y acrecienta el daño.

13 *Climene*: hermana de Faetón.
* Hijo de Cefiso y de la ninfa Liríope, tan bello que todas las doncellas se enamoraban de él, como Eco, que adelgazó tanto al verse despreciada que sólo le quedó una voz lastimera. Las doncellas acudieron a Némesis, que

Vuelve a verse en la fuente, ¡caso extraño!; 5
del agua sale el fuego; mas en ella
templarlo piensa, y la enemiga estrella
sus ojos cierra al fácil desengaño.

Fallecieron las fuerzas y el sentido
al ciego amante amado, que a su suerte 10
la costosa beldad cayó rendida.

Y ahora, en flor purpúrea convertido,
l'agua, que fue principio de su muerte,
hace que crezca, y prueba a darle vida.

87 A ARIÓN, MÚSICO *

Mientras llevado de un delfín piadoso
corta Arïón el mar, suspende el viento,
y las aguas enfrena el blando acento
de la cítara y canto artificioso,

las Nereidas, dejando el espumoso 5
albergue, al dulce son de su instrumento,
tejen en concertado movimiento
festivo coro en el teatro ondoso.

Tetis, Nereo y Doris con espanto
oyeron su armonía. Ni faltaste, 10
grande Neptuno; y tú, Glauco, saliste.

---

concibió la venganza de que Narciso se enamorase de sí mismo al beber en una fuente. El joven se deja morir inclinado sobre su imagen, y en el lugar de su muerte brotó la flor llamada 'narciso'.

* Sobre Arión, véase la nota 14 de la p. 69.

[87] 5 *Nereidas*: hijas de Nereo, dios del mar, y de Doris, hija del Océano.

9 *Tetis*: una de las Nereidas.

11 *Glauco*: hijo de Antedón y de Alcione, que al nacer era mortal, pero comió casualmente una hierba que lo convirtió en inmortal y se transformó en deidad marina.

¡Oh fuerza ilustre del süave canto,
si la fiera codicia no ablandaste,
ondas, vientos, delfín, dioses venciste!

88 A DON FERNANDO DE SAAVEDRA *

Mira con cuánta prisa se desvía
de nosotros el sol al mar vecino,
y aprovecha, Fernando, en tu camino
la luz pequeña deste breve día,

antes que en tenebrosa noche fría 5
pierdas la senda y de buscarla el tino,
y aventurado en manos del destino
vagues errando por incierta vía.

Hágante ajenos casos enseñado,
y el miserable fin de tantos pueda 10
con fuerte ejemplo apercibir tu olvido.

Larga carrera, plazo limitado
tienes, veloz el tiempo corre, y queda
sólo el dolor de haberlo mal perdido.

89 DEL MISMO A LA VIHUELA

SILVA

En vano os apercibo,
dulce instrumento mío,
si templar mi dolor con vos pretendo;
y la grandeza de mi mal ofendo
si alentado confío 5
que pueda el corto alivio que recibo

* Don Fernando de Saavedra, sevillano amigo de Arguijo.

con vuestro blando acento,
de mi antiguo tormento
en la memoria introducir olvido.
¡Oh cómo en vano tanto bien os pido! 10
¿Sois por ventura la famosa lira
del que al mar arrojado
supo aplacar su ira?
¿O la que pudo en número acordado
ceñir de muro a Tebas? ¿Sois acaso 15
aquel plectro divino
que por nuevo camino
a las ondas estigias halló paso
para bajar seguro
de la infelice gente al reino oscuro? 20
Mayor hazaña fuera
suspender mi dolor mi pena fiera.
Responderéis que no desprecie ahora
la antigua compañía
que en soledad tan larga me habéis hecho, 25
ya cuando huye de la noche el día,
o ya cuando la Aurora
le anuncia, y deja de Titán el lecho,
o cuando el sol en la mitad del cielo
piadoso de mi mal oye mi duelo. 30
El común beneficio
de la dulce armonía
alegaréis, y aquel piadoso oficio
con que a sufrir esfuerza
su cautiverio aquél, su prisión éste. 35
Apenas hay trabajo a quien no preste
algún alivio: el que con remo a fuerza

11-13 Alude a Arión.
15 Anfión, de quien se decía que reconstruyó las murallas de Tebas con su música.
15-20 Es clara alusión a Orfeo.
27 La Aurora, casada con Titán, pidió a los dioses que lo hicieran inmortal, pero no se acordó de decirles que fuese siempre joven, de modo que Titán fue lentamente convirtiéndose en viejo.

hiere la blanca espuma,
su desventura suma
cuida olvidar, y al son de la cadena 40
cantando intenta mitigar su pena.
Así lo experimento
en medio de mis males,
oh süave instrumento;
pero cuéstanme caro alivios tales 45
cuando el discurso, un rato suspendido
con el grato sonido,
cobra para afligirme fuerza nueva,
con que después mis lágrimas renueva;
y de la amarga historia 50
mi enemiga memoria
vuelve al usado empleo,
y relucha más fuerte como Anteo.
Ya me tiene enseñado
la continua miseria de mi estado 55
que es socorro engañoso, corto y leve
el que me dais, y que admitir no debe
la música sonora,
quien sus desdichas sin remedio llora.

[De la *Obra poética,* edic. de Stanko B. Vnarich, en Clásicos Castalia, 40.]

AGUSTÍN DE TEJADA *
(1568-1635)

90 De azucenas, vïolas, lirio, acanto
la frente ornada, la purpúrea aurora
las rojas puertas del Oriente dora,
y abre camino al sol su alegre manto.

53 Anteo recobraba sus fuerzas cuando tocaba el suelo.
* Agustín de Tejada, doctor en Teología y racionero de la catedral de Granada, nació en Antequera. Lo elogió Lope de Vega en su *Laurel de Apolo.*

Levántanse las aves a su canto 5
y el fresco aliento de Favonio y Flora
sacude los aljófares que llora
en el clavel, narciso y amaranto.

Y Anterano a este tiempo el amarillo
rostro levanta al resplandor del cielo, 10
y al Amor dice que su pecho inflama:

"Amor, pues a tu yugo el cuello humillo,
o de mi helado sol enciende el hielo
o con su hielo apágame la llama."

[Del *Cancionero antequerano,* publicado por D. Alonso y R. Ferreres (Madrid, 1950), p. 34.]

JOAQUÍN SETANTÍ *

(† 1617)

91 No juzgues a los hombres por el talle;
por las palabras los descubre y mira. 2

Si quieres defenderte de enemigos,
pon en orden más obras que palabras. 2

Como telas de araña son las leyes,
que prenden a la mosca, y no al milano. 2

Las causas de morir son diferentes,
y de ellas saca el seso el sentimiento. 2

* Joaquín Setantí nació en Barcelona, fue caballero de Montesa, y en 1590 publicó los *Frutos de la historia* (máximas de Tucídides, Jenofonte, Herodoto, etc.), y en 1614, las *Centellas de varios conceptos y avisos de amigo.*

Mal se ordena ciudad desordenada
con los que fueron causa del desorden. 2

Deben de obrar los regidores justos
con las manos del pueblo obedïente. 2

Si lo pasado y lo presente apuras,
serás por conjeturas adivino. 2

Jamás se pagan los servicios hechos
al justo precio ni al debido tiempo. 2

[De las *Centellas de varios conceptos y avisos de amigo* (Barcelona, 1614), a través de la edición de la BAE, XLII, pp. 411-415.]

BERNARDO DE BALBUENA

(1568-1627)

92

Yo vi lloviendo aljófar dos estrellas
del cielo donde Amor su gloria tiene,
y, entre un grano que va y otro que viene,
de un abrasado aliento mil centellas.

Prendieron en mi alma todas ellas, 5
que Amor, que la lastima y entretiene,
gustó de darle, porque viva y pene,
vida en mirallas y dolor en vellas.

Milagro es que al placer falte contento,
que el regocijo llore es nueva historia, 10
y yo que en verlo cobre mi alegría.

Mas que con agua de ángeles y aliento
de ámbar me haga Amor infierno y gloria,
o es fuerza suya o gran flaqueza mía.

93

Dulce regalo de mi pensamiento,
otra alma nueva para el alma mía,
nueva a los ojos, no a la fantasía,
a quien hizo el Amor su eterno asiento,

ya que ha llegado a colmo mi contento, 5
si la esperanza en que este bien vivía
a los dos nos fue incierta profecía,
baste ya el padecer, baste el tormento.

El pecho que en tus gustos abrasarse
dulcemente se deja, te suplica 10
eches de ver su fe no ser fingida.

Tomará en esto fuerzas de arrojarse,
¡oh nombre ilustre!, a hacer por ti una rica
barata el alma de su nueva vida.

[Del *Siglo de oro en las selvas de Erifile* (Madrid, 1608), fols. 118 y 124.]

94

EL BERNARDO

[FRAGMENTOS]

[AGONÍA DE DULCIA]

Crisalba entre sus brazos soberanos
el desmayado cuerpo sostenía;
apriétale las suyas con sus manos,
como quien darle su salud quería;
no juzga sus dolores por livianos, 5
mas tampoco creyó que se moría.
Dulcia, perdida la color de rosa,
así le habla, y tiembla temerosa:
—"Llamarme con delgadas voces siento
del seno obscuro de la tierra helada; 10
tristes sombras cruzar veo por el viento,
y que me llaman todas de pasada;

fáltanme ya las fuerzas y el aliento:
Cielos, ¿a cuál deidad tengo agraviada,
que en medio de mi dulce primavera 15
con tan nuevo rigor quiere que muera?

[EL HABLA DE LAS COSAS]

Todas las cosas que en el mundo vemos,
cuantas se alegran con la luz del día,
aunque de sus lenguajes carecemos,
su habla tienen, trato y compañía;
si sus conversaciones no entendemos 5
ni sus voces se sienten cual la mía,
es por tener los hombres impedidos
a coloquios tan graves los oídos.
¿Quién publica a las próvidas abejas
sus sabios aranceles y ordenanzas, 10
y a quién el ruiseñor envía sus quejas
si siente al cazador las asechanzas?
¿Quién a las grullas dice y las cornejas
de los tiempos del mundo las mudanzas?
Y al prado que florece más temprano, 15
¿quién le avisa que viene ya el verano?
¿Quién, si no estos lenguajes que, escondidos,
no de todas orejas son hallados?
Mas de sus sordas voces los rüidos
los raros hombres a quien dan cuidados 20
tan absortos los traen, tan divertidos
y en tan nuevas historias ocupados,
que es fuerza en esto confundirse todos
en varios casos por diversos modos.
Créese que del ruido que las cosas 25
unas con otras hacen murmurando,
de su armonía y voces deleitosas,
las suspensiones dan de cuando en cuando;
que en su canto y palabras poderosas
así el seso se va desengarzando, 30
que el de más grave precio se alborota
y el saber de mayor caudal se agota.

De esto a veces se engendra la locura
y las respuestas sin concierto dadas,
sin traza al parecer, sin coyuntura, 35
ni ver cómo ni a quién encaminadas;
los árboles, los campos, su frescura,
las fuentes y las cuevas más calladas,
a quien llega a sentir por este modo
todo le habla, y él responde a todo. 40

Y el no entender ni oír este lenguaje
con que el mundo se trata y comunica
—y a su Criador en feudo y vasallaje
eternos cantos de loor publica—,
la ocasión cuentan que es cierto brevaje, 45
—que el engaño en naciendo nos aplica—
de groseras raíces de la tierra,
que el seso embota y el sentido cierra.

Mas aquél que, por suerte venturosa
y favorable rayo de su estrella, 50
la voz de esta armonía milagrosa
libre de imperfección llega a entendella,
al cuerpo la halla y alma tan sabrosa
que —a todas horas ocupado en ella—
a sólo su feliz deleite vive 55
y de otra cosa en nada le recibe.

[De la edic. de C. Rosell en la BAE, vol. XVII, pp. 260 y 261.]

FRAY DIEGO DE HOJEDA
(1570?-1615)

95

LA CRISTIADA

["EL ÁNGEL DE LA ORACIÓN DEL HUERTO"]
[FRAGMENTO DEL LIBRO II]

Mas Gabrïel del aire refulgente
de la región más pura un cuerpo hace
y cércalo de luz resplandeciente,
que las tinieblas y el horror deshace;
cuerpo humano de un joven excelente, 5
gallardo y lindo que a la vista aplace;
mas bañada su angélica belleza
en una grave y señoril tristeza.

Lleva el rojo cabello ensortijado
del oro fino que el Oriente cría, 10
y en mil hermosas vueltas encrespado,
que cada cual relámpagos envía,
de un pedazo del iris coronado,
del iris, que con fresco humor rocía
el verde valle y la florida cumbre, 15
cuando entre nieblas da templada lumbre.

La vergonzosa grana resplandece
en las mejillas de su rostro amable;
y aljófar de turbada luz parece
el sudor de su frente venerable; 20
aspecto de un legado triste ofrece,
que hace su hermosura más notable,
cual invernizo sol en parda nube
opuesta al tiempo, que al Oriente sube.

Prestas alas de plumas aparentes, 25
de color vario y elegante forma,
y de vistosas piedras relucientes
puestas a trechos, en sus hombros forma.

Con la grave embajada convenientes
ojos y traje y parecer conforma. 30
Es morado el vestido rozagante,
y lagrimoso el juvenil semblante.

Cual de arco tieso bárbara saeta
arrojada con ímpetu valiente;
cual apacible, cándida cometa, 35
que el aire rasga imperceptiblemente;
cual sabio entendimiento que decreta
lo que a su vista clara está evidente;
así —pero no así, con mayor vuelo—
baja el sagrado embajador del cielo. 40

Ala no mueve, pluma no menea,
y las espaldas de las nubes hiende;
seguille el viento volador desea
y en vano el imposible curso emprende;
déjale de seguir, la vista emplea, 45
y a celebrar su ligereza atiende;
y acierta en conceder justa alabanza
a quien con fuerzas y valor no alcanza.

Cala de arriba el mensajero santo,
y llega al verde y religioso monte 50
a donde está el Cordero sacrosanto,
y sordo y mudo mira al horizonte;
paró su luz con imposible espanto
más tarde el rubio padre de Faetonte
a la oración del capitán hebreo, 55
que a la de Cristo el celestial correo.

El aire ve de pavorosa niebla
y de sombra confusa rodeado;
opaca, triste y hórrida tiniebla
lo tiene de ancha oscuridad cercado; 60
de asombro y miedo, y de terror se puebla
el Huerto, ya de espinas coronado;
detiénese Gabriel y atento escucha
y mira a Dios que con la muerte lucha.

Del cielo puro el cristalino aspeto, 65
del espantado arroyo el lento paso,
del aire mudo el proceder secreto,

y del manso favonio el soplo escaso,
de aves y fieras el callar discreto,
y de ver triste a Dios el grave caso, 70
como caso tan grave comprehende,
las plumas y la lengua le suspende.
Apenas hubo por su bien nacido
el Ángel, cuando en su tercer instante
glorioso la divina esencia vido 75
con luz que siempre le será constante;
pues el que a Dios sin velo ha conocido,
y en Él, como en clarísimo diamante
y espejo vivo, su valor inmenso,
¿no quedará, de verle tal, suspenso? 80
Ve al Rey de Reyes, Dios omnipotente,
que en Sí mismo los orbes ha fundado,
y a la suprema intelectiva gente,
hollando estrellas santas, ha criado;
velo aquí por el hombre inobediente 85
sobre la tierra con dolor postrado,
y como quien es Dios y el hombre sabe,
en el cuerpo fingido apenas cabe.

[De la edic. de C. Rosell en la BAE, XVII, p. 418.]

FRANCISCO DE MEDRANO
(1570-1607)

96 A FRAY PEDRO MALDONADO, POR LA CONSTANCIA *

Firmio, constante a las dificultades
el pecho ofrece, y ciérralo prudente
al orgullo insolente
en las prosperidades.
Ya te embista el dolor, ya l'alegría, 5
atrás se vuelvan sin hacerte ofensa,
y, sabio, recompensa
uno con otro día.
Vive d'espacio, olvida cuerdamente
lo pasado, no temas lo futuro; 10
mas, con seso maduro,
goza del bien presente;
que todo es humo, y sombra, y desparece:
dejará Eutropio sus preciosos lares;
sus rentas, sus lugares, 15
y cuanto le envanece
dejará; y del tesoro amontonado
con afán gozará cual heredero:
que no acata al dinero,
ni a la privanza, el hado. 20
Todos seremos, todos, ¡cuán temprana
víctima de la muerte! ¿Qué cansamos
la vida? Hoy, hoy vivamos;
que nadie vio a mañana.

* Fray Pedro Maldonado, jesuita sevillano, que más tarde fue agustino (m. en 1614), autor de diversos comentarios bíblicos y de *Traza y exercicios de un Oratorio* (Lisboa, 1609).

97 A FERNANDO DE SORIA GALVARRO *

En el secreto de la noche suelo,
Sorino, contemplar las luces bellas,
y, mudo, platicar así con ellas,
porque, invidioso, no me estorbe el suelo:

"Ya, ya, soberbios astros, vuestro cielo 5
Flora pisa inmortal con firmes huellas;
ya eternamente hermosa pisa estrellas
(¿y cuál sin ella yo?): mas, cese el duelo:

"tú fuiste, Flora, y vos que la robastes,
divinas luces, para mí inhumanas, 10
pues solo, y vida y seso, me dejastes;

"mas, porque tú no toda mueras, Flora,
ni en las miserias vivas toda humanas,
viva yo, y pene, y tú los cielos mora."

98

Las almas son eternas, son iguales,
son libres, son espíritus, María:
si en ellas hay amor, con la porfía
de los estorbos crece, y de los males.

Nacimos en fortuna desiguales, 5
no en gustos; la violencia nos desvía;
el tiempo corre lento, y deja el día
de sí hasta en los mármoles señales.

Mas tú ni a tiempo alguno ni a violencia,
ni a aquello desigual de la fortuna, 10
ni temas a la más prolija ausencia;

* Fernando de Soria Galvarro, poeta sevillano, ayo de los hijos del conde de Castro, Chantre de Córdoba y capellán de honor de su Majestad, muy amigo también de los dos Argensola.

que si nuestras dos almas son una,
¿en quién, si ya no en Dios, habrá potencia
que las gaste o las fuerza o las desuna?

99 Quien te dice que ausencia causa olvido
mal supo amar, porque si amar supiera,
¿qué, la ausencia?: la muerte nunca hubiera
las mientes de su amor adormecido.

¿Podrá olvidar su llaga un corzo herido 5
del acertado hierro, cuando quiera
huir medroso, con veloz carrera,
las manos que la flecha han despedido?

Herida es el amor tan penetrante
que llega al alma; y tuya fue la flecha 10
de quien la mia dichosa fue herida.

No temas, pues, en verme así distante,
que la herida, Amarili, una vez hecha,
siempre, siempre y doquiera, será herida.

100 ¿Qué busco, ciego, yo, con tan mortales
y ansiosas bascas? ¿Pienso que podría
satisfacer la sed inmensa mía
un mar de aquestos bienes (¿diré? ¿o males?)?

¿No vi ya? ¿No probé cuán desiguales 5
son de aquello precioso que ofrecía
su vanamente hermosa flor, que el día
robó, descubridor de engaños tales?

Paremos ya, paremos: que el sosiego
en sólo aquel un Bien que sin mudanza 10
mueve cuanto ve el sol, hallar podremos.

Mas, ay, que cuando verle pienso, y llego
yo a asirle, me deslumbra, y sin tardanza,
cual rayo pasa, y ciegos le perdemos.

[De *Vida y obra de Medrano, II Edición crítica,* de Dámaso Alonso y Stephen Reckert (Madrid, 1958), pp. 39, 84, 220, 239 y 274.]

RODRIGO CARO

(1573-1647)

101

CANCIÓN

Estos, Fabio, ¡ay dolor!, que ves ahora
campos de soledad, mustio collado,
fueron un tiempo Itálica famosa.
Aquí de Cipïón la vencedora
colonia fue. Por tierra derribado 5
yace el temido honor de la espantosa
muralla, y lastimosa
reliquia es solamente.
De su invencible gente
sólo quedan memorias funerales, 10
donde erraron ya sombras de alto ejemplo.
Este llano fue plaza; allí fue templo;
de todo apenas quedan las señales.
Del gimnasio y las termas regaladas
leves vuelan cenizas desdichadas; 15
las torres que desprecio al aire fueron
a su gran pesadumbre se rindieron.
Este despedazado anfiteatro,
ímpio honor de los dioses, cuya afrenta
publica el amarillo jaramago, 20
ya reducido a trágico teatro,
¡oh fábula del tiempo!, representa
cuánta fue su grandeza y es su estrago.

¿Cómo en el cerco vago
de su desierta arena 25
el gran pueblo no suena?
¿Dónde, pues fieras hay, está el desnudo
luchador? ¿Dónde está el atleta fuerte?
Todo despareció: cambió la suerte
voces alegres en silencio mudo; 30
mas aun el tiempo da en estos despojos
espectáculos fieros a los ojos,
y miran tan confusos lo presente,
que voces de dolor el alma siente.

Aquí nació aquel rayo de la guerra, 35
gran padre de la patria, honor de España,
pío, felice, triunfador Trajano,
ante quien muda se postró la tierra
que ve del sol la cuna, y la que baña
el mar también vencido gaditano. 40
Aquí de Elio Adrïano,
de Teodosio divino,
de Silio peregrino
rodaron de marfil y oro las cunas.
Aquí ya de laurel, ya de jazmines 45
coronados los vieron los jardines
que ahora son zarzales y lagunas.
La casa para el César fabricada,
¡ay!, yace de lagartos vil morada.
Casas, jardines, césares murieron, 50
y aun las piedras que de ellos se escribieron.

Fabio, si tú no lloras, pon atenta
la vista en luengas calles destruidas,
mira mármoles y arcos destrozados,

41 Elio Adriano, que nació en Itálica, padre de Publio Elio Adriano, emperador.

42 *Teodosio divino*: Es Teodosio I el Grande, que según algunos historiadores había nacido en Itálica en el año 346, aunque, según otros, era natural de Cauce.

43 *Silio peregrino*: el poeta Silio Itálico, que se creyó nacido en Itálica, el 25 de nuestra era, reinando el emperador Tiberio.

mira estatuas soberbias, que violenta 55
Némesis derribó, yacer tendidas,
y ya en alto silencio sepultados
sus dueños celebrados.
Así a Troya figuro,
así a su antiguo muro, 60
y a ti, Roma, a quien queda el nombre apenas,
¡oh patria de los dioses y los reyes!
Y a ti, a quien no valieron justas leyes,
fábrica de Minerva sabia Atenas,
emulación ayer de las edades, 65
hoy cenizas, hoy vastas soledades:
que no os respetó el hado, no la muerte,
¡ay!, ni por sabia a ti, ni a ti por fuerte.
Mas, ¿para qué la mente se derrama
en buscar al dolor nuevo argumento? 70
Basta ejemplo menor, basta el presente:
que aun se ve el humo aquí, aun se ve la llama,
aun se oyen llantos hoy, hoy ronco acento.
Tal genio o religión fuerza la mente
de la vecina gente 75
que refiere admirada
que en la noche callada
una voz triste se oye que llorando
"Cayó Itálica", dice; y lastimosa
Eco reclama "Itálica" en la hojosa 80
selva que se le opone, resonando
"Itálica", y el caro nombre oído
de Itálica, renuevan el gemido
mil sombras nobles en su gran rüina.
¡Tanto aun la plebe a sentimiento inclina! 85
Esta corta piedad que, agradecido
huésped, a tus sagrados manes debo,
les dó y consagro, Itálica famosa.
Tú (si lloroso don han admitido
las ingratas cenizas de que llevo 90
dulce noticia asaz, si lastimosa)

56 *Némesis*: diosa de la venganza.

permíteme, piadosa
usura a tierno llanto,
que vea el cuerpo santo
de Geroncio, tu mártir y prelado. 95
Muestra de su sepulcro algunas señas
y cavaré con lágrimas las peñas
que ocultan su sarcófago sagrado.
Pero mal pido el único consuelo
de todo el bien que airado quitó el cielo. 100
¡Goza en las tuyas sus reliquias bellas
para invidia del mundo y las estrellas!

[Texto de la versión cuarta, de las cinco versiones, la preferida por A. Fernández Guerra y Orbe en "La canción a las ruinas de Itálica...", en la *Revista de Madrid,* III (1882), pp. 246 y ss.]

ANDRÉS FERNÁNDEZ DE ANDRADA *

(h. 1575-1648)

102 EPÍSTOLA MORAL A FABIO

Fabio, las esperanzas cortesanas
prisiones son do el ambicioso muere,
y donde al más activo nacen canas.

95 *Geroncio*: San Geroncio, mártir y prelado de Itálica.

* Andrés Fernández de Andrada, culto capitán sevillano, que asistió en 1596 a la defensa de Cádiz contra los ingleses, amigo de Rioja, se encontraba en 1619 en Méjico (de "contador de bienes de difuntos"), donde casó con doña Antonia de Velasco. Murió en 1648, siendo alcalde mayor de San Luis de Potosí. (Véase para más detalles Dámaso Alonso, *La "Epístola moral a Fabio" y Andrés Fernández de Andrada,* Madrid, Gredos, 1978.)

1 *Fabio*: don Alonso Tello de Guzmán, que fue nombrado corregidor de Méjico en 1612, y ésta es la fecha de la epístola.

El que no las limare o las rompiere,
ni el nombre de varón ha merecido, 5
ni subir al honor que pretendiere.
El ánimo plebeyo y abatido
elija, en sus intentos temeroso,
primero estar suspenso que caído;
que el corazón entero y generoso, 10
al caso adverso inclinará la frente,
antes que la rodilla al poderoso.
Más triunfos, más coronas dio al prudente
que supo retirarse, la Fortuna,
que al que esperó obstinada y locamente. 15
Esta invasión terrible e importuna
de contrarios sucesos nos espera
desde el primer sollozo de la cuna.
Dejémosla pasar como a la fiera
corriente del gran Betis, cuando airado 20
dilata hasta los montes la ribera.
Aquel entre los héroes es contado
que el premio mereció, no quien le alcanza
por vanas consecuencias del estado.
Peculio proprio es ya de la privanza 25
cuanto de Astrea fue, cuanto regía
con su temida espada y su balanza.
El oro, la maldad, la tiranía
del inicuo precede, y pasa al bueno:
¿qué espera la virtud o qué confía? 30
Vente, y reposa en el materno seno
de la antigua Romúlea, cuyo clima
te será más humano y más sereno;
adonde, por lo menos, cuando oprima
nuestro cuerpo la tierra, dirá alguno: 35
"¡Blanda le sea!", al derramarla encima;

26 *Astrea*: la Justicia, representada siempre con una espada y una balanza.
32 *la antigua Romúlea*: Sevilla.

donde no dejarás la mesa ayuno
cuando en ella te falte el pece raro,
o cuando su pavón nos niegue Juno.
Busca, pues, el sosiego dulce y caro, 40
como, en la oscura noche del Egeo
busca el piloto el eminente faro;
que si acortas y ciñes tu deseo,
dirás: "Lo que desprecio he conseguido,
que la opinión vulgar es devaneo." 45
Más quiere el ruiseñor su pobre nido
de pluma y leves pajas, más sus quejas,
en el monte repuesto y escondido,
que agradar lisonjero las orejas
de algún príncipe insigne, aprisionado 50
en el metal de las doradas rejas.
¡Triste de aquel que vive destinado
a esa antigua colonia de los vicios,
augur de los semblantes del privado!
Cese el ansia y la sed de los oficios, 55
que acepta el don, y burla del intento,
el ídolo, a quien haces sacrificios.
Iguala con la vida el pensamiento,
y no le pasarás de hoy a mañana,
ni aun quizá de un momento a otro momento. 60
Casi no tienes ni una sombra vana
de nuestra antigua Itálica, y ¿esperas?
¡Oh error perpetuo de la vida humana!
Las enseñas grecianas, las banderas
del senado y romana monarquía 65
murieron, y pasaron sus carreras.
¿Qué es nuestra vida más que un breve día,
do apenas sale el sol, cuando se pierde
en las tinieblas de la noche fría?

39 *pavón*: era el ave de Juno o Venus.
48 *repuesto*: apartado.

¿Qué más que el heno, a la mañana verde, 70
seco a la tarde? ¡Oh ciego desvarío!
¿Será que de este sueño se recuerde?
¿Será que pueda ser que me desvío
de la vida viviendo, y que esté unida
la cauta muerte al simple vivir mío? 75
Como los ríos, que en veloz corrida
se llevan a la mar, tal soy llevado
al último suspiro de mi vida.
De la pasada edad ¿qué me ha quedado?
O ¿qué tengo yo, a dicha, en la que espero, 80
sino alguna noticia de mi hado?
¡Oh si acabase, viendo como muero,
de aprender a morir antes que llegue
aquel forzoso término postrero;
antes que aquesta mies inútil siegue 85
de la severa muerte dura mano,
y a la común materia se la entregue!
Pasáronse las flores del verano,
el otoño pasó con sus racimos,
pasó el invierno con sus nieves cano; 90
las hojas que en las altas selvas vimos
cayeron, ¡y nosotros a porfía
en nuestro engaño inmóviles vivimos!
Temamos al Señor, que nos envía
las espigas del año y la hartura, 95
y la temprana pluvia y la tardía.
No imitemos la tierra siempre dura
a las aguas del cielo y al arado,
ni la vid cuyo fruto no madura.
¿Piensas acaso tú que fue criado 100
el varón para el rayo de la guerra,
para sulcar el piélago salado,
para medir el orbe de la tierra
o el cerco por do el sol siempre camina?
¡Oh, quien así lo piensa, cuánto yerra! 105

72 *recuerde*: despierte, como en la p. 67.

Esta nuestra porción alta y divina
a mayores acciones es llamada
y en más nobles objetos se termina.
Así aquella que al hombre solo es dada,
sacra razón y pura, me despierta, 110
de esplendor y de rayos coronada;
y en la fría región dura y desierta
de aqueste pecho enciende nueva llama,
y la luz vuelve a arder que estaba muerta.
Quiero, Fabio, seguir a quien me llama, 115
y callado pasar entre la gente,
que no afecto los nombres ni la fama.
El soberbio tirano del Oriente
que maciza las torres de cien codos
del cándido metal puro y luciente, 120
apenas puede ya comprar los modos
del pecar. La virtud es más barata:
ella consigo misma ruega a todos.
¡Mísero aquel que corre y se dilata
por cuantos son los climas y los mares, 125
perseguidor del oro y de la plata!
Un ángulo me basta entre mis lares,
un libro y un amigo, un sueño breve,
que no perturben deudas ni pesares.
Esto tan solamente es cuanto debe 130
naturaleza al parco y al discreto,
y algún manjar común, honesto y leve.
No, porque así te escribo, hagas conceto
que pongo la virtud en ejercicio;
que aun esto fue difícil a Epicteto. 135
Basta, al que empieza, aborrecer el vicio,
y el ánimo enseñar a ser modesto;
después le será el cielo más propicio.
Despreciar el deleite no es supuesto
de sólida virtud; que aun el vicioso 140
en sí propio le nota de molesto.
Mas no podrás negarme cuán forzoso
este camino sea al alto asiento,
morada de la paz y del reposo.

No sazona la fruta en un momento 145
aquella inteligencia que mensura
la duración de todo a su talento:
flor la vimos ayer hermosa y pura;
luego, materia acerba y desabrida,
y perfecta después, dulce y madura. 150
Tal la humana prudencia es bien que mida
y comparta y dispense las acciones
que han de ser compañeras de la vida.
No quiera Dios que siga los varones
que moran nuestras plazas, macilentos, 155
de la virtud infames histrïones;
estos inmundos trágicos y atentos
al aplauso común, cuyas entrañas
son oscuros e infaustos monumentos.
¡Cuán callada que pasa las montañas 160
el aura, respirando mansamente!
¡Qué gárrula y sonora por las cañas!
¡Qué muda la virtud por el prudente!
¡Qué redundante y llena de rüido
por el vano, ambicioso y aparente! 165
Quiero imitar al pueblo en el vestido,
en las costumbres sólo a los mejores,
sin presumir de roto y mal ceñido.
No resplandezca el oro y las colores
en nuestro traje, ni tampoco sea 170
igual al de los dóricos cantores.
Una mediana vida yo posea,
un estilo común y moderado,
que no le note nadie que le vea.
En el plebeyo barro mal tostado 175
hubo ya quien bebió tan ambicioso
como en el vaso múrrino preciado;

177 *vaso múrrino*: de 'murra', mirra.

y alguno tan ilustre y generoso
que usó, como si fuera vil gaveta,
del cristal transparente y luminoso. 180
Sin la templanza ¿viste tú perfeta
alguna cosa? ¡Oh muerte!, ven callada
como sueles venir en la saeta;
no en la tonante máquina preñada
de fuego y de rumor; que no es mi puerta 185
de doblados metales fabricada.
Así, Fabio, me muestra descubierta
su esencia la verdad, y mi albedrío
con ella se compone y se concierta.
No te burles de ver cuánto confío, 190
ni al arte de decir, vana y pomposa,
el ardor atribuyas de este brío.
¿Es por ventura menos poderosa
que el vicio la virtud, o menos fuerte?
No la arguyas de flaca y temerosa. 195
La codicia en las manos de la suerte
se arroja al mar, la ira a las espadas,
y la ambición se ríe de la muerte.
¿Y no serán siquiera tan osadas
las opuestas acciones, si las miro 200
de más ilustres genios ayudadas?
Ya, dulce amigo, huyo y me retiro
de cuanto simple amé; rompí los lazos.
Ven y verás al grande fin que aspiro,
antes que el tiempo muera en nuestros brazos. 205

[Texto según la edic. de Dámaso Alonso en *La "Epístola moral a Fabio", y Andrés Fernández de Andrada,* Gredos (Madrid, 1978), pp. 15-22.]

179 *gaveta*: "especie de caxa corrediza, y sin tapa, que hai en los escritorios, armarios y papeleras, y sirve para guardar lo que se quiere tener en orden y a mano". *Dicc. de Auts.*

ALONSO DE ACEVEDO

103 LA CREACIÓN DEL MUNDO

[FRAGMENTO]

[...] La noche, con las alas de humor llenas,
del mundo el seco centro va templando,
en el hombre afligido, de sus penas
el perezoso olvido derramando;
y cuando vierte en las mortales venas 5
el sueño deleitoso, está igualando
al rico con el pobre, y al cobarde
con el que peleando en furor arde.

El labrador, que de sudor cubierto
rompe los duros pechos de la tierra 10
con el arado, y en el sulco abierto
los granos de oro cudicioso entierra,
rendido a la fatiga, y medio muerto
del corvo hierro en la cansada guerra,
cuando la noche por el cielo asoma, 15
del trabajo cruel venganza toma.

El que el florido valle y verde prado
priva con corva hoz de sus despojos,
en tus brazos, oh noche, recostado
ofrece al sueño los cansados ojos; 20
y en la blanca dulzura sepultado,
olvida del trabajo los enojos;
y el cansancio de sí va desterrando,
al débil cuerpo nueva fuerza dando.

Eres tiempo del sueño y del sosiego, 25
para que las virtudes distraídas
con las vigilias del desasosiego,
al despuntar de Oriente el sol, nacidas,
se vuelvan a ligar con ñudo ciego,
y ligadas como antes, y en sí unidas 30
descansen, y, en tus brazos recostadas,
se levanten del ocio reforzadas.

Cuando el alba, del día anunciadora,
al grande Olimpo sube fatigada,
y de cansancio tiernas perlas llora, 35
bajas tú alegre a la región salada;
y cuando cae en el mar la rubia aurora,
vuelves a su lugar regocijada,
y la vida al dorado joven quitas,
mas piadosa después, le resucitas. 40

Tú de nuestros cuidados piedad tienes,
el húmido rocío del olvido
vertiendo de tus alas en las sienes
de cuantos animales han nacido;
las mieses y las plantas ricos bienes 45
con tu rociada miel han producido;
tú apacientas los astros celestiales,
que te alumbran con fuegos inmortales.

Entonces las napeas por los prados
de los bosques alegres y gozosas, 50
renovando los bailes concertados,
se mezclan con las dríadas hermosas;
las náyades, saltando por los vados
de las fuentes y ríos, vergonzosas
del sátiro y del fauno se recelan, 55
que por ver sus desnudos cuerpos velan.

En este día, el Padre omnipotente
que en el arco desplegó el cuerpo hermoso
del cielo, y a la luz resplandeciente
dio forma con el Verbo poderoso, 60
del Olimpo crió la inmortal gente,
resplandeciendo con ardor glorioso,
y entre ellas la más bella criatura
se deslumbró de ver su hermosura [...]

[De *La Creación del mundo* (Roma, 1615), pero lo copio de la edic. de la BAE, XXIX, p. 249.]

DON FRANCISCO DE BORJA *
Príncipe de Esquilache
(1577-1658)

104 A SEVILLA LA VIEJA

Destos campos, que visten rubias mieses,
Itálica es aquel, éste sus muros,
que entre el arado vil no están seguros
de la violenta mano de los meses.

La que de aceros, flechas y paveses 5
ceñidos vio sus homenajes duros,
aún hoy del Betis los cristales puros
ni la respetan mansos ni corteses.

Deshecha yace en dudas y opiniones
si fue otro tiempo Itálica gloriosa, 10
que honraron tantos triunfos y blasones.

¡Oh fuerza de los años poderosa!
Pues muros y arcos en olvido pones,
¿qué harás de Silvia solamente hermosa?

* Don Francisco de Borja y Aragón, príncipe de Esquilache, nació en el mar Tirreno yendo sus padres a Praga como embajadores. Educado esmeradamente, fue virrey de Perú, aunque antes concurrió a las Academias poéticas de Madrid, donde en 1638 publicó *La Pasión de Jesucristo* en tercetos; en 1640, su *Fábula de Antonio y Cleopatra,* y en 1648, sus *Obras en verso,* reeditadas muy bellamente en Amberes en 1653 y 1654. Su poema *Nápoles recuperada* se publicó en 1651.

105 No son mis años hoy; mis años fueron
mostrando en el discurso que llevaron
que para mi dolor presos quedaron
y para mi quietud libres huyeron.

¿Cómo podré negar que se perdieron, 5
si cuando los busqué no se cobraron?
Y aunque las penas en mi edad dejaron,
ni un paso atrás, por más que insté, volvieron.

La osada vida que sus flechas siente,
cuando unas hieren y otras se despuntan, 10
el riesgo sí, mas no el temor consiente.

Que puedo a todos resistir barruntan;
y es cierto que me tienen por valiente,
pues tantos años contra mí se juntan.

106 Tengamos paz, prolijo pensamiento;
¿no bastaba que Amor, Fortuna y Muerte,
armando cada cual el brazo fuerte
den larga y dura guerra al sufrimiento?

Si no piensas mudar tu loco intento, 5
a tiempo llegará mi triste suerte,
que aunque después procure socorrerte,
serán torres fundadas en el viento.

Mas como me persiguen tres contrarios,
cada cual procurando apoderarse 10
de mí, para ser solo mi homicida,

son sus efetos flacos y tan varios,
que no pudiendo en nada conformarse,
hallo libre en tres muertes una vida.

107 ROMANCE

Llamo con suspiros el bien que pierdo
y las galerillas baten los remos.

De las playas, madre,
donde rompe el mar,
parten las galeras; 5
con mi bien se van.
Cuanto más las llamo,
ellas huyen más;
si las lleva el viento,
¿quién las detendrá? 10
El de mis suspiros
las hacen volar
cuando más pretenden
que vuelvan atrás.
Si forzados quedan, 15
forzados irán;
unos a partirse
y otros a quedar.
Llamo con suspiros el bien que pierdo
y las galerillas baten los remos. 20
De casas que huyen,
¿quién podrá fiar
un amor de asiento,
que tan firme está?
Si ligeras vuelan, 25
¿dónde pararán?
Que quien tanto corre
suele tropezar.
Los azules campos
vuelven de cristal; 30
todo cuanto tocan
mudándose va.
No está el mar seguro,
ni el viento jamás;

mis suspiros solos 35
no se mudarán.
Llamo con suspiros el bien que pierdo
y las galerillas baten los remos.

108 A LAS LLAGAS DE CRISTO

Eterno Dios, si mis pecados fueran
más que la arena que las ondas bañan,
y las del mar, que la codicia engañan,
si verse más de las que son pudieran;

más que las lluvias que en abril esperan 5
los tristes campos, que el invierno extrañan,
y los átomos leves que acompañan
los rayos que en los montes reverberan,

si a los astros vencieran celestiales
en número, partiendo el de infinitos 10
entre ellos y las causas naturales,

quedaran cancelados y prescritos,
si pudieran de cinco manantiales
pasar el mar Bermejo mis delitos.

[De las *Obras en verso* (Amberes, 1654), pp. 9, 72, 477 y 565.]

LUIS MARTÍN DE LA PLAZA *
(1577-1625)

109 Cuando a su dulce olvido me convida
la noche, y en sus faldas me adormece,
entre el sueño la imagen me aparece
de aquella que fue sueño en esta vida.

Yo, sin temor que su desdén lo impida, 5
los brazos tiendo al gusto que me ofrece;
mas ella, ¡sombra al fin!, se desvanece,
y abrazo el aire donde está escondida.

Así burlado digo: "¡Ah falso engaño
de aquella ingrata, que aún mi mal procura! 10
Tente, aguarda, lisonja del tormento."

Mas ella en tanto, por la noche oscura
huye; corro tras ella. ¡Oh caso extraño!
¿Qué pretendo alcanzar, pues sigo al viento?

110 Nereidas, que con manos de esmeraldas,
para sangrarle las ocultas venas,
de perlas, nácar y corales llenas,
azotáis de Neptuno las espaldas;

y ceñidas las frentes con guirnaldas, 5
sobre azules delfines y ballenas,
oro puro cernéis de las arenas,
y lo guardáis en las mojadas faldas;

* Sacerdote en Antequera, su ciudad natal, amigo de Pedro Espinosa.

decidme, así de nuestro alegre coro
no os aparte aquel dios que en Eolia mora 10
y con valiente soplo os hace agravios,

¿halláis corales, perlas, nácar, oro,
tal como yo lo hallo en mi señora
en cabellos, en frente, en boca, en labios?

[De las *Flores de poetas ilustres* (Valladolid, 1605), de Pedro Espinosa, según la edic. de J. Quirós de los Ríos y F. Rodríguez Marín, I (Sevilla, 1896), pp. 15 y 181.]

PEDRO ESPINOSA
(1578-1650)

111

FÁBULA DEL GENIL

[FRAGMENTO]

[...] Dijo así y, cudicioso del trofeo,
al alcázar del viejo Betis parte, 90
cuyo artificio atrás deja el deseo;
que a la materia sobrepuja el arte.
No da tributo Betis a Nereo,
mas, como amigo, sus riquezas parte
con él, que es rey de ríos, y los reyes 95
no dan tributo, sino ponen leyes.
Ve que son plata lisa los umbrales;
claros diamantes las lucientes puertas,
ricas de clavazones de corales
y de pequeños nácares cubiertas; 100
ve que rayos de luces inmortales
dan, y que están de par en par abiertas,
y los quiciales, de oro muy rollizo,
que muestran el poder de quien los hizo.

10 Alude a Eolo, dios de los vientos.

Colunas más hermosas que valientes 105
sustentan el gran techo cristalino;
las paredes son piedras transparentes,
cuyo valor del Occidente vino;
brotan por los cimientos claras fuentes,
y con pie blando, en líquido camino, 110
corren cubriendo con sus claras linfas
las carnes blancas de las bellas ninfas.

De suelos pardos, de mohosos techos,
hay docientas hondísimas alcobas,
y de menudos juncos verdes lechos, 115
y encima, colchas de pintadas tobas.
Maldicientes arroyos por estrechos
pasos murmuran, entre juncia y ovas,
donde a los dioses el profundo sueño
cubre de adormideras y beleño. 120

Vido entrando Genil un virgen coro
de bellas ninfas de desnudos pechos,
sobre cristal cerniendo granos de oro
con verdes cribos de esmeraldas hechos.
Vido, ricos de lustre y de tesoro, 125
follajes de carámbano en los techos,
que estaban por las puntas adornados
de racimos de aljófares helados.

Un rico asiento de diamante frío
sobre gradas de nácar se sustenta, 130
donde preñadas perlas de rocío
al alcázar dan luz, al sol afrenta.
El venerable viejo dios del río
aquí con santa majestad se asienta,
reclinado en dos urnas relucientes, 135
que son los caños de abundantes fuentes [...]

116 *toba*: "especie de piedra esponjosa y blanda, de poco peso". *Dicc. de Auts.*

118 *ova*: "cierto género de hierba que se cría en el mar y en los ríos". *Dicc. de Auts.*

124 *cribo*: lo mismo que harnero o cedazo.

112 SONETO A LA ASUNCIÓN DE LA VIRGEN MARÍA

En turquesadas nubes y celajes
están en los alcázares impirios,
con blancas hachas y con blancos cirios,
del sacro Dios los soberanos pajes;

humean de mil suertes y linajes, 5
entre amaranto y plateados lirios,
enciensos indios y pebetes sirios,
sobre alfombras de lazos y follajes.

Por manto el sol, la luna por chapines,
llegó la Virgen a la impírea sala, 10
visita que esperaba el Cielo tanto.

Echáronse a sus pies los serafines,
cantáronle los ángeles la gala,
y sentóla a su lado el Verbo santo.

113 SONETO A LA SANTÍSIMA VIRGEN MARÍA, CON OCASIÓN DE HABERLE GUIADO EN LAS TORMENTAS DEL ALMA

Como el triste piloto que por el mar incierto
se ve, con turbios ojos, sujeto de la pena
sobre las corvas olas, que, vomitando arena,
lo tienen de la espuma salpicado y cubierto,

cuando, sin esperanza, de espanto medio muerto, 5
ve el fuego de Santelmo lucir sobre la antena,
y, adorando su lumbre, de gozo l'alma llena,
halla su nao cascada surgida en dulce puerto,

[113] 6 *fuego de Santelmo*: "Especie de meteoro. Es una llama pequeña que en tiempo de tempestades suele aparecer en los remates de las torres y edificios y en las entenas de los navíos, a quien vulgarmente llaman Santelmo". *Dicc. de Auts.*

así yo el mar sulcaba de penas y de enojos,
y, con tormenta fiera, ya de las aguas hondas 10
medio cubierto estaba, la fuerza y luz perdida,

cuando miré la lumbre, oh Virgen, de tus ojos,
con cuyo resplandor, quitándose las ondas,
llegué al dichoso puerto donde escapé la vida.

114 SALMO A LA PERFECCIÓN DE LA NATURALEZA, OBRA DE DIOS

Pregona el firmamento
las obras de tus manos,
y en mí escribiste un libro de tu sciencia.
Tierra, mar, fuego, viento
publican tu potencia, 5
y todo cuanto veo
me dice que te ame
y que en tu amor me inflame;
mas mayor que mi amor es mi deseo.
Mejor que yo, Dios mío, lo conoces; 10
sordo estoy a las voces
que me dan tus sagradas maravillas
llamándome, Señor, a tus amores.
¿Quién te enseñó, mi Dios, a hacer flores
y en una hoja de entretalles llena 15
bordar lazos con cuatro o seis labores?
¿Quién te enseñó el perfil de la azucena,
o quién la rosa, coronada de oro,
reina de los olores?
¿Y el hermoso decoro 20
que guardan los claveles,
reyes de los colores,
sobre el botón tendiendo su belleza?
¿De qué son tus pinceles,
que pintan con tan diestra sutileza 25
las venas de los lirios?

La luna y el sol, sin resplandor segundo,
ojos del cielo y lámpara del mundo,
¿de dónde los sacaste,
y los que el cielo adornan por engaste 30
albos diamantes trémulos?
¿Y el, que buscando el centro, tiene, fuego
claro desasosiego?
¿Y el agua, que, con paso medio humano,
busca a los hombres, murmurando en vano 35
que l'alma se le iguale en floja y fría?
¿Y el que, animoso, al mar lo vuelve cano,
no por la edad, por pleitos y porfía,
viento hinchado que tormentas cría?
Y ¿sobre qué pusiste 40
la inmensa madre tierra,
que embraza montes, que provincias viste,
que los mares encierra
y con armas de arena los resiste?
¡Oh altísimo Señor que me hiciste! 45
No pasaré adelante:
tu poder mismo tus hazañas cante;
que, si bien las mirara,
sabiamente debiera de estar loco,
atónito y pasmado de esto poco. 50
Ay, tu olor me recrea,
sáname tu memoria,
mas no me hartaré hasta que vea,
¡oh Señor!, tu presencia, que es mi gloria.
¿En dónde estás, en dónde estás, mi vida? 55
¿Dónde te hallaré, dónde te escondes?
Ven, Señor, que mi alma
de amor está perdida,
y Tú no le respondes;
desfallece de amor y dice a gritos: 60
"¿Dónde lo hallaré, que no lo veo,
a Aquel, a Aquel hermoso que deseo?"
Oigo tu voz y cobro nuevo aliento;
mas como no te hallo,
derramo mis querellas por el viento. 65

¡Oh, amor, oh Jesús mío!,
¡oh vida mía!, recebid mi alma,
que herida de amores os la envío,
envuelta en su querella.
¡Allá, Señor, os avenid con ella! 70

[De las *Poesías completas,* edic. de F. López Estrada en Clásicos Castellanos, 205.]

JUAN BERMÚDEZ Y ALFARO *

(1579?-1621)

115

EL NARCISO

[FRAGMENTOS]

[...] Crece el niño gentil, alma de cuanta
monarquía de vidro le obedece,
voz de la flor, aliento de la planta
que, herida de su pies, fragancia ofrece;
tanta es admiración, beldad es tanta, 5
cuanta ve juventud, cuanta edad crece,
y admirada, y confusa, su belleza
no se atreve a imitar naturaleza.

Tal vez que soñoliento sol nacía,
si animaba Narciso la ribera, 10
el giganteo paso suspendía,
viendo otro niño sol en verde esfera.
Narciso a su beldad cercos hacía,
que otro Narciso imaginaba que era,
y tal vez el rapaz reír le quiso, 15
pareciéndole el sol feo Narciso.

* Juan Bermúdez y Alfaro, natural de Sevilla, licenciado en Cánones, que prologó *La Hispálica* de Luis Belmonte Bermúdez.

Todo expiraba amor, todo, lacivo,
lamentaba de amor, todo era amores;
el valle remedaba acento vivo,
el viento amaba en aura, hablaba en flores, 20
admitía cruel, pagaba esquivo
tormento vegetal, mudos favores:
que siempre proprio amor, que nieve pura
jamás a su hermosura halló hermosura. [...]

Bañaba joven sol márgenes bellas, 25
donde coro de ninfas amorosas,
mendigando su amor, eran estrellas,
migajas de sus gracias generosas;
escarmiento es de sí, burla es de aquellas
que deshojan jazmín en tirias rosas 30
pues llorando de amor míseros fines,
lágrimas dan olor, perlas jazmines.

Tantas eran las ninfas que seguían
su alabastro desdén, que, estando juntas,
ejércitos de abriles parecían 35
que asaltaban el sol en verdes puntas;
todas dulces ternezas repetían,
todas eran de Amor de amor difuntas,
y más Eco que todas, ninfa bella,
que aun siendo peña, vive eterno en ella. 40

Huye loca beldad, beldad divina,
gozarse quiere en sí, por no gozarse,
que proprio amor así al pesar camina
sin dejarse lograr, por malograrse.
Eco, a quien voz fatal a amalle inclina, 45
montes fatiga, y cansa sin cansarse
y él, de propria beldad antojadizo,
áspid de todas es, de sí Narciso. [...]

No al labio da el cristal, cuando se admira
al fugitivo espíritu, que encierra 50
peregrina beldad, que la retira
su misma suspensión, su misma guerra;
en las aguas retrata, si se mira,

39 Sobre Eco y Narciso, véase la nota de la p. 132.

derivada deidad de inculta sierra;
a sí mismo se adora en plata pura, 55
castigando hermosura su hermosura.
El que, ingrato, mintió naturaleza,
ya requiebra cristal, ya admite plata,
ya imposibles adora en su belleza,
que la muerte le da la que en él mata; 60
halágala gentil, y a su terneza
ella en líquidas perlas se desata,
prueba a tenerla, el agua al sol se aplica
y en fingidas estrellas le salpica.
Turba cristal la mano, espejo empaña, 65
su imagen no retrata, aunque se mira;
mas, serena traición, presto le engaña,
y bajándose, sube, y más se admira;
besos quiere lograr, el rostro baña,
la fugitiva sombra se retira: 70
que cuando en puros labios paz celebra,
en pedazos al sol se pierde y quiebra [...]

[De *El Narciso* (Lisboa, 1618), pero los fragmentos proceden de la edic. de A. Pérez Gómez (Valencia, 1954), fols. 19, 20 y 40.]

DON FRANCISCO CALATAYUD *

116

SILVA AL ESTÍO

Ya la hoz coronada
de doradas espigas
llena las eras del despojo hermoso;
ya el labrador gozoso,
que su esperanza a colmo ve premiada, 5

* Don Francisco de Calatayud, sevillano, contador de la casa de Contratación, amigo de Jáuregui y Rioja, y elogiado por Herrera y Cervantes.

gracias da a sus fatigas,
y a Ceres francamente agradecido
parte del fruto fiel de su esperanza
ofrece acompañado de alabanza;
el nemeo león embravecido 10
ya nos muestra su saña,
y Sirio enfurecido
sale abrasando el monte y la campaña;
ya late el Can ardiente,
y en su fuego encendido 15
Febo dobla el ardor, muestra la ira
con que un tiempo su carro mal regido
fue asombro al mundo, cuyo centro admira
verse tocar de llama licenciosa;
ya por donde la hacha poderosa 20
a la tierra se acerca,
vuela el orbe en cenizas desatado;
lánguido y no seguro,
en sus ondas Neptuno retirado,
siente romper el cristalino muro, 25
del contrario enojado;
y tú, bosque sombrío,
cuyo antiguo verdor y lozanía
la de Tempe vencía,
vencido ves tu humor, vencido el brío. 30
Vagan los animales
cuidando hallar en peregrino suelo
menos airado el cielo,
como si de los rayos celestiales
se ignorara el camino 35
del suelo más remoto y peregrino;
yace naturaleza

10 El quinto de los signos zodiacales, que corresponde al mes de julio. Le llama *nemeo,* de Nemea, por lo caluroso.
12 *Sirio*: "Nombre que dan los astrónomos a la estrella llamada comúnmente Canícula". *Dicc. de Auts.*
18 Alude a Faetón.
29 *Tempe*: valle de Tesalia, lugar muy ameno según los clásicos.

de las voraces llamas oprimida,
con sus fuerzas vencida,
y del orbe la máquina y belleza 40
yace necesitada
a buscar a sus hijos la morada.
Sed la estación ardiente
a todos los vivientes ha traído:
bebamos, pues, Leucido, alegremente; 45
bebamos, y olvidemos
congojosos cuidados;
y en tanto, recostados
en el cuero que el mosco a España envía,
el dulce aligeremos 50
con que sepa mejor el agua fría;
y a aquella apenas luz que nos visita
temerosa y marchita,
impídele la entrada;
no haya del enemigo en casa nada. 55
¡Qué bien el metal suena!
No el impedido plomo vomitando
del fuego artificioso sacudido,
sino con manso rüido
la nieve regalando, 60
y el licor puro, que en su seno encierra,
en nieve convirtiendo.
¡Oh agradable elemento!
¡Oh más dulce instrumento
que aquel que el curso al agua detiniendo, 65
pudo mover la más constante sierra!
Bebamos, pues, bebamos:
venga en luciente vidrio cristalino
que la pura y bruñida plata afrenta,
no el oloroso vino, 70
sino el licor que en faz serena y leda

49 *cuero*: lo mismo que 'boto'. *Mosco*: el mosquito del vino.
55 *enemigo*: el calor.
56 *el metal*: lo que hoy se llama 'garapiñera', vasija de metal para enfriar líquidos.

llega a nacer copioso al alameda;
y en yelo convertido
llene el vaso de púrpura bañado,
de donde blandamente derribado 75
recree nuestro espíritu encendido.
De tanto bien privado dignamente
sea el desconocido
que antepone imprudente
a tan alegre vida 80
la del avaro vil y desabrida.

[De la *Segunda parte de las Flores de poetas ilustres,* de don J. A. Calderón, edic. de Quirós y Rodríguez Marín, p. 208.]

ANÓNIMO *

117 A CRISTO CRUCIFICADO

No me mueve, mi Dios, para quererte
el cielo que me tienes prometido;
ni me mueve el infierno tan temido
para dejar por eso de ofenderte.

* Este célebre soneto, como es sabido, se ha ahijado a San Francisco Javier, San Ignacio de Loyola, Santa Teresa, Fray Miguel de Guevara y a Fray Pedro de los Reyes (en los dos últimos figura copiado entre poemas auténticos, pero la experiencia enseña que un poema autógrafo puede no ser del mismo poeta que lo ha trasladado). Véase Alberto María Carreño, *Joyas literarias del siglo XVII encontradas en México: Fr. Miguel de Guevara y el célebre soneto castellano "No me mueve mi Dios para quererte"* (México, 1915). Sin embargo, Adolfo Bonilla y San Martín dice que vio las pruebas de un artículo del padre Jaime Sala dando noticia de que en cierto manuscrito de las poesías de Fr. Pedro de los Reyes figuraba ese soneto. *Vid., Flores de poetas ilustres de los siglos XVI y XVII* (Madrid, 1917, p. 229); no será ocioso advertir que se publicó por primera vez en la *Vida del espíritu,* de Antonio de Rojas (Madrid, 1629).

Tú me mueves, Señor; muéveme el verte 5
clavado en una cruz y escarnecido;
muéveme ver tu cuerpo tan herido;
muévenme tus afrentas y tu muerte.

Muéveme, en fin, tu amor, y en tal manera,
que aunque no hubiera cielo, yo te amara, 10
y aunque no hubiera infierno, te temiera.

No tienes que me dar porque te quiera;
pues aunque cuanto espero no esperara,
lo mismo que te quiero te quisiera.

[Textos de *Poetas novo-hispanos,* de A. Méndez Plancarte, vol. I (México, 1942), p. 139.]

LUIS VÉLEZ DE GUEVARA

(1579-1644)

118 *A un hombre muy flaco*

"Dígasme, tú, el esqueleto,
que haces la vida estatua,
hombre que al hambre pareces,
¿a dónde te cabe el alma?
"El que de estoque de hueso 5
a línea reta se pasa,
¿adónde tiene las tripas,
quien nunca tuvo quijadas?
"El que es caballete en pena,
el que es pespunte de tabas, 10
longaniza de sepulcros
y jeringa de fantasmas;

[118] 6 *línea reta*: en el texto, 'linfarreta', pero al margen del ejemplar que utilicé para mi edic., una mano de la época ha puesto la corrección.

"el que es tu mismo cuerpo
sombra de capa y espada,
sobre su conciencia vivo, 15
muerto sobre su palabra;
"el que fue dardo y virote
en la pérdida de España
¿qué hace de lo que bebe?,
¿dónde esconde lo que masca?" 20
Levantóse la estantigua,
que de un capullo de bragas
era gusano de tumba
que parce miquis hilaba,
y enhebrando por las venas 25
en una aguja la habla,
con gárgaras de finado
dio tal respuesta, escuchadla:
"Asador soy de mí mismo,
con tan poca carne humana, 30
que traer puedo entre muelas
la pulga más ermitaña.
"Tan en ayunas los huesos
están de toda vianda,
que soy vigilia perpetua 35
del sabañón y la sarna.
"Tan buído soy de mío,
que cuando salgo de casa
por notomía de esgrima
la zapatilla me zampan. 40
"Zancarrón fui de Mahoma
más de catorce semanas,
y por flaco en demasía
me juraron de almarada.

24 *parce miquis*: el *parce mihi*.
37 *buido*: afilado, puntiagudo.
39 *notomía*: como 'anatomía', que "metafóricamente llama el vulgo así a los esqueletos o a los cuerpos que están muy flacos y decaídos". *Dicc. de Auts.*
44 *almarada*: "especie de puñal buido, esquinado y sin corte". *Dicc. de Auts.*

"Azote soy de cochero 45
para servir a las damas,
y hombre, al fin, de pergamino,
que con goma me embalsaman.
"Porque el viento no me lleve
cuando se mueve, me amarran: 50
ten, caminante, el resuello
que darás conmigo en Jauja."

[De las *Poesías varias de grandes ingenios españoles,* recogidas por José Alfay, edic. de J. M. B. (Zaragoza, 1945), p. 121.]

119

ROMANCE DEL MISMO

Hace sierpes de cristal
un arroyo fugitivo,
por libre y murmurador,
despeñado de unos riscos.
Hecho pedazos de plata 5
baja a dar perlas a un mirto,
ufano con sus despojos
y con su caudal altivo.
Aun despeñado no calla,
hecho pedazos da gritos, 10
aunque son sus guijas dientes
y sus lenguas son de vidrio.
Y encrespándose en las flores,
con natural artificio,
compone de espuma y nieve 15
al prado penachos rizos.
Hasta los brazos del Bétis
no deja de hacer rüido,
que dando tributo al mar
nace arroyo y muere río. 20
Miraba este ejemplo Lauro,
que tras unos corderillos
bajaba también al valle,
y a las claras aguas dijo:

"Bullicioso arroyuelo 25
que te despeñas,
llévate mis males
entre tus perlas."

[De Gallardo, *Ensayo,* I, cols. 1028-1029.]

FRANCISCO LÓPEZ DE ZÁRATE

(1580-1658)

120

A LA MUERTE DE ADONIS *

Rosas deshojadas vierte
a un valle, que las recoge
el más venturoso amante
y el más desdichado joven.
Con su propria sangre infunde 5
lo aromático a las flores;
tanto, que, della animadas,
cada flor es un Adonis.
Robusta fiera ejecuta
la voluntad de los dioses, 10
invidia de su ventura
y escarmiento de los hombres.
Rayos fulmina su boca,
asolación de los robles,
castigo indigno de un dios 15
en un delito tan noble.
"¡Ay, fiera enemiga, dice,
que lazo tan dulce rompes!
Si amor por culpa castigas,
a Júpiter no perdones." 20

* Adonis, fue muerto por un jabalí.

Cayó, en fin, en tierra, dando
últimas respiraciones:
cuerpo hermoso, que viviendo
era deidad de los montes.
Cuando, por oculta senda, 25
apresurada a las voces,
muerta de amores venía
la diosa de los amores.
De transparente cristal
el pie en el arena pone, 30
desnudo: que sólo en sí
pudo hallar de que se adorne.
Entre sierpes de coral,
que, a darle la nueva, corren,
la imagen que más adora, 35
profanada, desconoce.
De sus ansias advertida,
curso y aliento interrompe,
y para poder llegar
de la duda se socorre. 40
Pendiente de sí le mira
y luego que reconoce,
toda la deidad abate,
claveles juntando a soles.
En el ocaso los halla, 45
cargados de larga noche;
y donde ante frescas rosas,
ya cárdenos lilios coge.
Para limpiarse la sangre,
velos y lágrimas rompe, 50
y con reforzado aliento
contra la muerte se opone.
A voces le infunde el alma,
y aunque la imprimiera en bronces,
por la herida sale en viento, 55
si entra por la boca en voces.

33 *sierpes de coral*: la sangre de Adonis.

No pudiendo con los hados
que la sentencia deroguen,
procuraba ser mortal
al menos con las pasiones. 60

Después que dieron lugar
a las quejas los dolores,
juntando a llanto y suspiros
fragantes adoraciones,

"a pesar —dijo— de envidias, 65
multiplicaré favores:
que naciste a que te amase,
y mueres a que te adore.

"Será tu dulce memoria
fin de todos mis ardores; 70
y no me impedirá Marte
que de ti no me corone."

Calló, adornando su frente
con los recientes Adonis,
y vive, si eterno en flor, 75
sagrado en Venus, su nombre.

121 DESPUÉS DE UNA GRANDE ENFERMEDAD EN SU MAYOR EDAD

¡Un año más, Señor, con tanto día
y con minuto tanto, tanto, tanto,
y en risa tan continua, siendo el llanto
lo que incesablemente se os debía!

¡Perdidos lustros! Y la escarcha fría, 5
como ya en tiempo, ocupa sin espanto
la cabeza y el rostro; y el quebranto
desune partes que el vigor unía.

Casi al último polvo reducido,
donde no habrá más paso, aunque la fama 10
lo pretenda en pirámide o coloso,

75 Adonis fue transformado en anémona.

¿tanta ya sin mí, que estoy de mí olvidado?
¡Tan ya no yo, que soy quien más me infama!
Mostrad en mí el poder de lo piadoso.

122 A UN RUIDO QUE EN SU VEJEZ PADECIÓ EN LOS OÍDOS EL AUTOR

Trompa siempre sonante a mis oídos,
que a fuerza de tu instancia apresurada
(apresuradamente destemplada)
tienen más de pasmados que sentidos.

Si con voces, con quejas y alaridos, 5
piadosa intimas mi fatal jornada,
queriendo, con clemencia porfïada,
broten de risco racional gemidos,

¡vano tronar! Que el pedernal humano
a heridas con centellas no responde, 10
si llega en el olvido a hallar sosiego.

Para el ya sordo ¿qué no truena en vano?
¿Qué llama, aunque más grande, no se esconde?
Sordo está a voces, quien a luces ciego.

123 DESENGAÑO EN LO FRÁGIL DE LA HERMOSURA

Pues que se muere con haber nacido,
siendo el ser tan a riesgo de la vida,
que el minuto menor es homicida,
de que el mejor cristal queda sentido,

mira que el golpe en polvo ya escondido 5
y la luz, con el polvo tan unida,
se halla más sepultada que encendida,
pues lo más della muere, habiendo sido.

Si es tu defensa nada (o vidro leve)
tan de acaso tu luz, para apagada, 10
que no admite esperanza por lo breve;

si la más cierta vida es la pasada,
de la presente ¿quién fiar se atreve?
¿Quién a más, si aun gozándola, es soñada?

124 A UN ESQUELETO

Tú, tú eres este mesmo, tú, si adviertes
a la fraterna unión que te apercibe;
que si no para sí, para ti vive,
pues en él te hallarás, si te diviertes.

Que una, aunque varias, son todas las suertes, 5
en el compuesto polvo el tiempo escribe;
ni ser rey ni plebeyo se percibe:
menos, o más, en eso te conviertes.

No huyas de temor, que no das paso
que no te lleve a ser lo que te espanta 10
y desprecias el bien de la memoria.

Humano sol, aquí tienes ocaso;
docto este bronce el tiempo te levanta;
monarca, esto es lo cierto de tu historia.

[De las *Obras varias,* edic. de J. Simón Díaz (Madrid, 1947), I, p. 344; II, pp. 54, 73, 88 y 144.]

FRAY HORTENSIO FÉLIX PARAVICINO
(1580-1633)

125 AL MISMO GRIEGO * EN UN RETRATO QUE LE HIZO DEL AUTOR

Divino Griego, de tu obrar no admira
que en la imagen exceda al ser el arte,
sino que della el cielo, por templarte,
la vida deuda a tu pincel retira.

No el sol sus rayos por su esfera gira — 5
como en tus lienzos, basta el empeñarte
en amagos de Dios, entre a la parte
naturaleza, que vencerse mira.

Émulo de Prometeo en un retrato,
no afectes lumbre, el hurto vital deja, — 10
que hasta mi alma a tanto ser ayuda.

Y contra veintinueve años de trato,
entre tu mano, y la de Dios, perpleja,
cuál es el cuerpo en qué ha de vivir duda.

126 A UN RAYO QUE ENTRÓ EN EL APOSENTO DE UN PINTOR

Ya fuese, oh Griego, ofensa o ya cuidado,
que émulo tu pincel de mayor vida,
le diese a Jove, nieve vi encendida,
el taller de tus tintas ilustrado.

* *Griego*: el Greco, que retrató a Paravicino.
5 Prometeo creó los primeros hombres con arcilla, y por su amor robó "semillas de fuego" en la rueda del Sol y las trajo a la tierra; pero Zeus, irritado, lo encadenó en el Cáucaso y envió un águila que le devoraba el hígado, el cual se renovaba constantemente. Fue liberado por Hércules, que mató al águila.

Fray Ortensio Félix Paravicino, por el Greco. Museo of Fine Arts. Boston.

Lope de Vega en su ancianidad, tal vez cuando estaba escribiendo *La Dorotea,* trasunto de sus años mozos. Pintura de Caxes. Museo Lázaro Galdiano. Madrid.

Ya sea que el laurel, honor sagrado, 5
guardó la lumbre, ya que, reprimida,
la saña fue de imagen parecida,
desvaneció el estruendo, venció el hado.

No por tus lienzos perdonó a Toledo
el triunfador del Asia, antes más dueño 10
gobernaste del cielo los enojos.
Envidia los mostró, templólos miedo,
y el triunfo tuyo su castigo o ceño
hiciste insignias, cuando no despojos.

127 A UNOS OJOS NEGROS

Hermosos negros ojos,
blanco de un hombre que os ofrece en suma
a sí todo en despojos,
lenguas me quiero hacer con esta pluma,
y sea yo tan dichoso 5
que ojos se haga vuestro dueño hermoso.
Oh queridas estrellas,
que entre los velos de la noche negra,
con turbadas centellas,
entretenéis la luz que al mundo alegra, 10
por tomar a porfía
de la noche el color, la luz del día.
Espejos relevados,
que guarneció el amor de ébano puro,
sosegad mis cuidados, 15
que apenas de las niñas me aseguro,
si el cielo los ha hecho
los ojos de cristal, de roca el pecho.
Mares de vidrio o hielo,
donde ojalá mi alma un siglo bogue, 20
de negro os cubrió el cielo,
por hacer de lo negro, como azogue,
espaldas a los lejos
y mirarse en vosotros como espejos.

Cargue el indio un tesoro 25
de diamantes mayores unos que otros,
el chino cargue de oro,
de perlas, esmeraldas, mas vosotros,
como tan peregrinos,
de azabache os cargáis, ojos divinos. 30

¡Ay ojos!, que sois hojas,
aunque negras, de temple toledano,
que en sangre de almas rojas,
muerto dejáis el cuerpo, extraña mano,
terrible golpe y fuerte, 35
que con espada negra dais la muerte.

Son vuestros filos tales,
que entre negras cautelas los admiro,
obráis sí, dulces males,
como enemigo al fin hacéis el tiro, 40
por encubrir la espada
tiráis con vaina y todo la estocada.

Ojos, el que no os ama,
quédese en blanco, pues lo negro deja,
que yo en mi ardiente llama 45
ni pido libertad, ni tengo queja;
pues por tal hermosura
pido al amor me dé negra ventura.

[De las *Obras póstumas, divinas y humanas* (Alcalá, 1650, fols. 63, 73v y 77.]

36 *espada negra*: la de esgrimir, sin corte y con un botón en la punta.

FRANCISCO DE QUEVEDO

(1580-1645)

REPRESÉNTASE LA BREVEDAD DE LO QUE SE VIVE Y CUÁN NADA PARECE LO QUE SE VIVIÓ

"¡A de la vida!"... ¿Nadie me responde?
¡Aquí de los antaños que he vivido!
La Fortuna mis tiempos ha mordido;
las Horas mi locura las esconde.

¡Que sin poder saber cómo ni adónde 5
la salud y la edad se hayan huido!
Falta la vida, asiste lo vivido,
y no hay calamidad que no me ronde.

Ayer se fue; mañana no ha llegado;
hoy se está yendo sin parar un punto: 10
soy un fue, y un será, y un es cansado.

En el hoy y mañana y ayer, junto
pañales y mortaja, y he quedado
presentes sucesiones de difunto.

129 SIGNIFÍCASE LA PROPRIA BREVEDAD DE LA VIDA, SIN PENSAR, Y CON PADECER, SALTEADA DE LA MUERTE

¡Fue sueño ayer; mañana será tierra!
¡Poco antes, nada; y poco después, humo!
¡Y destino ambiciones, y presumo,
apenas punto al cerco que me cierra!

Breve combate de importuna guerra, 5
en mi defensa, soy peligro sumo;
y mientras con mis armas me consumo,
menos me hospeda el cuerpo, que me entierra.

Ya no es ayer; mañana no ha llegado;
hoy pasa, y es, y fue, con movimiento 10
que a la muerte me lleva despeñado.

Azadas son la hora y el momento
que, a jornal de mi pena y mi cuidado,
cavan en mi vivir mi monumento.

130 CONOCE LA DILIGENCIA CON QUE SE ACERCA LA MUERTE, Y PROCURA CONOCER TAMBIÉN LA CONVENIENCIA DE SU VENIDA, Y APROVECHARSE DE ESE CONOCIMIENTO

Ya formidable y espantoso suena,
dentro del corazón, el postrer día;
y la última hora, negra y fría,
se acerca, de temor y sombras llena.

Si agradable descanso, paz serena 5
la muerte, en traje de dolor, envía,
señas da su desdén de cortesía:
más tiene de caricia que de pena.

¿Qué pretende el temor desacordado
de la que a rescatar, piadosa, viene 10
espíritu en miserias anudado?

Llegue rogada, pues mi bien previene;
hálleme agradecido, no asustado;
mi vida acabe, y mi vivir ordene.

131 SALMO XVII

Miré los muros de la patria mía,
si un tiempo fuertes, ya desmoronados,
de la carrera de la edad cansados,
por quien caduca ya su valentía.

[131] 1 *muros*: los de Madrid, patria de Quevedo.

Salíme al campo: vi que el sol bebía 5
los arroyos del yelo desatados,
y del monte quejosos los ganados,
que con sombras hurtó su luz al día.

Entré en mi casa; vi que, amancillada,
de anciana habitación era despojos; 10
mi báculo, más corvo y menos fuerte;

vencida de la edad sentí mi espada.
Y no hallé cosa en que poner los ojos
que no fuese recuerdo de la muerte.

132 EL RELOJ DE ARENA

SILVA

¿Qué tienes que contar, reloj molesto,
en un soplo de vida desdichada
que se pasa tan presto;
en un camino que es una jornada,
breve y estrecha, de éste al otro polo, 5
siendo jornada que es un paso solo?
Que si son mis trabajos y mis penas,
no alcanzarás allá, si capaz vaso
fueses de las arenas
en donde el alto mar detiene el paso. 10
Deja pasar las horas sin sentirlas,
que no quiero medirlas,
ni que me notifiques de esa suerte
los términos forzosos de la muerte.
No me hagas más guerra; 15
déjame, y nombre de piadoso cobra,
que harto tiempo me sobra
para dormir debajo de la tierra.
Pero si acaso por oficio tienes
el contarme la vida, 20
presto descansarás, que los cuidados
mal acondicionados,

que alimenta lloroso
el corazón cuitado y lastimoso,
y la llama atrevida 25
que Amor, ¡triste de mí!, arde en mis venas
(menos de sangre que de fuego llenas),
no sólo me apresura
la muerte, pero abréviame el camino;
pues, con pie doloroso, 30
mísero peregrino,
doy cercos a la negra sepultura.
Bien sé que soy aliento fugitivo;
ya sé, ya temo, ya también espero
que he de ser polvo, como tú, si muero, 35
y que soy vidro, como tú, si vivo.

133 A ROMA SEPULTADA EN SUS RUINAS

Buscas en Roma a Roma, ¡oh, peregrino!,
y en Roma misma a Roma no la hallas:
cadáver son las que ostentó murallas,
y tumba de sí proprio el Aventino.

Yace donde reinaba el Palatino; 5
y limadas del tiempo, las medallas
más se muestran destrozo a las batallas
de las edades que blasón latino.

Sólo el Tibre quedó, cuya corriente,
si ciudad la regó, ya, sepoltura, 10
la llora con funesto son doliente.

¡Oh, Roma!, en tu grandeza, en tu hermosura,
huyó lo que era firme, y solamente
lo fugitivo permanece y dura.

134 SONETO AMOROSO

Dejad que a voces diga el bien que pierdo,
si con mi llanto a lástima os provoco;
y permitidme hacer cosas de loco:
que parezco muy mal amante y cuerdo.

La red que rompo y la prisión que muerdo 5
y el tirano rigor que adoro y toco,
para mostrar mi pena son muy poco,
si por mi mal de lo que fui me acuerdo.

Óiganme todos: consentid siquiera
que harto de esperar y de quejarme, 10
pues sin premio viví, sin juicio muera.

De gritar solamente quiero hartarme.
Sepa de mí, a lo menos, esta fiera
que he podido morir, y no mudarme.

135 RETRATO DE LISI QUE TRAÍA EN UNA SORTIJA

En breve cárcel traigo aprisionado,
con toda su familia de oro ardiente,
el cerco de la luz resplandeciente,
y grande imperio del Amor cerrado.

Traigo el campo que pacen estrellado 5
las fieras altas de la piel luciente;
y a escondidas del cielo y del Oriente,
día de luz y parto mejorado.

[135] 5-6 Como los ojos de Lisis son muy grandes y azules, los compara al cielo con el signo de Tauro, "las fieras altas de la piel luciente".

Traigo todas las Indias en mi mano:
perlas que, en un diamante, por rubíes, 10
pronuncian con desdén sonoro yelo,

y razonan tal vez fuego tirano
relámpagos de risa carmesíes,
auroras, gala y presunción del cielo.

136 AMOR CONSTANTE MÁS ALLÁ DE LA MUERTE

Cerrar podrá mis ojos la postrera
sombra que me llevare el blanco día,
y podrá desatar esta alma mía
hora a su afán ansioso lisonjera;

mas no de esotra parte en la ribera, 5
dejará la memoria, en donde ardía:
nadar sabe mi llama la agua fría,
y perder el respeto a ley severa.

Alma a quien todo un dios prisión ha sido,
venas que humor a tanto fuego han dado, 10
medulas que han gloriosamente ardido,

su cuerpo dejará, no su cuidado;
serán ceniza, mas tendrá sentido;
polvo serán, mas polvo enamorado.

11 *sonoro yelo*: metáfora para designar los desdenes de Lisi.
[136] 8 *ley severa*: la que obligaba a olvidar al atravesar el Leteo.
9 *dios*: el Amor.

137 AMANTE DESESPERADO DEL PREMIO Y OBSTINADO EN AMAR

¡Qué perezosos pies, qué entretenidos
pasos lleva la muerte por mis daños!
El camino me alargan los engaños
y en mí se escandalizan los perdidos.

Mis ojos no se dan por entendidos; 5
y por descaminar mis desengaños,
me disimulan la verdad los años
y les guardan el sueño a los sentidos.

Del vientre a la prisión vine en naciendo;
de la prisión iré al sepulcro amando, 10
y siempre en el sepulcro estaré ardiendo.

Cuantos plazos la muerte me va dando,
prolijidades son, que va creciendo,
porque no acabe de morir penando.

138 A UN HOMBRE DE GRAN NARIZ

SONETO

Érase un hombre a una nariz pegado,
érase una nariz superlativa,
érase una alquitara medio viva,
érase un peje espada mal barbado;

era un reloj de sol mal encarado, 5
érase un elefante boca arriba,
érase una nariz sayón y escriba,
un Ovidio Nasón mal narigado.

[137] 9 *prisión*: el cuerpo que aprisiona el alma.
[138] 3 *alquitara*: como alambique.

Érase el espolón de una galera,
érase una pirámide de Egito, 10
los doce tribus de narices era;

érase un naricísimo infinito,
frisón archinariz, caratulera,
sabañón garrafal, morado y frito.

139 FELICIDAD BARATA Y ARTIFICIOSA DEL POBRE

SONETO

Con testa gacha toda charla escucho;
dejo la chanza y sigo mi provecho;
para vivir, escóndome y acecho,
y visto de paloma lo avechucho.

Para tener, doy poco y pido mucho; 5
si tengo pleito, arrímome al cohecho;
ni sorbo angosto ni me calzo estrecho:
y cátame que soy hombre machucho.

Niego el antaño, píntome el mostacho;
pago a Silvia el pecado, no el capricho; 10
prometo y niego: y cátame muchacho.

Vivo pajizo, no visito nicho;
en lo que ahorro está mi buen despacho:
y cátame dichoso, hecho y dicho.

11 *tribu*: es palabra del género masculino en la Edad de Oro.
13 *caratulera*: molde para hacer caretas.
14 *garrafal*: "Epítheto que se aplica a cierta especie de guindas, mayores y más dulces que las regulares y ordinarias; y por extensión se dice de otras cosas que exceden de la medida regular de las demás de su especie". *Dicc. de Auts.*
[139] 12 *nicho*: "sitio o empleo en que se juzga debe ser colocado alguno por su mérito". *Dicc. de Auts.* Es decir: "no visito personas importantes".

140 EPÍSTOLA SATÍRICA Y CENSORIA CONTRA LAS COSTUMBRES PRESENTES DE LOS CASTELLANOS, ESCRITA A DON GASPAR DE GUZMÁN, CONDE DE OLIVARES, EN SU VALIMIENTO

No he de callar, por más que con el dedo,
ya tocando la boca, o ya la frente,
silencio avises, o amenaces miedo.
¿No ha de haber un espíritu valiente?
¿Siempre se ha de sentir lo que se dice? 5
¿Nunca se ha de decir lo que se siente?
Hoy, sin miedo que, libre, escandalice,
puede hablar el ingenio, asegurado
de que mayor poder le atemorice.
En otros siglos pudo ser pecado 10
severo estudio y la verdad desnuda,
y romper el silencio el bien hablado.
Pues sepa quien lo niega, y quien lo duda,
que es lengua la verdad de Dios severo,
y la lengua de Dios nunca fue muda. 15
Son la verdad y Dios, Dios verdadero,
ni eternidad divina los separa,
ni de los dos alguno fue primero.
Si Dios a la verdad se adelantara,
siendo verdad, implicación hubiera 20
en ser, y en que verdad de ser dejara.
La justicia de Dios es verdadera,
y la misericordia, y todo cuanto
es Dios, todo ha de ser verdad entera.
Señor Excelentísimo, mi llanto 25
ya no consiente márgenes ni orillas:
inundación será la de mi canto.

20 *implicación*: "oposición o contradicción de términos que se destruyen unos a otros". *Dicc. de Auts.*

Ya sumergirse miro mis mejillas,
la vista por dos urnas derramada
sobre las aras de las dos Castillas. 30
Yace aquella virtud desaliñada,
que fue, si rica menos, más temida,
en vanidad y en sueño sepultada.
Y aquella libertad esclarecida,
que en donde supo hallar honrada muerte, 35
nunca quiso tener más larga vida.
Y pródiga de l'alma, nación fuerte,
contaba, por afrentas de los años,
envejecer en brazos de la suerte.
Del tiempo el ocio torpe, y los engaños 40
del paso de las horas y del día,
reputaban los nuestros por extraños.
Nadie contaba cuánta edad vivía,
sino de qué manera: ni aun un'hora
lograba sin afán su valentía. 45
La robusta virtud era señora,
y sola dominaba al pueblo rudo;
edad, si mal hablada, vencedora.
El temor de la mano daba escudo
al corazón, que, en ella confiado, 50
todas las armas despreció desnudo.
Multiplicó en escuadras un soldado
su honor precioso, su ánimo valiente,
de sola honesta obligación armado.
Y debajo del cielo, aquella gente, 55
si no a más descansado, a más honroso
sueño entregó los ojos, no la mente.
Hilaba la mujer para su esposo
la mortaja, primero que el vestido;
menos le vio galán que peligroso. 60
Acompañaba el lado del marido
más veces en la hueste que en la cama;
sano le aventuró, vengóle herido.
Todas matronas, y ninguna dama:
que nombres del halago cortesano 65
no admitió lo severo de su fama.

Derramado y sonoro el Oceano
era divorcio de las rubias minas
que usurparon la paz del pecho humano.
Ni los trujo costumbres peregrinas 70
el áspero dinero, ni el Oriente
compró la honestidad con piedras finas.
Joya fue la virtud pura y ardiente;
gala el merecimiento y alabanza;
sólo se cudiciaba lo decente. 75
No de la pluma dependió la lanza,
ni el cántabro con cajas y tinteros
hizo el campo heredad, sino matanza.
Y España, con legítimos dineros,
no mendigando el crédito a Liguria, 80
más quiso los turbantes que los ceros.
Menos fuera la pérdida y la injuria,
si se volvieran Muzas los asientos;
que esta usura es peor que aquella furia.
Caducaban las aves en los vientos, 85
y expiraba decrépito el venado:
grande vejez duró en los elementos.
Que el vientre, entonces bien diciplinado,
buscó satisfacción, y no hartura,
y estaba la garganta sin pecado. 90
Del mayor infanzón de aquella pura
república de grandes hombres, era
una vaca sustento y armadura.
No había venido al gusto lisonjera
la pimienta arrugada, ni del clavo 95
la adulación fragrante forastera.

68 Alude al oro de las Indias.
77 *caja*: "llamamos caxa al que entre compañías de tratantes recibe y recoge el dinero por todos. Libro de caxa el que tiene cuenta y razón deste tal recibo o gasto". Covarrubias, *Tesoro*.
80 *Liguria*: Génova. Alude a los banqueros genoveses.
81 Es decir: más luchó contra los moros que se preocupó de los negocios.
83 *asientos*: las anotaciones en los libros de caja.

Carnero y vaca fue principio y cabo,
y con rojos pimientos, y ajos duros,
tan bien como el señor, comió el esclavo.
Bebió la sed los arroyuelos puros; 100
después mostraron del carquesio a Baco
el camino los brindis mal seguros.
El rostro macilento, el cuerpo flaco
eran recuerdo del trabajo honroso,
y honra y provecho andaban en un saco. 105
Pudo sin miedo un español velloso
llamar a los tudescos bacanales,
y al holandés, hereje y alevoso.
Pudo acusar los celos desiguales
a la Italia; pero hoy, de muchos modos, 110
somos copias, si son originales.
Las descendencias gastan muchos godos,
todos blasonan, nadie los imita:
y no son sucesores, sino apodos.
Vino el betún precioso que vomita 115
la ballena, o la espuma de las olas,
que el vicio, no el olor, nos acredita.
Y quedaron las huestes españolas
bien perfumadas, pero mal regidas,
y alhajas las que fueron pieles solas. 120
Estaban las hazañas mal vestidas,
y aún no se hartaba de buriel y lana
la vanidad de fembras presumidas.
A la seda pomposa siciliana,
que manchó ardiente múrice, el romano 125
y el oro hicieron áspera y tirana.

101 *carquesio*: vaso para hacer sacrificios a Baco.
113 Es una de las mil alusiones a los que pretendían descender de los godos y presumían de hidalgos o nobles.
122 *buriel*: paño pardo, no muy fino.
125 *múrice*: cierta especie con el cual "hacían los antiguos una tinta que servía para teñir las ropas del color de la púrpura". *Dicc. de Auts.*

Nunca al duro español supo el gusano
persuadir que vistiese su mortaja,
intercediendo el Can por el verano.
Hoy desprecia el honor al que trabaja, 130
y entonces fue el trabajo ejecutoria,
y el vicio gradüó la gente baja.
Pretende el alentado joven gloria
por dejar la vacada sin marido,
y de Ceres ofende la memoria. 135
Un animal a la labor nacido,
y símbolo celoso a los mortales,
que a Jove fue disfraz, y fue vestido;
que un tiempo endureció manos reales,
y detrás de él los cónsules gimieron, 140
y rumia luz en campos celestiales,
¿por cuál enemistad se persuadieron
a que su apocamiento fuese hazaña,
y a las mieses tan grande ofensa hicieron?
¡Qué cosa es ver un infanzón de España 145
abreviado en la silla a la jineta,
y gastar un caballo en una caña!
Que la niñez al gallo le acometa
con semejante munición apruebo;
mas no la edad madura y la perfeta. 150
Ejercite sus fuerzas el mancebo
en frentes de escuadrones; no en la frente
del útil bruto l'asta del acebo.

128 *La mortaja del gusano* es la seda.
129 "Obligando a ello el calor del verano", apostilla González de Salas en la primera edición.
141 Alude al signo de Tauro. Nótese, de paso, el culteranismo del verso.
143 *apocamiento*: de 'apocar', con el sentido de "abatir, destruir y castigar", que ofrece el *Dicc. de Auts.*
146 *jineta*: manera de cabalgar, de origen árabe, con silla pequeña y estribos cortos "que no baxan de la barriga del caballo", según Covarrubias en su *Tesoro.*

El trompeta le llame diligente,
dando fuerza de ley el viento vano, 155
y al son esté el ejército obediente.
¡Con cuánta majestad llena la mano
la pica, y el mosquete carga el hombro,
del que se atreve a ser buen castellano!
Con asco, entre las otras gentes, nombro 160
al que de su persona, sin decoro,
más quiere nota dar, que dar asombro.
Jineta y cañas son contagio moro;
restitúyanse justas y torneos,
y hagan paces las capas con el toro. 165
Pasadnos vos de juegos a trofeos,
que sólo grande rey y buen privado
pueden ejecutar estos deseos.
Vos, que hacéis repetir siglo pasado
con desembarazarnos las personas 170
y sacar a los miembros de cuidado;
vos distes libertad con las valonas,
para que sean corteses las cabezas,
desnudando el enfado a las coronas.
Y pues vos enmendastes las cortezas, 175
dad a la mejor parte medicina:
vuélvanse los tablados fortalezas.
Que la cortés estrella, que os inclina
a privar sin intento y sin venganza,
milagro que a la invidia desatina, 180
tiene por sola bienaventuranza
el reconocimiento temeroso,
no presumida y ciega confianza.
Y si os dio el ascendiente generoso
escudos, de armas y blasones llenos, 185
y por timbre el martirio gloríoso,
mejores sean por vos los que eran buenos
Guzmanes, y la cumbre desdeñosa
os muestre, a su pesar, campos serenos.

171 Es una alusión a cierta pragmática por la que se prohibía a los caballeros llevar determinados cuellos.

Lograd, señor, edad tan venturosa; 190
y cuando nuestras fuerzas examina
persecución unida y belicosa,
la militar valiente disciplina
tenga más platicantes que la plaza:
descansen tela falsa y tela fina. 195
Suceda a la marlota la coraza,
y si el Corpus con danzas no los pide,
velillos y oropel no hagan baza.
El que en treinta lacayos los divide,
hace suerte en el toro, y con un dedo 200
la hace en él la vara que los mide.
Mandadlo ansí, que aseguraros puedo
que habéis de restaurar más que Pelayo;
pues valdrá por ejércitos el miedo,
y os verá el cielo administrar un rayo. 205

141 LETRILLA SATÍRICA

Poderoso caballero
es don Dinero.

Madre, yo al oro me humillo;
él es mi amante y mi amado,
pues, de puro enamorado, 5
de contino anda amarillo;
que pues, doblón o sencillo,
hace todo cuanto quiero,
poderoso caballero
es don Dinero. 10

196 *marlota*: sayo de origen morisco.
6 En los siglos XVI y XVII se relacionó el color amarillento del rostro con estar enamorado.

Nace en las Indias honrado,
donde el mundo le acompaña;
viene a morir en España,
y es en Génova enterrado.
Y pues quien le trae al lado 15
es hermoso, aunque sea fiero,
poderoso caballero
es don Dinero.

Es galán y es como un oro,
tiene quebrado el color, 20
persona de gran valor,
tan cristiano como moro.
Pues que da y quita el decoro
y quebranta cualquier fuero,
poderoso caballero 25
es don Dinero.

Son sus padres principales,
y es de nobles descendiente,
porque en las venas de Oriente
todas las sangres son reales; 30
y pues es quien hace iguales
al duque y al ganadero,
poderoso caballero
es don Dinero.

Mas ¿a quién no maravilla 35
ver en su gloria sin tasa
que es lo menos de su casa
doña Blanca de Castilla?
Pero, pues da al bajo silla
y al cobarde hace guerrero, 40
poderoso caballero
es don Dinero.

14 Otra alusión a los banqueros genoveses.
30 Juego de voces entre sangre 'real' y la moneda del mismo nombre.
38 Alusión a cierta moneda con la efigie de doña Blanca de Castilla, de ínfimo valor.

Sus escudos de armas nobles
son siempre tan principales,
que sin sus escudos reales 45
no hay escudos de armas dobles;
y pues a los mismos robles
da codicia su minero,
poderoso caballero
es don Dinero. 50

Por importar en los tratos
y dar tan buenos consejos,
en las casas de los viejos
gatos le guardan de gatos.
Y pues él rompe recatos 55
y ablanda al juez más severo,
poderoso caballero
es don Dinero.

Y es tanta su majestad
(aunque son sus duelos hartos), 60
que con haberle hecho cuartos,
no pierde su autoridad;
pero, pues da calidad
al noble y al pordiosero,
poderoso caballero 65
es don Dinero.

Nunca vi damas ingratas
a su gusto y afición;
que a las caras de un doblón
hacen sus caras baratas; 70
y pues las hace bravatas
desde una bolsa de cuero,
poderoso caballero
es don Dinero.

54 *gato*: "la piel de este animal aderezada y compuesta en forma de talego o zurrón, para echar y guardar en ella el dinero", y también "el ladrón ratero que hurta con astucia y maña". *Dicc. de Auts.*

69 *las caras de un doblón*: por estar acuñado con el doble busto de los Reyes Católicos.

Más valen en cualquier tierra 75
(¡mirad si es harto sagaz!)
sus escudos en la paz
que rodelas en la guerra.
Y pues al pobre le entierra
y hace proprio al forastero, 80
poderoso caballero
es don Dinero.

142 VARIOS LINAJES DE CALVAS

ROMANCE

"Madres, las que tenéis hijas,
ansí Dios os dé ventura,
que no se las deis a calvos,
sino a gente de pelusa.
"Escarmentad en mí todas; 5
que me casaron a zurdas
con un capón de cabeza,
desbarbado hasta la nuca.
"Antes que calvicasadas
es mejor verlas difuntas: 10
que un lampiño de mollera
es una vejiga lucia.
"Pues que si cincha la calva
con las melenas que anuda,
descubrirá con el viento 15
de trecho a trecho pechugas.
"Hay calvas sacerdotales,
y de estas calvas hay muchas,
que en figura de coronas
vuelven los maridos curas. 20

77 *escudo*: juego de voces, porque 'escudo' era una moneda de precio subido.

"Calvas jerónimas hay
como las sillas de rúa:
cerco delgado y redondo;
lo demás, plaza y tonsura.
"Hay calvas asentaderas, 25
y habían los que las usan
de traerlas con greguescos,
por tapar cosa tan sucia.
"Calvillas hay vergonzantes,
como descalabraduras; 30
pero yo llamo calvarios
a las montosas y agudas.
"Hay calvatruenos también,
donde está la barahúnda
de nudos y de lazadas, 35
de trenzas y de costuras.
"Hay calvas de mapamundi,
que con mil líneas se cruzan,
con zonas y paralelos
de carreras que las surcan. 40
"Hay aprendices de calvos,
que el cabello se rebujan,
y por tapar el melón,
representan una furia.
"Yo he visto una calva rasa, 45
que dándola el sol relumbra,
calavera de espejuelo,
vidrïado de las tumbas.
"Marido de pie de cruz
con una muchacha rubia, 50
¿que engendrará, si se casa,
sino un racimo de Judas?"

22 *sillas de rúa*: silla de manos, para ir por la calle.
27 *greguescos*: lo mismo que calzones.
33 *calvatrueno*: "se toma también por la cabeza atronada del vocinglero hablador y alocado". *Dicc. de Auts.*
49 *marido de pie de cruz*: calavera, porque se solían poner en pinturas y dibujos al pie de la cruz.

En esto, huyendo de un calvo,
entró una moza de Asturias,
de las que dicen que olvidan 55
los cogotes en la cuna;
y a voces desesperadas,
maldiciendo su ventura,
dijo de aquesta manera,
cariharta y cejijunta: 60

"*Calvos van los hombres, madre,*
calvos van;
mas ellos cabellarán.
"Cabéllense en hora buena,
pues como del brazo ha sido 65
siempre la manga el vestido,
hoy del casco, aunque sea ajena,
es bien lo sea la melena,
y que ande también galán.
Calvos van los hombres, madre, 70
calvos van;
mas ellos cabellarán.
"¿Quién hay que pueda creello
que haya por naturaleza
heréticos de cabeza, 75
calvinistas de cabello?
Los que se atreven a sello,
¿a qué no se atreverán?
Calvos van los hombres, madre,
calvos van; 80
mas ellos cabellarán.
"Cuando hubo españoles finos,
menos dulces y más crudos,
eran los hombres lanudos;
ya son como perros chinos. 85
Zamarro fue Montesinos,

61 Es parodia de cierta canción popular que comienza: "Turbias van las aguas, madre, / turbias van; / mas ellas se aclararán".

el Cid, Bernardo y Roldán.
Calvos van los hombres, madre,
calvos van;
mas ellos cabellarán. 90
"Si a los hombres los queremos
para pelarlos acá
y pelados vienen ya,
si no hay que pelar, ¿qué haremos?
Antes morir que encalvemos; 95
alerta, hijas de Adán.
Calvos van los hombres, madre,
calvos van;
mas ellos cabellarán."

143 CARTA DE ESCARRAMÁN A LA MÉNDEZ *

JÁCARA

Ya está guardado en la trena
tu querido Escarramán,
que unos alfileres vivos
me prendieron sin pensar.
Andaba a caza de gangas, 5
y grillos vine a cazar,
que en mí cantan como en haza
las noches de por San Juan.
Entrándome en la bayuca,
llegándome a remojar 10
cierta pendencia mosquito,
que se ahogó en vino y pan,
al trago sesenta y nueve,
que apenas dije "Allá va",
me trujeron en volandas 15
por medio de la ciudad.

1 *trena*: cárcel, es voz de germanía, como algunas de las siguientes.
3 *alfileres vivos*: corchetes, ministros de justicia.
6 *grillos*: pero los que ponían a los presos.
9 *bayuca*: taberna.

Como al ánima del sastre
suelen los diablos llevar,
iba en poder de corchetes
tu desdichado jayán. 20
Al momento me embolsaron,
para más seguridad,
en el calabozo fuerte
donde los godos están.
Hallé dentro a Cardeñoso, 25
hombre de buena verdad,
manco de tocar las cuerdas,
donde no quiso cantar.
Remolón fue hecho cuenta
de la sarta de la mar, 30
porque desabrigó a cuatro
de noche en el Arenal.
Su amiga la Coscolina
se acogió con Cañamar,
aquel que, sin ser San Pedro, 35
tiene llave universal.
Lobrezno está en la capilla.
Dicen que le colgarán,
sin ser día de su santo,
que es muy bellaca señal. 40
Sobre el pagar la patente
nos venimos a encontrar
yo y Perotudo el de Burgos:
acabóse la amistad.
Hizo en mi cabeza tantos 45
un jarro, que fue orinal,
y yo con medio cuchillo
le trinché medio quijar.

24 *godos*: principales, importantes.
27 *cuerdas*: las del tormento.
30 Es decir, fue condenado a remar en las galeras.
39 Porque el día del santo o cumpleaños se solían regalar unas cadenillas que se colgaban al cuello.
41 *pagar la patente*: pagar la novatada, dar dinero a los miembros viejos de un centro, institución, etc.

Supiéronlo los señores,
que se lo dijo el guardián, 50
gran saludador de culpas,
un fuelle de Satanás.
Y otra mañana a las once,
víspera de San Millán,
con chilladores delante 55
y envaramiento detrás,
a espaldas vueltas me dieron
el usado centenar,
que sobre los recibidos
son ochocientos y más. 60
Fui de buen aire a caballo,
la espalda de par en par,
cara como del que prueba
cosa que le sabe mal;
inclinada la cabeza 65
a monseñor cardenal;
que el rebenque, sin ser papa,
cría por su potestad.
A puras pencas se han vuelto
cardo mis espaldas ya; 70
por eso me hago de pencas
en el decir y el obrar.
Agridulce fue la mano;
hubo azote garrafal;
el asno era una tortuga, 75
no se podía menear.
Sólo lo que tenía bueno
ser mayor que un dromedal,
pues me vieron en Sevilla
los moros de Mostagán. 80

51 *saludador de culpas*: soplón, alcahuete; lo mismo que *fuelle* del verso siguiente.
55 *chilladores*: pregoneros.
56 *envaramiento*: alguaciles y ministros de justicia.
58 *usado centenar*: los acostumbrados cien azotes.
66 *cardenal*: pero de los que dejaba el azote.
78 *dromedal*: dromedario.

No hubo en todos los ciento
azote que echar a mal;
pero a traición me los dieron:
no me pueden agraviar.
Porque el pregón se entendiera 85
con voz de más claridad,
trujeron por pregonero
las sirenas de la mar.
Invíanme por diez años
(¡sabe Dios quién los verá!) 90
a que, dándola de palos,
agravie toda la mar.
Para batidor del agua
dicen que me llevarán,
y a ser de tanta sardina 95
sacudidor y batán.
Si tienes honra, la Méndez,
si me tienes voluntad,
forzosa ocasión es ésta
en que lo puedes mostrar. 100
Contribúyeme con algo,
pues es mi necesidad
tal, que tomo del verdugo
los jubones que me da;
que tiempo vendrá, la Méndez, 105
que alegre te alabarás
que a Escarramán por tu causa
le añudaron el tragar.
A la Pava del cercado,
a la Chirinos, Guzmán, 110
a la Zolla y a la Rocha,
a la Luisa y la Cerdán;

92 Es decir, fue condenado a remar diez años en las galeras.

a mama, y a taita el viejo,
que en la guarda vuestra están,
y a toda la gurullada 115
mis encomiendas darás.
Fecha en Sevilla, a los ciento
de este mes que corre ya,
el menor de tus rufianes
y el mayor de los de acá. 120

[Textos según mi edic. de la *Obra poética,* I-II-III, Castalia (Madrid).]

ALONSO JERÓNIMO DE SALAS BARBADILLO (1581-1635)

144 Deseando morir, estoy rendido
a esta vida inmortal con quien peleo,
mal se me cumplirá ningún deseo
si el de morir aún no se me ha cumplido.

Yo, de la muerte pretensor, perdido 5
de mi solicitud el tiempo veo,
si no es que como tal vida poseo
en ella viene lo que yo he pedido.

Oh muerte, tantos años pretendida,
que has de venir después de haber gastado 10
en esta pretensión toda la vida.

Entonces poco te estaré obligado,
pues vendrás perezosa y divertida
más que por mí para cumplir el hado.

113 *taita*: palabra infantil para designar al padre. (Aquí "mama y taita" son los 'padres' de la mancebía; los que la explotaban y regían).
115 *gurullada*: "La junta o cuadrilla de personas que andan juntas y profesan amistad". *Dicc. de Auts.*

145 AL CISNE

Ave de nieve que rompiendo espumas
de ese cristal lascivo donde cantas,
las cándidas espumas que levantas
son igual competencia de tus plumas.

No es bien que cuando mueres lo presumas, 5
porque tu vida empieza en lo que cantas,
que a tus méritos propios te adelantas,
para adquirir las alabanzas sumas.

Cantando con espíritu del cielo,
te despides del orbe de la tierra: 10
que allá premio a sus méritos previenes.

Mas si es tu voz un cielo acá en el suelo,
sólo por nuestro daño se destierra,
que en ella misma lo que buscas tienes.

146 [EPIGRAMA]

Si antes que sepa juntar
las letras, al niño que es
hijo mayor del marqués
le enseñan a galantear,
Camila, no lo desdores, 5
calla y baja la cabeza,
que hasta ignorar es grandeza
y mérito en los señores.

[De *Rimas castellanas,* Madrid, 1618, fols. 13, 18 y 46v.]

[145] 10 Alude al tópico del canto del cisne cuando muere.

ANÓNIMOS

147 CANCIÓN

De celos, mi fantasía
ha venido a estar tan loca,
que la camisa que os toca,
que os tocase no quería.

En el extremo amoroso 5
a tal término llegué,
que de lo que nunca fue
he venido a estar celoso.
Y aunque sea cosa tan poca,
que os parezca niñería, 10
aun la camisa que os toca,
que os tocase no quería.
Es tanta vuestra beldad,
y el Amor tanto me aguija,
que en la ropa que os cobija 15
no tengo siguridad.
Y no es por tener fe poca,
sino amor en demasía,
pues la camisa que os toca,
que os tocase no quería. 20

148 VILLANCICO

¡Quedito! No me toquéis,
entrañas mías,
que tenéis las manos frías.

Yo os doy mi fe que venís
esta noche tan helado, 5
que si vos no lo sentís,

de sentido estáis privado.
No toquéis en lo vedado,
entrañas mías,
que tenéis las manos frías. 10

[Del *Cancionero y romancero colegido por Gabriel de Peralta,* en el *Ensayo* de Gallardo, II, col. 1142.]

JUAN DE TASSIS, CONDE DE VILLAMEDIANA

(1582-1622)

149 Ando tan altamente que no alcanza
al sujeto la vista, sólo verse
puede por fe, y por fe comprehenderse
aquella excelsa luz sin semejanza.

Ni un átomo de sombra de esperanza 5
a mi suerte jamás puede atreverse,
antes llegó mi amor a prometerse
en vivo fuego bienaventuranza.

Que sólo lo inmortal respeta y ama,
nunca por lo posible se enajena, 10
como no aspira a causa transitoria;

antes, si en la pureza de la llama
es la gloria lo acerbo de la pena,
no ha de poder faltarme en pena gloria.

150 Es tan glorioso y alto el pensamiento
que me mantiene en vida y causa muerte,
que no sé estilo o medio con que acierte
a declarar el bien y el mal que siento.

Dilo tú, Amor, que sabes mi tormento, 5
y traza un nuevo modo que concierte
estos varios extremos de mi suerte
que alivian con su causa el sentimiento.

En cuya pena, si glorioso efeto,
el sacrificio de la fe más pura, 10
que está ardiendo en las aras del respeto,

ose el amor, si teme la ventura:
que entre misterios de un dolor secreto
amar es fuerza y esperar locura.

151 Silencio, en tu sepulcro deposito
ronca voz, pluma ciega y triste mano,
para que mi dolor no cante en vano
al viento dado ya, en la arena escrito.

Tumba y muerte de olvido solicito, 5
aunque de avisos más que de años cano,
donde hoy más que a la razón me allano,
y al tiempo le daré cuanto me quito.

Limitaré deseos y esperanzas,
y en el orbe de un claro desengaño 10
márgenes pondré breves a mi vida,

para que no me venzan asechanzas
de quien intenta procurar mi daño
y ocasionó tan próvida huida.

152 Debe tan poco al tiempo el que ha nacido
en la estéril región de nuestros años,
que premiada la culpa y los engaños,
el mérito se encoge escarnecido.

Ser un inútil anhelar perdido, 5
y natural remedio a los extraños;
avisar las ofensas con los daños,
y haber de agradecer el ofendido.

Máquina de ambición, aplausos de ira,
donde sólo es verdad el justo miedo 10
del que percibe el daño y se retira.

Violenta adulación, mañoso enredo,
en fe violada han puesto a la mentira
fuerza de ley y sombra de denuedo.

153 FÁBULA DE FAETÓN

[FRAGMENTO]

[...] Inadvertido error pisa, contento,
orbe convexo en globo cristalino; 1090
desprecia la región pura del viento,
pisa en su esfera el superior camino.
Cual suele por su líquido elemento
la gran hija del reino neptunino,
bella madre de Amor, sulcar ingrata 1095
en tronos de cristal campos de plata,
el atrevido joven coronando
iba de luz la superior esfera,
rayos vertiendo, ufanamente, cuando
toma ligada unión furia ligera, 1100
ya los vientos cornípedes vibrando,
castigo resonante en la carrera,
por líneas de turbada fantasía
ciego conduce ya la luz del día [...]

1095 *madre de Amor*: Venus.

Del Tonante también airada esposa
—y en celícola unión el soberano
concilio— de la llama rigurosa 1195
quejas esparce por el cielo en vano.
Opacamente, Cintia, lagrimosa,
viéndose sobre el carro del hermano,
destrenzando las nítidas madejas,
llora perlas, fragancia exhala en quejas. 1200

El primer elemento, que mantiene
sitio supremo sobre el aire blando,
límites pierde y centro no contiene,
en su materia misma exuberando.
Vital aliento el aura ya no tiene, 1205
los cóncavos inanes ocupando,
cedientes al ignífero portento
los archivos diáfanos del viento.

El encendido carro bajó tanto
contra el árido globo de la tierra 1210
que enjugó el mismo fuego el mismo llanto
que ya en su centro la gran madre encierra;
llama confusa, peligroso espanto
por los humanos indistinto yerra;
líquido humor exhala el verde prado 1215
al fiero efecto del planeta airado.

Cauto el villano huye la vecina
llama inmortal de su cabaña adusta;
el coposo sagrado de la encina,
que planta ardió, ceniza es ya combusta; 1220
queja postrera de fatal rüina
al cielo apela de sentencia injusta;
otra hoz esperó el fecundo trigo,
cual voladora llama en su castigo.

1193 *la airada esposa del Tonante*: alude a Metis, hija del Océano.
1197 *Cintia*: la Luna, hermana de Apolo o el Sol.
1218 *adusta*: tostada por el sol, quemada.
1219 *coposo*: muy frondoso.
1220 *combusta*: cultismo, quemada.

Ninfa del bosque, y semicapro astuto, 1225
busca, para encovarse, su ribera;
Doris, sedienta, el líquido tributo
de las undosas márgenes no espera;
vacuo cadáver, el Danubio enjuto
el escamoso armento vierte fuera, 1230
que, viendo sin humor la fértil vena,
última obstinación muerde su arena.

Rinde el soberbio más su fortaleza
y el más veloz su curso ya suspende;
líbica hircana y la mayor fiereza 1235
al airado elemento el cuello tiende;
a la opresión de la común flaqueza,
el mayor animal no se defiende,
cuya cerviz suspenso tuvo al Ganges,
muros moviendo al debelar falanges. 1240

El árbol de su honor destituido
humo respira, y del agravio injusto
ceniza exhala el tronco dividido,
del poderoso humor seco y adusto;
el álamo de Alcides escogido, 1245
el mirto sacro y el laurel más justo
temen que al dios airado se le acuerde
de la que siguió ninfa y lloró verde.

El funesto ciprés, la sacra oliva,
corona de su monte el mayor pino, 1250
con la del rayo exenta planta esquiva,
del victorioso honor símbolo dino,
quedan vencidos de la llama viva
que segur es fatal de su destino,

1227 *Doris*: hija del mar.
1230 *armento*: latinismo, rebaño, manada.
1235 *líbica hircana*: la fiera de Libia, el león.
1240 Alude a la derrota de Alejandro Magno por los soldados montados en elefantes.
1245 *Alcides*: Hércules.
1248 Alusión a Apolo, enamorado de Dafne, que fue convertida en laurel.
1254 *segur*: la hoz.

sin defenderse en la montaña, el bronco 1255
fundamento apoyado con su tronco.
Menos se opone el árbol que es más fuerte,
ceniza es ya la más coposa haya,
fértil exhalación prodigio vierte
el seno religioso de Cambaya; 1260
y a conservarse inanimada advierte
expuesta roca en solitaria playa,
siendo en supuración de flores bellas
átomos de fragrancia sus centellas.
De nubes coronado el Apenino 1265
nuevo furor elemental le enciende;
siempre de triunfos fértil el Quirino
soberbias llamas por su falda tiende;
tomando nueva forma saxo Alpino
liquida el ser y su materia extiende 1270
llamas; lágrimas son con que Pirene
del hijo se lamenta de Climene [...]

154 A JOSEFA VACA, REPRENDIÉNDOLA SU MARIDO *

"Oiga, Josefa, y mire que ya pisa
esta corte del rey, cordura tenga;
mire que el vulgo en murmurar se venga
y el tiempo siempre sin hablar avisa.

"Por nuestra santa y celestial divisa 5
que de hablar con los príncipes se abstenga,
y aunque uno y otro duque a verla venga,
su marido no más, su honor, su misa."

1260 *Cambaya*: Golfo del Océano Índico.
1267 *Quirino*: el Quirinal, una de las siete colinas de la antigua Roma.
1269 *saxo Alpino*: el escarpado Alpes.
1271 *Pirene*: el Pirineo.
1272 El hijo de Climene es Faetón.
* Josefa Vaca fue una célebre representante casada con el actor Morales.

Dijo Morales y rezó su poco,
mas la Josefa le responde airada: 10
"¡Oh, lleve el diablo tanto guarda el coco!

"¡Malhaya yo si fuese más honrada!"
Pero como ella es simple y él es loco,
miró al soslayo, fuese y no hubo nada.

155 AL ALGUACIL DE CORTE PEDRO VERGEL *

La llave del toril, por ser más diestro,
dieron al buen Vergel, y por cercano
deudo de los que tiene so su mano,
pues le tiene esta villa por cabestro.

Aunque en esto de cuernos es maestro 5
y de la facultad es el decano,
un torillo, enemigo de su hermano,
al suelo le arrojó con fin siniestro.

Pero como jamás hombres han visto
un cuerno de otro cuerno horadado, 10
y Vergel con los toros es bienquisto,

aunque esta vez le vieron apretado,
sano y salvo salió, gracias a Cristo:
que Vergel contra cuernos es hadado.

[Textos copiados de la Selección de J. M. Rozas, en Clásicos Castalia (Madrid, 1969).]

14 Es el verso con que termina el conocido soneto de Cervantes que comienza "¡Voto a Dios, que me espanta esta grandeza".
* Pedro Vergel, alguacil mayor de Madrid, fue el blanco de numerosas sátiras.

JUAN DE JÁUREGUI
(1583-1641)

156 A UN NAVÍO DESTROZADO EN LA RIBERA DEL MAR

Este bajel inútil, seco y roto,
tan despreciado ya del agua y viento,
vio con desprecio el vasto movimiento
del proceloso mar, del Euro y Noto.

Soberbio al golfo, humilde a su piloto, 5
y del rico metal siempre sediento,
trajo sus minas al ibero asiento,
habidas en el índico remoto.

Ausente yace de la selva cara,
do el verde ornato conservar pudiera, 10
mejor que pudo cargas de tesoro.

Así quien sigue la codicia avara,
tal vez mezquino muere en extranjera
provincia, falto de consuelo y oro.

157 AFECTO AMOROSO COMUNICADO AL SILENCIO

Deja tu albergue oculto,
mudo silencio; que en el margen frío
deste sagrado río,
y en este valle solitario inculto,
te aguarda el pecho mío. 5
Entra en mi pecho, y te diré medroso
lo que a ninguno digo,
de que es amor testigo,
y aun a ti revelarlo apenas oso.

Ven, ¡oh silencio fiel!, y escucha atento, 10
tú solo, y mi callado pensamiento
sabrás; mas no querría
me oyese el blando céfiro, y al eco
en algún tronco hueco
comunicase la palabra mía, 15
o que en el agua fría
el Betis escondido me escuchase;
sabrás que el cielo ordena
que con alegre pena
en dulces llamas el amor me abrase, 20
y que su fuego el corazón deshecho,
de sus tormentos viva satisfecho.

Al incendio süave
de un soberano ardor estoy rendido;
que ni remedio pido, 25
ni quien me le ha de dar mis penas sabe,
porque a su casto oído
no se atreve mi lengua; en fin, no aguardo
otro mayor consuelo,
sino saber que un cielo 30
es el incendio en que padezco y ardo,
y que el honor de tan ilustre empleo
es premio suficiente a mi deseo.

Si extremos semejantes
te maravillan, ¡oh silencio amigo!, 35
no entiendas, no, que sigo
el vano razonar de los amantes.
No extraño que te espantes;
pretendo sí que mis verdades creas.
Mi gozo es el tormento, 40
el fuego mi sustento,
y déste se alimentan mis ideas.
Con tal regalo, el corazón me inflama
la causa bella de mi pena y llama.

Silencio, no te niego 45
que osado alguna vez tentar quisiera
que ya Lisarda oyera
cuánto me abrasa de su vista el fuego,

y mi verdad creyera.
Ardo en la pura luz del claro día, 50
veme la noche ardiendo;
en nuevo ardor me enciendo
cuando su oscura sombra el sol desvía,
y todos los objetos igualmente
son a mis ojos una llama ardiente. 55

Mas huyo que lo entienda
(¡justo recato!), si ha de ser preciso
le dé mi lengua aviso,
y mi atrevida voz al fin la ofenda.
¡Oh alegre paraíso! 60
No quiera el cielo que a la dulce calma
de tu beldad serena
turbe una breve pena,
aunque mil siglos la padezca el alma;
dile, silencio, tú, con señas mudas, 65
lo que ha ignorado siempre y tú no dudas.

Mas, ¡ay!, no se lo digas,
que es forzoso decirlo en mi presencia;
y bien que la decencia
de tu recato advierto, al fin me obligas 70
que espere su sentencia,
y el temor ya me dice en voz expresa:
"No has sido poco osado
sólo en haberla amado:
no te abalances a mayor empresa; 75
basta que sepan tu amorosa historia
el secreto silencio y tu memoria."

158 A UNA DAMA ANTIGUA, FLACA Y FEA

LIRAS

Cuando tus huesos miro,
de piel tan flaca armados y cubiertos,
señora, no me admiro
desa tu liviandad y desconciertos:

que es fuerza ser liviana 5
quien es en todo la flaqueza humana.
Cúlpote en una cosa,
y es que adornarte quieres y pulirte,
creyendo ser hermosa;
y tan difícil hallo el persuadirte 10
para que no lo creas,
como el hacer en algo que lo seas.
Pero quizá no en vano
mi lengua te amonesta y aconseja;
aunque el consejo sano 15
tú debas darle como anciana y vieja;
pues, por no parecerlo,
pienso le has de tomar y obedecerlo.
¿Para qué persüades
al mundo que ha treinta años que naciste? 20
Pues, a decir verdades,
habrá sus treinta y dos que envejeciste;
y no sólo eres vieja,
mas la vejez, en ti, ya es cosa añeja.
Hoy buscas matrimonio, 25
y no hallarás, según tus calidades,
marido en el demonio;
porque, después que mira tus fealdades,
que agora yo deslindo,
presume Satanás de airoso y lindo. 30
Mil años ha que hubiera,
según tu edad, llevádote la Muerte;
mas, cuando, armada y fiera,
a ti se acerca y tu figura advierte,
no llega ni te embiste, 35
creyendo haber diez horas que moriste.
Mas guárdate no sea
que ella, tal vez, pagada de tu vista
abominable y fea,
te asalte y de tu cuerpo se revista, 40
por ser los güesos tuyos
más proprios de la Muerte que los suyos.

159

ORFEO

[FRAGMENTO]

CANTO II

En la fragosa Ténaro, que inunda
el Lacónico ponto, en sitio incierto,
rudo taladro de canal profunda
rompe el terreno cavernoso y yerto.
Intonsa breña con horror circunda 5
el rasgado peñón, y esconde abierto
cóncavo tal, que a la tartárea estanza
por las entrañas del abismo alcanza.

Tan denso allí de rústica madeja
asombra el sitio pabellón herboso, 10
que aun lo exterior a la espelunca deja
de la estorbada luz siempre invidioso;
ni cuando el sol a su cenit se aleja
allí introduce rasgo luminoso;
presta a la noche la caverna umbría 15
seguro lecho al imperar del día.

Desde que fabricó la vez primera
Naturaleza el bosque, le aborrece;
no le matiza de verdor, no altera
su tosca rama, ni sus hojas crece. 20
Cuando repite abril la primavera,
y en vario esmalte el prado reflorece,
allí le niega su dominio alterno,
siempre reacio, el escabroso invierno.

1 *Ténaro*: promontorio de Laconia, sobre el que se elevaba un templo a Neptuno. Ovidio lo representa como un abismo, que era considerado como la entrada del Infierno, custodiado por Cerbero.
2 *Lacónico ponto*: el mar de Laconia o Macedonia.
7 *tartárea estanza*: habitación del infierno.
11 *espelunca*: latinismo, 'cueva'.

De ciegas ondas lago ponzoñoso 25
bate en la peña y riega su boscaje,
que al basilisco y áspid venenoso
aun fuera su licor mortal brebaje;
humos exhala que en el viento ocioso
no otorgan a las aves hospedaje; 30
y ellas buscan, huyendo el vapor ciego,
antes arder en la región del fuego.

Nunca, por yerro de accidente, en esta
palude o risco o selva retejida,
vil pece, tosca fiera, ave funesta, 35
gruta o cueva recoge, árbol anida;
el denso evaporar el aire infesta;
toda la estancia es odio de la vida;
y en su distrito con silencio advierte
que se origina el reino de la Muerte. 40

Nunca en la breña la segur tajante
violó de añoso tronco seca rama,
ni pie mortal, a orilla del undante
lago, imprimió jamás la espesa lama.
Previene de escarmiento al caminante 45
la ya esparcida voz que el sitio infama;
lejos se mira y, con espanto y miedo,
el pie lo huye, y lo demuestra el dedo.

Desta espelunca a la estación tremenda
el sobrado sentir condujo a Orfeo 50
(que aun el Amor se admira de que emprenda
tan desperada acción mortal deseo).
Ya excluye el lago y, por oblicua senda,
al bosque arriba en áspero rodeo;
ya en los breñales que la cueva ofuscan 55
posible entrada sus alientos buscan.

Riesgos tropella con audaz semblante,
anhelando desprecios de la Muerte:
que si con ella lucha Amor constante,
produce Amor actividad más fuerte. 60

34 *palude*: laguna.
44 *lama*: "el cieno y todo lo que hace el agua". *Dicc. de Auts.*

Aun hasta allí la voz del tierno amante
los peligros opuestos no divierte,
porque la causa que le impele a tanto
deba más a su esfuerzo que a su canto.
Ya que penetra al margen de la sima, 65
que es del abismo exordio primitivo,
a la lira sonante el plectro arrima,
y del aire el vapor templa nocivo.
El blando acento de la voz se intima
en las entrañas del peñasco vivo: 70
que antes sólo admitieron en sus huecos
del tartáreo gemir ásperos ecos.
Sale de sí el gran monte, que apetece
vecino el canto; y como crespa goma
que en lo bronco del árbol aparece, 75
en cada risco nuevo risco asoma;
por el canal en torno inquieta crece
la peña, que a la voz se ablanda y doma;
y tal se estrecha en la caverna el Tracio,
que apenas halla a su camino espacio. 80
Ya enmudece su canto, y la rudeza
experimenta del taladro corvo:
que en jaspes y pizarras la aspereza
siempre le opone escrupuloso estorbo.
Ya ve delante el Sueño, la Tristeza; 85
el de pálida tez, lánguido Morbo;
la Guerra atroz, las Scilas y Quimeras,
y otras del Orco antecedentes fieras [...]

[De las *Rimas* y el *Orfeo,* edic. de I. Ferrer de Alba en Clásicos Castellanos, pp. 182 y 183.]

79 *el Tracio*: Orfeo.

ALONSO DE CASTILLO Y SOLÓRZANO
(1584?-1648?)

160 A LA BOCA DE UNA DAMA

ROMANCE

Aquel niño, aquel gigante,
inquietud y paz del siglo,
eternamente vendado,
como pierna de mendigo;
el que con sus flechas y arco 5
hace en el orbe más tiros
que novicio cazador
o guarnicionero primo,
dejada aquesta menestra,
de que el rapaz está ahíto, 10
con la boca de Lisarda
emprender quiere homicidios.
¿Quién pensara que tuviera
tal multitud de captivos,
tal copia de enamorados 15
un manducante postigo?
Naturaleza, gran sastre,
con pocas puntadas hizo
dos ribetes de clavel,
si no son de grana vivos. 20
Dos encendidos rubíes
obstentaba en dos distritos,
si acaso no nos engaña
la materia de los cirios.

1-3 Alude a Cupido.
8 *primo*: excelente, diestro.
16 *un manducante postigo*: una boca.

Sabeos espira olores, 25
tan perennes y continuos,
que bastan a desmentir
cuando ajos haya comido.
Mucho hace en conservarse
con olor tan puro y fino 30
quien tiene en su vecindad
las fuentes del romadizo.
Perlas del Sur son sus dientes
y cada perla un hechizo,
exceptando las que son 35
del socorro elefantino.
Hombres que libres estáis,
huid aqueste peligro,
porque es sirte en la mujer
el más hermoso orificio. 40

[De *Donayres del Parnaso* (Madrid, 1624), fol. 16.]

161 A UN MAL POETA

EPITAFIO

Aquí yace un poeta tropezón,
de diferentes trovas trujamán,
oyolas el gran turco Solimán
nueve veces cantar al zancarrón.

Atrevióse a pedir en Helicón 5
la plaza de lacayo de Titán;
oyó la culta lengua en Popayán,
Nicaragua y las islas del Japón.

25 *olores sabeos*: los del incienso.
36 *socorro elefantino*: los colmillos.
2 *trujamán*: intérprete.
4 *zancarrón*: "por semejanza se llama al flaco, viejo, feo y desaseado". *Dicc. de Auts.*
6 Los Titanes fueron los seis hijos de Urano y Gea.

Salió más erudito que el rocín
o caballo Pegaso, y fue gran bien 10
el aprender a coces su latín.

Las Musas le han tratado con desdén,
nuevas voces pedía el malandrín,
hecho de tus jornadas palafrén.

162

A UNA DAMA EN EXTREMO FLACA

EPITAFIO

Aquí yace un esqueleto
tan sutil, que no se ve,
y siempre en la vida fue:
que tuvo vida en efeto.
En forma piramidal 5
le encierra esta aguja nueva;
nadie a tocarle se atreva,
si no fuere con dedal.

[De *Donayres del Parnaso. Segunda parte* (Madrid, 1625), fols. 8 y 45.]

10 *Pegaso*: el caballo alado que hizo nacer la fuente de Hipocrene, donde beben las Musas.

JOÃO PINTO DELGADO *

(† d. 1637)

No os sea molesto a vos, todos los pasantes, carrera, y ved si hay dolor como mi dolor, que vino a mí, que afligió al Señor en día de ira de su furor.

[JEREMÍAS, *Lament.*]

163

¡Oh vosotros que pasáis,
y el extremo a que he llegado
por dicha no imagináis,
vuestro paso apresurado
tened, porque me veáis! 5
De vuestra lástima fío
que, si con el Oceano
no puede medirse un río,
digáis que dolor humano
no puede igualarse al mío. 10
De aquello que se edifica
y más su firmeza alaba,
su fin la fama publica,
que lo que el tiempo fabrica
el mismo tiempo lo acaba. 15
No fue mi rüina así,
que al punto que me olvidé
del cielo a quien ofendí,
sin tiempo el tiempo llamé
para vengarse de mí. 20

* Pinto Delgado, judío portugués que se convirtió, temeroso de las persecuciones de la Inquisición. Huyó a Francia y publicó, en 1627, en Ruan, su *Poema de la reina Ester*, junto con la *Historia de Ruth* y una paráfrasis de las *Lamentaciones de Jeremías.* Menéndez Pelayo elogió su sentimiento elegíaco y su buen gusto.

Llamándome santidad,
los efetos de mis manos
eran justicia y verdad,
mas, como se han vuelto vanos,
siguieron la vanidad. 25
Llorando el daño Israel
del incauto atrevimiento
del ídolo de Betel,
yo, en lugar de escarmiento,
seguí los errores dél. 30
Yo fui la viña cercada
y del rocío celeste
era mi planta bañada;
mas, siendo mi fruto agreste,
fui de gentiles pisada. 35
La torre, que en medio della,
mi amado me fabricó,
fue la casa santa y bella
y, sin merecerla yo,
quedé perdida en perdella. 40
El bien fundado lagar,
tan firme en mi beneficio,
ha sido el sagrado altar
donde se vio derramar
la sangre por sacrificio. 45
Y viendo que mi pecado
el fruto era de mi gusto,
con justa razón airado
el Señor, como es tan justo,
con ira me ha vendimiado. 50
De Canaán he procedido,
siendo Amorreo mi padre,
que este bien no ha conocido,
y como Hetea, mi madre,
entre inmundicia he vivido. 55
Volvió mi tiempo de amor
y el que desnuda me vio,
me cubrió de su favor,

y de precioso valor
joyas y prendas me dio. 60
La diadema, que segura
creía que estaba en mí,
la seda y la bordadura
hicieron volverme así,
confiada en mi hermosura. 65
De mis vestidos tomé,
y de diversas colores
mis altares fabriqué,
y fui tras mis amadores,
y el verdadero dejé. 70
Fui para mí tan cruel,
que sólo a quien me ofendía
he sido amante fïel,
y el don que a mí me debía,
yo misma le he dado a él. 75
Por esto extendió su mano
el Señor, de mí ofendido,
y agora sé lo que gano
en despertar de mi olvido
con la espada del tirano. 80

[*Poema de la reina Ester...*, edic. de I. S. Révah, Lisboa, 1954, p. 170.]

ADRIÁN DE PRADO *

164 CANCIÓN REAL A SAN JERÓNIMO EN SIRIA

En la desierta Siria destemplada,
cuyos montes preñados de animales
llegan con la cabeza a las estrellas;
tierra de pardos riscos empedrada,
de cuyos avarientos pedernales 5
la cólera del sol saca centellas;
donde las flores bellas
nunca su pie enterraron
ni su algalia sembraron,
y adonde tiene siempre puesto el cielo 10
su pabellón azul de terciopelo,
y cuyas piedras nunca se mojaron,
porque de aquí jamás preñada nube
a convertirse en agua al cielo sube.
Aquí sólo se ven rajadas peñas 15
de cuyo vientre estéril por un lado
nace trepando el mísero quejigo.
Tienen aquí las próvidas cigüeñas
el tosco y pobre nido fabricado,
de los caducos padres dulce abrigo. 20
Nunca el dorado trigo
halló aquí sepultura,
porque esta tierra dura
no ha sentido jamás sobre su frente
lengua de azada ni de arado diente, 25
ni golpe de la sabia agricultura,
sino sólo del cielo los rigores,
fuego de rayos y del sol calores.

* La extraña y curiosa "Canción real a San Jerónimo" apareció en un pliego suelto en Sevilla, en 1619, y tuvo mucho éxito; pero ignoro quién es Adrián de Prado, poeta muy interesante y original.

Están aquí los pálidos peñascos
sustentando mil nidos de halcones 30
en sus calvas y tórridas cabezas,
y en la rotura que dejó en sus cascos
el rayo con su bala y perdigones,
por hilas mete el sol salamanquesas;
y armada de cortezas, 35
por la misma herida,
sale a buscar la vida
una encina tenaz sin flor ni hoja,
y, saliendo, en los brazos se le arroja
una inútil higuera mal vestida, 40
a quien tienen del tiempo los sucesos,
desnuda, pobre, enferma y en los huesos.

Hay en aqueste yermo piedra rubia
que jamás la cabeza se ha mojado,
ni su frente adornó bella guirnalda; 45
antes, para pedir al cielo pluvia,
tiene, desde que Dios cuerpo le ha dado,
la boca abierta en medio de la espalda;
y de color de gualda,
por entre sus dos labios, 50
a padecer agravios
del rubio sol y de su ardiente estoque,
sale en lugar de lengua un alcornoque,
cuyos pies corvos como pobres sabios,
porque a los cielos pida agua la roca, 55
no le dejan jamás cerrar la boca.

Entre aquestos peñascos perezosos
levanta la cabeza encenizada
la cerviz recia de un pelado risco,
de cuyos hombros toscos y nudosos, 60
pende la espalda hidrópica y tostada
con dos costillas secas de un lentisco;
y del pecho arenisco
dos yedras amarillas,
también como costillas, 65
que por entre los músculos y huesos
van paseando aquellos miembros secos,

pintando venas hasta las mejillas,
las cuales con su máscara de piedra
pasar no dejan la asombrada yedra. 70
  Tiene roturas mil este peñasco,
y en ella la tarántola pintada
labra aposento con su débil hebra,
y el áspid, con su ropa de damasco,
asoma la cabeza jaspeada 75
por entre las dos rejas de otra quiebra.
Aquí la vil culebra,
del lagarto engullida,
por escapar la vida,
pretende sacar chispas con la cola 80
del pedernal rebelde, que arrebola
con la sangre que sale de su herida,
y finalmente muere y deja harto
el tenaz diente del voraz lagarto.
  Viénese por un lado deslizando 85
un cobarde escuadrón de lagartijas,
tras el cual una víbora desciende,
y con la mayor de ellas encontrando
entre las muelas tardas y prolijas
muerde sus carnes y sus huesos hiende. 90
Déjala muerta y tiende
el paso hacia delante,
y en aquel mismo instante
al cadáver se llega el tosco grajo,
la verde avispa y negro escarabajo, 95
y entre todos le comen sin trinchante,
dejando solamente hueso y niervo,
para que lleve al nido el sagaz cuervo.
  Veréis también aquí de las hormigas
el etíope ejército ordenado 100
ir a buscar el mísero sustento,
y no topando auríferas espigas
vuelve con una arista que ha encontrado
una de ellas cargada al aposento.
Otra, con paso lento, 105
arrastrando ha traído

un caracol torcido;
trae una a cuestas una seca hoja
y otra tirando della atrás se enoja.
Y otras tres llevan una pluma al nido, 110
y si dos riñen sobre un grano verde,
la que más puede a esotra arrastra y muerde.
Por el un lado de las dos dobleces
se fabrica una escura y gruesa ruga,
dentro la cual veréis centelleando 115
del buho montaraz los verdes ojos,
cuyo humor cristalino el sol no enjuga,
y sobre una verruga,
que de jaspe morisco
tiene en la frente el risco, 120
veréis la veloz águila sentada,
en comer un cernícalo ocupada,
y abajo en otra quiebra un basilisco,
y en otras mil roturas y rincones
osos, grifos, serpientes y leones. 125
En el redondo vientre desta peña
labró naturaleza toscamente
un aposento helado, claro, enjuto,
por una parte de color de alheña,
por otra parte azul y transparente, 130
propria morada de algún fauno o bruto:
tiene de intenso luto,
que tiñe pedernales
cerca de los umbrales,
dos remiendos que el cielo los pespunta, 135
y otros de una mezclilla do se junta
la esmeralda y zafir con los corales,
la cual librea luego que amanece
con pasamanos de oro el sol guarnece.
A la pequeña boca desta cueva, 140
echan un melancólico ribete
los espinosos brazos de una zarza,
la cual a cuestas por el risco lleva

129 *color de alheña*: color blanco.

la carga de sus crines y copete,
hecho de seda pálida cadarza, 145
y para que se esparza
el esmalte y follajes
y las puntas y encajes
de que lleva vestida con mil lazos
la multitud confusa de sus brazos, 150
y entre otros va poniendo sus plumajes,
cuyas moras allí reciben luego
el baptismo que el sol les da de fuego.
En esta cueva, pues, y en este yermo
el cardenal Jerónimo se oculta, 155
porque a Dios descubrir su pecho quiere,
y para vivir siempre, el cuerpo enfermo
en esta helada bóveda sepulta:
que quien se entierra vivo nunca muere.
Pensará quien le viere, 160
en aquel sitio bronco,
que es algún seco tronco,
que su flaqueza y penitencia es tanta,
que apenas le concede la garganta
sacar la inútil voz del pecho ronco; 165
porque con llanto y lágrimas veloces
negocia con su Dios, más que con voces.
Del edificio de su cuerpo bello
solamente le queda la madera
con la media naranja que le cubre. 170
Sobre los huecos de su débil cuello
la calva y titubante calavera,
que la piel flaca y arrugada encubre;
la cual sólo descubre
las enjutas mejillas 175
y las frescas canillas
de la vellosa pierna y flaco brazo,
el nudoso y decrépito espinazo,
y el escuadrón desnudo de costillas,

145 *cadarza*: como 'cadarzo', "seda basta de capullos enredados y duros". *Dicc. de Auts.*

las quijadas, artejos y pulmones, 180
de aquellos pedernales eslabones.
Desta hendida barba mal peinada
caen sobre el pecho lleno de roturas
las plateadas canas reverendas,
y vense por la piel parda y tostada 185
de los huesos los poros y junturas,
y de las venas las confusas sendas.
Vense a modo de riendas
los nervios importantes,
unidos y distantes, 190
ceñir los miembros de su cuerpo todo,
y desde la muñeca hasta el codo
los que ciñen el brazo tan tirantes,
que con ellos la mano apenas medra,
porque aprietan sus dedos una piedra. 195
Tiene el dotor divino alta estatura,
el color entre pardo y macilento,
delgado el cuello, grande la cabeza,
ceñido un breve lienzo a la cintura,
blanco y listado, pero ya sangriento, 200
a costa de sus venas y aspereza.
Los ojos, de flaqueza,
en el casco metidos,
turbios y consumidos,
de color verde y claro, como acanto, 205
pero ya hechos corriente con el llanto;
cuadrados dientes, anchos y bruñidos,
delgados labios, boca bien cortada,
y la nariz enjuta y afilada.
La calva circular, grande y lustrosa, 210
tiene por orla de pequeñas canas
a las espaldas una media luna,
y la frente quebrada y espaciosa;
sobre las cejas fértiles y ancianas,
tres arrugas quebradas una a una. 215
Y la frágil columna
del cuello seca y monda
descubre cómo es honda;

del cañón del sustento los anillos
desiguales, distintos y amarillos, 220
y de la nuez la cáscara redonda.
Y vense luego de los dos costados
las claves de los huesos desarmados.
Una rotura abrió naturaleza
en la cueva, por donde mete un brazo 225
una jara que fuera nace y crece.
Aqueste palo dentro se endereza,
el cual, atravesando otro pedazo,
hace una cruz que de ébano parece.
La cual, cuando amanece, 230
entra a besar postrado
el rubio sol dorado
por la mesma rotura, boca o poro.
En la cual cruz está con clavos de oro
un Cristo de metal, crucificado, 235
que, a dejar de ser bronce y no estar muerto,
no sufriera el rigor de aquel desierto.
Tiene este crucifijo por calvario
el roto casco de una calavera
que cuelga de la cruz con un vencejo, 240
en cuya frente de este relicario
tiene éste engastado: "Soy lo que no era
y serás lo que soy, mísero viejo."
Debajo deste espejo,
en la tierra caído, 245
tiene un bordón torcido,
un libro y los antojos en su caja;
y sobre un risco que la piedra ataja
arrojado el capelo y el vestido:
que solamente a un risco se concede 250
sustentar un capelo, y aun no puede.
Delante desta antigua imagen, tiene
el prelado ilustrísimo clavadas
en la tierra, en dos hoyos, las rodillas;
la cual postura tanto le entretiene, 255

247 *antojos*: anteojos.

que están las losas por allí gastadas
del continuo ejercicio de herillas.
Aquí se hace astillas
con un mellado canto
el pecho, hasta que tanto 260
precipite su sangre mil arroyos
a llenar a la tierra los dos hoyos
que le ha hecho en la cara el viejo santo.
El cual así le dice a cada instante
a su crucificado y tierno amante: 265

"Señor, si tuve como piedra el pecho,
con esta piedra ya, sin darle alivio,
carne lo hago por sacar más medra,
y si en la piedra yo señal no he hecho
con lágrimas y llanto, como tibio, 270
basta que haga en mí señal la piedra.
Ya veis que no se arredra,
de mi espalda mezquina,
la dura disciplina
y estrecha cota de un cilicio tosco, 275
y que en aqueste yermo no conozco
sino el sustento que me da una encina
por piedras que le tira el brazo anciano,
por tener siempre piedras en la mano.

"Bien veis que bebo de agua turbia al día 280
lo que aquesta pequeña y triste concha
saca del vientre vil de una laguna,
y que no tengo aquí por compañía
sino del cielo la veloz antorcha
y la cara inconstante de la Luna. 285
Esta vida importuna
me tiene como un leño,
no me conoce el sueño,
ni quiero sino sólo el de la muerte.
Del cual haced, Señor, que yo despierte 290
a gozaros sin fin, porque si dueño
no me hacéis de las célicas moradas,
el cielo he de pediros a pedradas."

Acaba ya, canción. Lo dicho baste,
que como te criaste 295
entre peñas y riscos y aspereza
es tal tu poquedad y tu rudeza,
que al santo mío, que alabar pretendes,
cuando le ensalzas pienso que le ofendes.

[*Cancionero de 1628,* edic. de J. M. Blecua (Madrid, 1945), pp. 207-219.]

MARCELO DÍAZ CALLECERRADA *

(f. h. 1630)

165

ENDIMIÓN **

[FRAGMENTO]

[...] "Alumbra, claro Amor, veré dormido
el pastor de mi vida. Con dorado
vellón la frente duerme defendido
y el pecho libre con vellón nevado.
¿Cómo, di, blanca nieve, has resistido 5
al fuego de mis voces abrasado?
¿Cómo el rizo esplendor de sus orejas
sutil lamentación cierra a mis quejas?

* De Marcelo Díaz Callecerrada sólo sabemos lo que él mismo dice al frente de su poema: que lo dedica a don Martín Rodríguez de Ledesma, rector de la Universidad de Salamanca, para que lo enmiende "y examine si pertenece a la escuela de Lope de Vega, de quien vuestra señoría aprendió, y a quien yo a voces llamaré maestro con eterno elogio mío".

** Endimión, hijo de Zeus, se representa como un pastor hermosísimo, que pidió a su padre el don de dormir un sueño eterno, del que se enamoró la Luna o Diana o Cintia.

"Sois del triunfante Amor arcos triunfales,
arqueadas de sus ojos dulces cejas, 10
por donde palmas del Amor ovantes
entran y del Amor cautivas quejas;
sois de sus lumbres párpados radiantes,
puertas azules y doradas rejas
con celosías próvidas por donde 15
la fuerza que a traición saltea esconde.
"Sois, cejas, bellos iris, que en la obscura
noche de mi Endimión y su descanso
nuevas del sol y de su lumbre pura
por el aire esparcis sereno y manso; 20
pues no reposo en mi fatal ventura,
ni en vuestra dicha celestial descanso,
que las nuevas de paz para la tierra
son nuncios para mí de amante guerra.
"Vosotros, ojos, que dormís en tanto 25
que os pueden adorar mis ojos ciegos,
porque sepan templarse con el llanto
los de sus albas luminosos riegos;
no despertéis del cielo sacrosanto
las lumbres altas, los empíreos fuegos, 30
porque si sale el sol por la mañana
no quedará con su pastor Dïana.
"Y vos, mejillas de escarlata hermosa,
de quien la cipria reina avergonzada,
huyendo tiñe la nevada rosa 35
en el rojo licor del pie bañada;
no de mi bella causa poderosa
me despertéis la llama sosegada,
que a una dormida luz y muerto ejemplo
pira inmortal encumbro y sacro templo. 40
"Frente, campo de nieve no tocado,
seguro del Amor, campo sereno,

11 *ovante*: se decía entre los romanos el que conseguía el honor de la ovación.
34 *cipria reina*: Venus y cómo al pincharse convirtió en rojas las rosas blancas.

donde el arco y las flechas ha ensayado
para la dulce herida con que peno;
láctea serenidad, mar sosegado 45
de blancas dichas y bonanzas lleno,
espejo de plateados arreboles,
que eres alba nevada de dos soles;

"pues eres campo fértil, cuya nieve
a tu grato cultor y a su esperanza 50
de dulces frutos altos colmos debe;
pues eres mar, en cuya fiel bonanza
el navegante intrépido se atreve;
pues eres alba, cuya faz alcanza
después de funeral silencio umbroso 55
con despejada luz aliento hermoso,

"sea de mi esperanza el fruto cierto,
y del inmenso mar en que navego
cierto el amado fin, seguro el puerto;
libre mi posesión de abismo ciego, 60
libres mis esperanzas de mar muerto
naveguen, si a tu blanca frente llego,
hasta que de oro puro en cerros bellos
descubran ricas Indias sus cabellos.

"Y tú, rubia corona, que dorado 65
término eres de la blanca frente,
cuya guedeja y resplandor rizado
noche de humanos ojos no consiente;
tú, que con bellos lazos enredado
tienes de amores el imperio ardiente, 70
y en tus sienes cautivan con decoro
los Cupidos de perlas rizos de oro.

"Bien a la regia púrpura y diadema
absoluta el pastor humilde asciendes,
que de la Luna la deidad suprema 75
a un humilde pastor unir pretendes;
no puedes hacer junta más extrema,
Amor, ni sabes más ni más entiendes,
que fraguar una unión tan soberana
que divina resulte y salga humana. 80

"Boca divina, inspira voz ardiente,
diré que eres sufragio del tesoro
que el aliento reserva del oriente
y del aurora el rutilante lloro;
yo el oráculo adoro reverente 85
de tu sagrada inspiración, y adoro
humilde tu querer, que tus mandados
solas mis causas son, solos mis hados.
"Cintia de carmesí purpúrea, breve,
por quien el fino múrice envidioso 90
pálida envidia y macilenta nieve
cubre en el retirado mar undoso;
labio que de coral el alma bebe
y el vivo aliento del clavel fogoso,
¿cómo la roja sangre está vertida 95
y con raro milagro detenida?
"Escuadrón ordenado en dos hileras
de iguales, blancos y menudos dientes,
de cuya proporción las once esferas
trasladaron mensuras relucientes; 100
glorias eternamente duraderas
señaléis al pastor, fuertes, valientes,
ni rija rey imperios divididos,
que siglos firmes anunciáis unidos [...]

[De la fábula de *Endimión* (Madrid, 1627), copiándolo de la BAE, XXIX, pp. 472-473.]

90 Sobre *múrice,* véase la nota 125 de la p. 198.

FRANCISCO DE RIOJA

(¿1583?-1659)

166 Lánguida flor de Venus, que ascondida
yaces, y en triste sombra y tenebrosa,
verte impiden la faz al sol hermosa
hojas y espinas de que estás ceñida.

Y ellas el puro lustre y la vistosa 5
púrpura, en que te vi apuntar teñida,
te arrebatan, y a par la dulce vida,
del verdor que descubre ardiente rosa.

Igual es, mustia flor, tu mal al mío;
que si nieve tu frente descolora 10
por no sentir el vivo rayo ardiente,

a mí, en profunda oscuridad y frío
hielo, también de muerte me colora
la ausencia de mi luz resplandeciente.

167 Corre con albos pies al espacioso
Océano, veloz, tarteso río:
así no ciña el abrasado estío
tu dilatado curso gloriïoso.

Y di a mi ardor que crece tu espumoso 5
seno, a las muchas lágrimas que envío,
o esparza la dudosa luz rocío
o muestre Cintia lustre generoso.

[167] 2 *tarteso río*: el Guadalquivir.
8 *Cintia*: la Luna.

Que oyendo en mustio son mi afán ardiente,
de ti, con crespa lengua, resonado 10
en verde prado o en sedienta arena,

será que blandas luces al herviente
humor muestre (ya en vano derramado)
mi acerba y dulce y clara luz serena.

168 Ardo en la llama más hermosa y pura
que amante generoso arder pudiera,
y necia invidia, no piedad severa,
tan dulce incendio en mí apagar procura.

¡Oh cómo vanamente se aventura 5
quien con violencia y con rigor espera
que un alto fuego en la ceniza muera,
mientra un alma a sabor en él se apura!

Si yo entre vagas luces de alba frente
me abraso y entre blanda nieve y rosa, 10
no es culpa de tu amor no hacer caso:

que es la lumbre del sol más poderosa
y agrada más naciendo en Orïente
que cuando se nos muera en el Ocaso.

169 A LAS RUINAS DEL ANFITEATRO DE ITÁLICA

Estas ya de la edad canas rüinas,
que aparecen en puntas desiguales,
fueron anfiteatro y son señales
apena de sus fábricas divinas.

¡Oh, a cuán mísero fin, tiempo, destinas 5
obras que nos parecen inmortales!
Y ¿temo? y ¿no presumo que mis males
así a igual fenecer los encaminas?

Este barro, que llama endureciera
y blanco polvo humedecido atara, 10
¡cuánto admiró y pisó número humano!

Y ya el fasto y la pompa lisonjera
de pesadumbre tan ilustre y rara
cubre hierba y silencio y horror vano.

170 En mi prisión y en mi profunda pena
sólo el llanto me hace compañía,
y el horrendo metal que noche y día
en torno al pie molestamente suena.

No vine a este rigor por culpa ajena; 5
yo dejé el ocio y paz en que vivía,
y corrí al mal, corrí a la llama mía
y muero ardiendo en áspera cadena.

Así del manso mar en la llanura,
levantando la frente onda lozana, 10
la tierra al agua en que nació prefiere;

mueve su pompa a la ribera, ufana,
y cuanto más sus cercos apresura,
rota más presto en las arenas muere.

AL CLAVEL

171 A ti, clavel ardiente,
invidia de la llama y de la Aurora,
miró al nacer más blandamente Flora:
color te dio excelente,
y del año las horas más süaves. 5
Cuando a la excelsa cumbre de Moncayo
rompe luciente sol las canas nieves
con más caliente rayo,
tiendes igual las hojas abrasadas.

Mas, ¿quién sabe si a Flora el color debes 10
cuando debas las horas más templadas?
Amor, Amor sin duda, dulcemente
te bañó de su llama refulgente
y te dio el puro aliento soberano:
que eres, flor encendida, 15
pública admiración de la belleza,
lustre y ornato a pura y blanca mano,
y ornato y lustre y vida
al más hermoso pelo,
que corona nevada y tersa frente, 20
sola merced de Amor, no de suprema
otra deidad alguna.
¡Oh flor de alta fortuna!

Cuantas veces te miro
entre los admirables lazos de oro 25
por quien lloro y suspiro,
por quien suspiro y lloro,
en invidia y amor junto me enciendo.
Si forman por la pura nieve y rosa,
(diré mejor) por el luciente cielo 30
las dulces hebras amoroso vuelo,

quedas, clavel, en cárcel amorosa
con gloria peregrina aprisionado.
Si al dulce labio llegas que provoca
a süave deleite al más helado, 35
luego que tu encendido seno toca
a su color sangriento,
vuelves, ¡ay, oh dolor! más abrasado.
¿Diote naturaleza sentimiento?
¡Oh yo dichoso a habérseme negado! 40
Hable más de tu olor y de tu fuego
aquél a quien invidias de favores
no alteran el sosiego.

172 A LA ROSA AMARILLA

¿Cuál suprema piedad, rosa divina,
de alta belleza transformó colores
en tu flor peregrina
teñida del color de los amores?
Cuando en ti floreció el aliento humano, 5
sin duda fue soberbio amante y necio,
cuidado tuyo y llama,
y tú, descuido suyo y su desprecio,
diste voces al aire, fiel en vano.
¡Oh triste, y cuántas veces 10
y cuántas, ¡ay!, tu lengua enmudecieron
lágrimas que copiosas la ciñeron!
Mas tal hubo deidad que conmovida
(fuese al rigor del amoroso fuego,
o al pío afecto del humilde ruego) 15
borró tus luces bellas,
y apagó de tu incendio las centellas.
Desvaneció la púrpura y la nieve
de tu belleza pura,
en corteza y en hojas y astil breve. 20
El oro solamente,
que en crespos lazos coronó tu frente,
en igual copia dura,
sombra de la belleza
que pródiga te dio naturaleza; 25
para que seas, oh flor resplandeciente,
ejemplo eterno y solo de amadores,
sola, eterna, amarilla entre las flores.

173 A LA ROSA

Pura, encendida rosa,
émula de la llama
que sale con el día,
¿cómo naces tan llena de alegría

si sabes que la edad que te da el cielo 5
es apenas un breve y veloz vuelo,
y ni valdrán las puntas de tu rama,
ni púrpura hermosa
a detener un punto
la ejecución del hado presurosa? 10
El mismo cerco alado
que estoy viendo rïente,
ya temo amortiguado,
presto despojo de la llama ardiente.
Para las hojas de tu crespo seno 15
te dio Amor de sus alas blandas plumas,
y oro de su cabello dio a tu frente.
¡Oh fiel imagen suya peregrina!
Bañóte en su color sangre divina
de la deidad que dieron las espumas; 20
y esto, purpúrea flor, esto ¿no pudo
hacer menos violento el rayo agudo?
Róbate en una hora,
róbate licencioso su ardimiento
el color y el aliento. 25
Tiendes aún no las alas abrasadas
y ya vuelan al suelo desmayadas.
Tan cerca, tan unida
está al morir tu vida,
que dudo si en sus lágrimas la Aurora 30
mustia, tu nacimiento o muerte llora.

[De los *Versos,* edic. de Gaetano Chiappini (Mesina-Florencia Casa editrice D'Anna), 1975.]

19-20 Alude a la conversión de las rosas blancas en rojas por la sangre de Venus. Otra referencia en la nota 34 de la p. 243.

JUAN LUQUE *

174 AL SACRAMENTO

VILANESCA

Ea, Gil, pues tenemos
tal año de pan,
cantemos, bailemos;
toca, toca el panderillo:
tan tarantán; 5
y suenen con él
sonaja y rabel
con la flautilla,
y baile toda la villa.
Pues envía el cielo 10
el año hermoso
y con Pan glorioso
nos viene el consuelo;
si enriquece el suelo
tal año de Pan, 15
cantemos, bailemos;
toca, toca el panderillo:
tan tarantán;
y suenen con él
sonaja y rabel 20
con la flautilla
y baile toda la villa.

* Juan Luque, natural de Jaén, autor también de algunas comedias, según J. Cejador y Frauca, *Historia de la lengua e Historia de la literatura castellana,* IV (Madrid, 1935), p. 282.

Sor Juana Inés de la Cruz, por Miguel Cabrera. Cortesía del Museo de Chapultepec. México.

Retrato de Juan de Salinas. Detalle del cuadro que está en el Convento Nuestra Señora de los Reyes. Sevilla.

La humana fortuna
favorable está,
pues el pan nos da 25
a ciento por una;
pobreza ninguna
habrá con el pan.
Cantemos, bailemos;
toca, toca el panderillo: 30
tan tarantán;
y suenen con él
sonaja y rabel
con la flautilla
y baile toda la villa.

[De *Divinas poesías* (Lisboa, 1608), fol. 397.]

TIRSO DE MOLINA

(¿1584?-1648)

175

Que el clavel y la rosa,
¿cuál era más hermosa?

El clavel, lindo en color,
y la rosa todo amor;
el jazmín de honesto olor, 5
la azucena religiosa.
¿Cuál es la más hermosa?
La violeta enamorada,
la retama encaramada,
la madreselva mezclada, 10
la flor de lino celosa.
¿Cuál es más hermosa?
Que el clavel y la rosa,
¿cuál era más hermosa?

[De *El Melancólico*, I, 12.]

176

Segadores, afuera, afuera,
dejen llegar a la espigaderuela.
Quién espiga se tornara
y costara lo que costara
porque en sus manos gozara 5
las rosas que hacen su cara
por agosto primavera.
Segadores, afuera, afuera,
dejen llegar a la espigaderuela.
Si en las manos que bendigo 10
fuera yo espiga de trigo,
que me hiciera harina digo
y luego torta o bodigo
porque después me comiera.
Segadores, afuera, afuera, 15
dejen llegar a la espigaderuela.
Si yo me viera en sus manos
perlas volviera los granos,
porque en anillos galanos
en sus dedos soberanos 20
eternamente anduviera.
Segadores, afuera, afuera,
dejen llegar a la espigaderuela.

[De *La mejor espigadera,* III, 8.]

177

Pastorcico nuevo
de color de azor,
bueno sois, vida mía,
para labrador.
Pastor de la oveja, 5
que buscáis perdida,
y ya reducida
viles pastos deja;
aunque vuelta abeja,

13 *bodigo*: "Panecillo hecho de la flor de la harina, que suelen llevar a las iglesias por ofrenda". *Dicc. de Auts.*

pace vuestras flores. 10
Si sembráis amores
y cogéis sudor;
bueno sois, vida mía,
para labrador.

[De *El colmenero divino,* auto.]

178 ¡Bosques de Cataluña, inaccesibles,
que ejemplos estáis dando a la firmeza,
pues sin volar jamás, os sobran alas!
¡Amantes que ostentáis al viento galas,
ya bizarros, al mayo, y apacibles, 5
ya al enero imitando la aspereza!
Yo sé que la belleza
del sol os da desvelos,
que amor os viste, y os desnudan celos,
y porque no dé besos a las flores 10
con labios de esplendores,
juntáis ramos distintos,
y en el aire tejiendo laberintos,
del prado que matiza, emuladores,
sus celosías sois todos los días: 15
¡que celos inventaron celosías!
¡Animados del aire ramilletes,
cuando de rosas no, de plumas ricos!
¡Huéspedes de los árboles eternos
que la posada entre pimpollos tiernos 20
les pagáis, ya con alas, ya con picos!
Cuando en sus hojas componéis motetes,
si les cantáis falsetes,
yo sé que estáis celosos:
que celos, ya son falsos, y engañosos. 25
Testigos, los armónicos agravios,
que multiplican picos, sino labios,
las vueltas vigilantes,
que dáis a vuestros nidos por instantes,
del adúltero temor alcaides sabios, 30

porque amor al cuidado corresponda:
¡qué celos tiene quien su casa ronda!
¡Juguetes de la tierra, flores bellas
que en la niñez del año bastidores
os labra Flora, y el abril matiza 35
si aromas en vosotras sutiliza,
y al globo de zafir, al sol y estrellas
en número imitáis como en colores!
Yo sé que en los amores
de la madrugadora 40
por veros afeitar rosada Aurora,
si desperdicia perlas,
celosas competís, y por cogerlas,
ya cándidas, ya rojas,
Briareos de amor desplegáis hojas, 45
si fuistéis linces Argos para verlas
cambiantes ostentando en su presencia:
¡que celos no son más que competencia!
¡Fuentes siempre lascivas cuando puras,
que ya oblicuas, ya rectas, arrastrando, 50
el sol, tal vez, por enredar, desata
virillas tersas de bruñida plata
que adornan de ataujía las pinturas
con que Flora tabíes va pisando,
vida a las plantas dando 55
vegetales impulsos
arterias sois del prado, todas pulsos!
Mas yo sé que los celos,
si el amor os derrite os vuelven hielos;
que quien ama y murmura 60
no tiene su esperanza por segura,

41 *afeitar*: acicalar el rostro con afeites.
45 *Briareo*: uno de los Hecatonquinos, que poseía cien brazos.
52 *virilla*: "adorno en el zapato, especialmente de las mujeres". *Dicc. de Auts.*
53 *ataujía*: labor primorosa o de difícil combinación o encaje.
54 *tabí*: "cierto género de tela que se usaba antiguamente, como tafetán grueso prensado, cuyas labores sobresalían haciendo aguas y ondas". *Dicc. de Auts.*

ni desmentís, porque os riáis, desvelos,
pues el amor riendo nos avisa
que celos llanto son, si amor es risa.
¡Plantas, pues, aves, fuentes, si süaves 65
os vivifica amor, celos maltratan
y en contaros mi pena os entretengo!
¡Enamorado estoy, con celos vengo,
y imitando las plantas, fuentes y aves,
vida el favor me da, sospechas matan, 70
esperanzas dilatan
lo que el recelo hiela!
¡Celoso enamorado estoy de Estela!
¡Terrible contrapeso
que éstos quiten la vida, aquél el seso; 75
y aunque los dos pelean,
hermanos del amor los celos sean,
viviendo el corazón entre ellos preso!
Mas, pues amáis, ¡sufrid, mis pensamientos!
¡Que celos, del amor son alimentos! 80

[De *Los cigarrales de Toledo,* cigarral tercero.]

LUIS DE ULLOA Y PEREIRA
(1584-1674)

179 AL PINTOR QUE NO SACÓ PARECIDO EL RETRATO DE CELIA

¿Qué inteligencia celestial regía,
artífice, el error de tu destreza,
que quiso examinar si la belleza
copiarse de su esfera permitía?

¿Cuál estrella de lápiz te servía? 5
¿En qué porción de angélica pureza
bañaba los pinceles tu rudeza,
que trasladar la perfección quería?

No fue sujeto hermoso; la hermosura
libre de humanidad fue la que viste 10
y asombrado de luces te cegaste.

¡Oh feliz intentar de tu locura,
que hará glorioso en lo que no pudiste
la fama que te ha dado lo que osaste!

180

A LAS CENIZAS DE UN AMANTE PUESTAS EN UN RELOJ DE ARENA *

Ésta, que te señala de los años
las horas de que gozas en empeño,
muda ceniza, y en cristal pequeño
lengua que te refiere desengaños,

un tiempo fue Lisardo, a quien engaños 5
de Filis, su querido ingrato dueño,
trasladaron del uno al otro sueño.
¡Prevente, huésped, en ajenos daños!

En tanto estrecho al miserable puso
el incendio de amor y la aspereza 10
de condición esquiva y desdeñosa.

Póstumo el polvo guarda el primer uso,
inobediente a la naturaleza,
padeció vivo, y muerto no reposa.

* El tema procede de un soneto de Gerónimo Amalteo, según García Coronel, que lo tradujo en los *Cristales de Helicona* (Madrid, 1650), fol. 4v.

181 ALFONSO OCTAVO, REY DE CASTILLA, PRÍNCIPE PERFECTO, DETENIDO EN TOLEDO POR LOS AMORES DE HERMOSA, O RAQUEL, HEBREA, MUERTA POR EL FUROR DE LOS VASALLOS

[FRAGMENTO]

[...] Eligióse Raquel, en quien se vía
toda la perfección sin competencia,
y el más hermoso resplandor del día
vistió de luto en la primer audiencia;
y con tan inclinada cortesía, 5
que más fue adoración que reverencia,
salió la aurora de nubloso velo,
y a las plantas de Alfonso se vio el cielo.

Y libres del cendal las luces bellas,
que dejaron al rey en ceguedades, 10
verificó mejor que las estrellas
la fuerza de inclinar las voluntades.
¡Qué fácil los discursos atropellas,
si con muda elocuencia persüades,
hermosura infeliz, siempre nacida 15
para mortal estrago de la vida!

Desconócese el rey cuando examina
la diferencia que en el alma siente;
en gustoso tormento se imagina
o en pena que le aflige dulcemente, 20
y el alivio engañoso que destina,
por lisonja del ánimo doliente,
hace que del veneno se renueve
la sed ardiente que la vista bebe.

La majestad, cobarde, se retira, 25
introduciendo la desconfianza,
y viéndose mirar cuando no mira,
descubre, y no conoce, la esperanza.
Raquel, que en el extremo de la ira
halló tan improvisa la mudanza, 30
extrañaba el enojo, por süave,
y turbábala más lo menos grave.

Al dar el memorial, tembló la mano,
y a recibirle el rey, endurecido,
todas las señas recató de humano, 35
hasta que de las ansias oprimido,
olvidó en el semblante soberano
la violencia, y, en partes dividido,
algún afecto que dejó los lazos
fuera suspiro, juntos los pedazos. 40

Volvió a cobrarse, que permite el fuego
en los principios tanta resistencia,
y por fingir que se negaba al ruego,
sin fenecerla, levantó la audiencia.
Y entrando a sosegar tan sin sosiego, 45
que cada acción envuelve una violencia,
cerró la puerta golpe acelerado
para doblar la llave y el cuidado.

Cercado de rebeldes invasiones,
en los reparos del combate piensa, 50
temiendo las humanas prevenciones,
que se conjuran todas en su ofensa.
Estrechan más el sitio las pasiones,
y sola la razón a la defensa
en tantas partes vigilante estaba 55
a cuantas armas el amor tocaba.

Por frecuentes temblores que sentía,
temió que el corazón se le minaba;
fuele a reconocer y vio que ardía
por una parte y que por otra helaba. 60
De varios elementos se valía
el ingeniero que el volcán formaba,
porque en Vesubio racional se pruebe
la mezcla de la llama y de la nieve [...]

[De los *Versos que escrivió D. Luis de Vlloa Pereira, sacados de algunos borradores* (Madrid, 1659), pp. 7, 21 y 60-62.]

ANTONIO DE PAREDES *

(† h. 1620)

182 A UN LILIO

ODA

Tu principio en la aurora,
tu fin en la partida
del sol. ¡Qué breve vida!
¡Y qué vana es tu pompa, honor de Flora!
Como mis glorias eres, 5
lilio, que apenas naces, cuando mueres.
Ligero voló el día,
de quien tú fuiste hijo,
y es término prolijo
para medir con él la dicha mía; 10
pues infelice lloro
memorias hoy de un bien que ausente adoro.
Partióse Efire bella,
y como en rayos pudo,
que ya no fue lo dudo 15
de la esfera de Amor errante estrella.
Veloz, lucida tanto
la venera mi fe, siente mi llanto.

* Antonio de Paredes, cordobés, que sirvió en Italia y Flandes y murió en Toledo en 1620. Fue caballero del hábito de Santiago y elogiado por Cervantes en su *Viaje del Parnaso.*

183

A UNAS FLORES

ODA

Estas, Efire bella, suaves flores,
que amor dispuso en orden ingenioso
hoy, a mi mal pïadoso,
su fragancia te ofrecen, sus colores,
no compitiendo en vano 5
con tu rostro, tu aliento o con tu mano.
Que tus aromas bien, tus prendas bellas,
el cándido esplendor, el encendido,
puesto que sin sentido
reconocen humildes. Sólo entre ellas 10
ser cada cual procura
lengua de mi dolor, de mi fe pura.
Este clavel lo dice, cuyas hojas
viva imagen ahora de mis penas,
teñidas no en mis venas, 15
más de obscuras, ardientes más que rojas;
parece fue su riego
mi llanto y bien, porque es mi llanto fuego.
Esta violeta, que celosamente
más que nunca de azul miras vestida, 20
testigo es de mi vida,
que en pasión contra el alma más valiente
no perdona mi celo
aun a los que te ven ojos del cielo.
Este jazmín, que, emulación del día, 25
cuando nace de luces coronado
para ser mi abogado,
hoy ruiseñor de cándida armonía
vence a naturaleza,
acredita mi amor en su pureza. 30
Esta rosa, que en púrpura su nieve
trueca, viendo la tuya vergonzosa,
dice mi temerosa
flaca arrogancia, cuando más se atreve.

Sean, pues, todas ellas 35
memorias mías en tus manos bellas.

[De las *Rimas* (Córdoba, 1622), pero los traslado de la edición de A. Rodríguez-Moñino (Valencia, Castalia, 1948), pp. 38 y 41.]

MIGUEL TOLEDANO *

184 OTRO [VILLANCICO] A LO MISMO [AL NIÑO PERDIDO]

Si os perdéis, mi Niño,
por tenerme amor,
todos los perdidos
sean como vos.

Todo sois milagro, 5
pues queréis, Señor,
ganar al perdido
con perderos hoy.
Huélgome de veros
perdido en rigor, 10
porque yo de amores
me pierda por Dios.
Pues está el perderos
en ganarme yo,
todos los perdidos 15
sean como vos.

* Miguel Toledano, presbítero, natural de Cuenca, publicó la *Minerva sacra* con un soneto de Cervantes a doña Alfonsa González de Salazar, monja, a quien va dirigido el libro.

Vuestra madre, Niño,
se ve en confusión,
y no es maravilla,
pues le falta el sol. 20
Vos andáis perdido
por mí, que lo soy,
yo os pierdo el respeto,
viendo la ocasión.
Uno es el intento, 25
los efectos dos.
Todos los perdidos
sean como vos.

[De la *Minerva sacra* (Madrid, 1616), fol. 49.]

PEDRO SOTO DE ROJAS *

(1584-1658)

185 AMOR HABLA CALLANDO, MATA Y ETERNIZA

Ardo, pero mi ardor, ¡qué desventura!,
dentro del corazón, triste encogido
(gigante castigado, aun no atrevido),
debajo el monte de un silencio dura.

De allí, en centellas, por mi luz escura, 5
delincuente primer, primer sentido,
habla (mudo mi espíritu ofendido)
el colérico fuego que me apura.

Crece la llama, y mi mortal herida
(por aplacar su fuerza) humor le vierte; 10
crece, y sale en suspiros divertida.

Crece mi mal, y con mi mal mi suerte,
que aunque este fuego es muerte de mi vida,
dulce vida le espero de mi muerte.

186 INFIERNO DE AMOR SU PECHO

Un infierno es mi pecho, un encendido
tálamo de las furias de amor ciego;
no hay miseria ni llanto,
no hay dolor, no hay tristeza, no hay tormento
cual el que callo y siento. 5
En mí nacen (de mí) temor y espanto,
a lo que toco la esperanza niego
sin merecer discuento en tanta pena;
y si por aguas de memoria ajena
no le soy parecido, 10
le soy por aguas de mi propio olvido.

187 JAZMINES, ESPERANZA EN BLANCO

Blancos jazmines que en el blanco pecho
de mi cándida Fénix reposastes,
a quien color, a quien olor hurtastes
con ancha mano, si por tiempo estrecho,

puesto que ya por natural derecho 5
parece que gozáis lo que usurpastes,
¿cómo, decid, a tanto bien llegastes?
Que estoy de invidia (cual de amor) deshecho.

Volved las hojas ya, lenguas risueñas,
así no le paguéis a la mudanza 10
el censo a que os obliga haber nacido.

Pero no las volváis, que pues por señas
muestran agora en blanco mi esperanza,
dirán mi muerte, y tras mi muerte olvido.

188 DIVISIÓN, TRIBUTO NATURAL

Allá dejé mi corazón atado
dentro de vuestro pecho, en mi partida,
y por dulce principio de mi vida,
guardo del vuestro el singular traslado.

Con vos unido estoy, aunque apartado, 5
sin que pesada intermisión lo impida:
que de amistad por Eros extendida
montes penetra el curso dilatado.

Bien es que el alma sensitiva aprieta,
y de hambre y sed en esta ausencia muere, 10
porque le quitan su porción perfeta;

mas oficiando la razón infiere
(y le propone) que nació sujeta
a división de lo que bien se quiere.

189 TERNEZAS

¿Cuándo, eterno Señor, de mis dolores
alguno nacerá tan atrevido,
que asalte el muro a vuestro santo oído
y en él entre mi llanto y mis clamores?

¿Cuándo, con esperanza y sin temores, 5
desnudo sombras claridad vestido,
el gran vacío, que ocupó el sentido,
perfectos llenarán vuestros amores?

¡Oh cuán difícil, si a mi ser mezquino
(oh cuán tarde) se atiende y cuán temprano 10
si al vuestro generoso peregrino.

En tierra estoy, conduzca vuestra mano
(que yo por mí jamás sabré camino)
luz que se ofusca en laberinto humano.

[Del *Desengaño de amor en rimas* (Madrid, 1623), pero los copio de las *Obras de don Pedro Soto de Rojas,* edic. de A. Gallego Morell (Madrid, 1950), pp. 36, 71, 123 y 264.]

190 PARAÍSO CERRADO PARA MUCHOS, JARDINES ABIERTOS PARA POCOS

[FRAGMENTO]

Mansión segura

En grado, no de altura, al diestro lado,
en grada, sí, descansa,
cubierta con quietud, mansión segunda;
aquí el Favonio se quedó pasmado,
al dulce respirar medio falsete, 270
capilla alada en natural motete.
En mesas ricas de jazmín florido,
el discurso, el sentido,
a cada cual cantor sirven librete,
cuyo punto nevado 275
concuerda con la letra que ha estudiado.
Baco en cama de viento está dormido;
colcha de tela a que se dio tebana,
desvanecida, en su verdor se ufana.
Aquí la madre de las selvas mansa, 280
suelta, tiende su greña,
con diamantes dulcísimos sembrada,
cuyo fondo desdeña
majestuosa, al ámbar zahareña.

269 *Favonio*: "el viento que viene del verdadero Poniente, que por lo más común se llama Zéphiro". *Dicc. de Auts.*
275 *punto*: "en los instrumentos músicos es el tono determinado de la consonancia, para que estén acordes". *Dicc. de Auts.*

Por término se alberga tan süave, 285
en deliciosa bóveda campea
alcázar de las flores,
de las Nayas palacio,
que silencio y quietud guardan la llave.
Exhortación pequeña 290
a delicias y gustos temporales,
hace con sus almizcles la cermeña.
Dos minas la enriquecen de rubíes,
con mucha joya sin buril labrada,
que el Guzmán de Baeza 295
se las dejó para mayor grandeza.
El árbol, por sin fruto condenado
del gran Jüez, se le ofreció doblado,
y la tiniebla horrible
la acompaña apacible; 300
la sombra en tanto albergue se pasea,
y la luz disfrazada,
aunque toda se da, viene tapada.
Mientras sobre tachones de topacio,
en el quinto palacio, 305
guarda el decoro atento
cuantas vieron ejércitos brillantes
túnicas animosas de diamantes,
cuantos arneses de fulgente acero
dio la pesada mano, 310
dio el martillo ligero,
la lima porfiada,

288 *Nayas*: las Náyades, como las ninfas, habitadoras de ríos y fuentes.
292 *cermeña*: especie de pera.
295 *el Guzmán de Baeza*: "Ignoro a quién se refiere. Hubo un pintor, Juan de Guzmán, nacido en Puente de don Gonzalo (1611) y muerto en Aguilar de la Frontera en 1680, que vivió en Córdoba, donde se hizo famoso por sus obras artísticas y decoradas", anota Aurora Egido. Yo tampoco he encontrado ninguna referencia.
297 *el árbol por sin fruto condenado*: alude a la higuera. Al margen, en la primera edic. se anota la fuente: "Mateo, 21; Marcos, 11".

que a la prolija majestad agrada,
de oficioso Vulcano;
aquí ofrece combates ciento a ciento 315
más delicioso Marte que sangriento.
Feroz, no con lucrinos batallantes,
bizarro se embaraza,
alentando pomposa galeaza,
escuadrones lucidos de mosquetes, 320
y galera real con gallardetes,
que, a incontrastable fuerza echando escala
de castillo fosado,
cada cual le regala
a un tiempo y le fatiga su costado. 325
La pertinaz galante artillería,
con el humo de balas, que son perlas,
moja las luces del amante día;
y si la noche mereció cogerlas,
morena, pero hermosa, 330
con pabellón de aljófares reposa
y, entre faroles de cristal luciente,
todo plata respira combatiente.
Artificiosas mina y contramina,
preñadas de materia cristalina 335
quiebran, si llegan, al partir la fuente
de Naya hermosa, sucesión corriente.
Sarcófago florido,
tálamo delicioso de Cupido,
término dulce a su fatal carrera, 340
halló Siringa aquí, ya no ligera.
Y en süave certamen, no contienda
—que a cada luz la perdonó rendida—,
desafía olorosa,
cándida, permanente, bien prendida, 345
a la purpúrea ofrenda,

317 *lucrinos*: de Lucrino, lago en la Campania.
319 *galeaza*: la embarcación mayor de remos y vela.
341 *Siringa*: hamadriade, que, perseguida por Pan, fue convertida en caña.

que en ara religiosa
recibe alegre la Citerea diosa.

[Texto de la edic. de Aurora Egido (Madrid, Cátedra, 1981), pp. 106-109.]

LUIS CARRILLO Y SOTOMAYOR
(1585-6-1610)

191 LETRA SEGUNDA

¿Qué importa negar tus males,
corazón,
pues lenguas tus ojos son?

Encubrirme tus enojos
no lo querrán mis sentidos, 5
pues son mis ojos oídos
a palabras de tus ojos.
Mengua es ya, zagal, negar
en tu pecho tu pasión,
pues lenguas tus ojos son. 10
Bien puede estar escondido
el fuego de aqueste pecho,
mas con la lumbre que ha hecho
a luz tu mal ha salido.
Más cierto será mentir 15
tú, zagal, que tu afición,
pues lenguas tus ojos son.
Basta el pasado disfraz
pues toca en caso pensado,
el pecho de guerra armado 20
y el rostro armado de paz.
Ser ya extremo, y no secreto,
te lo dirá la razón,
pues lenguas tus ojos son.

348 *citerea diosa*: Venus, porque en Citera tenía consagrado un santuario.

192 A LA LIGEREZA Y PÉRDIDA DEL TIEMPO

¡Con qué ligeros pasos vas corriendo!
¡Oh, cómo te me ausentas, tiempo vano!
¡Ay, de mi bien y de mi ser, tirano,
cómo tu altivo brazo voy sintiendo!

Detenerte pensé, pasaste huyendo; 5
seguirte, y ausentástete liviano.
Gastete a ti en buscarte, oh inhumano:
mientras más te busqué, te fui perdiendo.

Ya conozco tu furia, ya, humillado,
de tu guadaña pueblo los despojos: 10
¡oh amargo desengaño no admitido!

Ciego viví, y al fin desengañado.
Hecho Argos de mi mal, con tristes ojos
huir te veo, y veo te he perdido.

193 PIDIÉNDOLE PIEDAD DE SUS MALES AL AMOR

Amor, déjame; Amor, queden perdidos
tantos días en ti, por ti gastados.
Queden, queden suspiros empleados,
bienes, Amor, por tuyos ya queridos.

Mis ojos ya los dejo consumidos 5
y en sus lágrimas propias anegados;
mis sentidos, ¡oh Amor!, de ti usurpados,
queden por tus injurias más sentidos.

Deja que sólo el pecho, cual rendido,
desnudo salga de tu esquivo fuego; 10
perdido quede, Amor, ya lo perdido.

¡Muévate (no podrá), cruel, mi ruego!
Mas yo sé que te hubiera enternecido,
si me vieras, Amor; mas eres ciego.

194 A UN CHOPO, SEMEJANTE EN DESGRACIA A SU AMOR

Remataba en los cielos su belleza,
alivio, un alto chopo, a un verde prado,
amante de una vid y della amado,
que amor halló aposento en su dureza.

Soberbia, exenta, altiva su cabeza 5
era lengua del céfiro enojado,
del verde campo rey, pues, coronado,
daba leyes de amor en su corteza.

Robóle su corona airado el viento;
sintió tanto su mal, que fue tornada 10
en verde escura su esperanza verde.

Yo, sin los lazos de mi Celia amada,
¿qué mucho a tal me traiga un pensamiento,
si un árbol me dio Amor que me lo acuerde?

195 A LAS PENAS DEL AMOR, INMORTALES

Hambriento desear, dulce apetito,
hambriento apetecer, dulce deseo,
detened el rigor, ¡ay!, ya, pues veo
mi negro día en vuestro enojo escrito.

Mientras con más calor os solicito 5
vuestro ardiente querer, mi dulce empleo,
por más que el bien a vuestro bien rodeo,
huye el remedio término infinito.

Sin duda moriré, pues que mis bienes
alimentan hambrientos a mis males. 10
Tú, dulce apetecer, la culpa tienes.

Muriendo, de sus penas desiguales
pecho, será imposible te enajenes;
hijos del alma son, son inmortales.

196 FÁBULA DE ACIS Y GALATEA

[FRAGMENTOS]

[...] El líquido cristal, que se abrazaba
y con lascivo juego se extendía
temeroso a las voces que escuchaba
esconderse en sí mismo pretendía;
yo, triste, que de miedo le negaba 5
aliento al flaco pecho y lengua fría
así escuché la causa de mi muerte
cantar mi rostro y lamentar su suerte".

[*Comienza el canto de Polifemo, contado ahora por Galatea.*]

"No la envidia del cielo, el prado hermoso
—ya por mejor color, ya por bordado 10
de hermosas flores— ni, con cuello hojoso,
el ciprés a las nubes encumbrado;
no del arroyo aquel color lustroso
—ya en aguas libre, ya en cristal atado—
ni juntos ciprés, prado, cristal frío, 15
igualan la beldad del dueño mío.

"No el indomable toro, más airado,
ni con ancianos brazos extendida,
resiste a su pastor, ni al enojado
viento resiste más la encina herida; 20
no está más sordo el fiero mar turbado
ni víbora cruel más ofendida,

que sorda está, que fiera está y airada,
en oyendo mi voz, mi prenda amada.
"Compite al blando viento su blandura 25
—de cisne blanca pluma— y en dudosa
suerte la iguala, de la leche pura
la nata dulce y presunción hermosa;
en su beldad promete y su frescura
del hermoso jardín el lirio y rosa. 30
Y, si mis quejas, ninfa hermosa, oyeras,
leche, pluma, jardín, flores vencieras.
"No al soberbio ladrido el temeroso
gamo, ligero tanto, iguala al viento
—que los deseos deja, presuroso, 35
atrás, corrido, del lebrel exento—,
como, al mirarme, el prado, del pie hermoso
no siente de mi dueño el blando asiento.
Mas ¿qué me espanto de que al viento igualas
si el amor y mi suerte te dan alas? 40
"Sosiega el rostro de la mar airado
con el divino tuyo, ninfa mía;
merezca —si lo puede un desdichado—
con sólo verte un rato de alegría;
borde tu rostro un campo dilatado 45
de azul cristal, y glóriese este día
ser la primera vez que su ancho velo
sirve a mi hermoso sol de ser su cielo.
"Exento del invierno y del verano,
parte del monte el alabastro puro 50
puebla, competidor de aquesa mano,
del tiempo envidia, cual tu pecho duro;
desiguales labores forma ufano,
de que serás su dueño ya seguro;
y piensa competir, altivo, al cielo, 55
pues lo tiene de ser al Sol del suelo [...]
"Ciñe mi larga frente un ojo; el cielo
—como el hermoso Sol— lo alumbra solo.
Suegro te doy a aquel que el ancho suelo

59 *suegro te doy*: Neptuno, padre de Polifemo.

abraza altivo de uno al otro polo: 60
tu rey es y señor; si gustas, vélo,
más que la hermana del hermoso Apolo;
¡mira que quien no teme el rayo airado,
tiembla a tu blanco pie, mi dueño amado!
"Sufriera tu desdén, triste, sufriera 65
mis dolores y penas inmortales;
si compañía en otros tristes viera,
pasáralas. Mas ¿quién tan desiguales?
¿Que así tu esquiva mano, que así quiera
la causa ser de mis perpetuos males? 70
¡Ay, yedra ingrata, a muro ajeno asida!
¡Y, ay, paciencia, más larga que mi vida!
"¡Arda en tus ojos él, arda en tu pecho!;
que él sentirá de aqueste brazo airado
la furia que gobierna a su despecho 75
lo que un cíclope puede, desdeñado:
por estos campos quedará deshecho
el tierno cuerpo de tu dueño amado,
y gustarás, en fin —que así lo quieres—,
ver siempre parte dél por donde fueres." 80

[*Termina Galatea el canto de Polifemo, y prosigue su narración.*]

"En vano el fiero, con terrible acento,
amenazas y amores lamentaba,
y su terrible voz el manso viento
—mas no en vano—, sereno, dilataba;
cuando, dejando el espacioso asiento, 85
los arrogantes pasos gobernaba
con un soberbio pino que traía:
temblaba el Etna donde el pie ponía.

87 La hermana de Apolo es la Luna, como ya se dijo en la nota 1197 de la p. 217.

"Cual el valiente toro que ha perdido
de la vacada el reino —que, enojado, 90
espanta el bosque con feroz bramido—,
desafía al contrario, confiado
en que algún duro roble habrá vencido
el duro imperio de su cuerno airado;
así el cruel, de amor y enojo ciego, 95
llenó frente y narices de humo y fuego.
"Volvió la vista do a mis ojos daba
plata en el cuello y en las hebras oro,
aquel que mis entrañas abrasaba,
aquel que era mi gloria y mi tesoro; 100
vio que en mi cuello mi Acis se enlazaba
—¡ay, causa justa de mi amargo lloro!—;
encontróse el amor y enojo, y pudo
—¿quién duda?— armado más que no un
[desnudo.
"Venció el enojo, en fin, venció; y, airado, 105
dando una gruesa peña al brazo exento,
temblando el Etna al grito levantado,
y sacándola ardiente de su asiento:
—"Será la vez postrera que abrazado
mire mi bien, mi mal", dijo; y el viento 110
la voz trujo y la piedra, y en un punto
me vi en la mar y vi mi bien difunto.
"Lo que los hados permitir quisieron,
de mi divino amante los despojos
en esta clara fuente los volvieron, 115
que cada día aumenta mis enojos;
aqueste el lugar fue donde le vieron
para no verle más mis tristes ojos,
y ésta la fuente hermosa y cristal frío
amarga siempre por el llanto mío." 120

[De las *Poesías completas,* edic. de Dámaso Alonso (Madrid, 1936).]

ANTONIO LÓPEZ DE VEGA *

(1586?-d. 1655)

197 OJOS, BOCAS DEL ALMA

Dos luminosas bocas son los ojos,
que la hermosura en interior sustento
al alma dan; y el amoroso aliento,
ya envuelto en gloria beben, ya en enojos.

Por ellos habla; y entre labios rojos 5
elocuente pronuncia su tormento;
y en líquido suspiro, húmido acento,
despide quejas, o descubre antojos.

¡Oh, en la distribución del gran supuesto,
que por tres bocas se alimenta, y vive, 10
desigualmente igual naturaleza!

Una le basta al corporal compuesto;
capaz el alma de mayor grandeza,
comunica por dos, por dos recibe.

[De *Lírica poesía* (Madrid, 1620), fol. 24v.]

* Antonio López de Vega, natural de Lisboa, pasó casi toda su vida en Castilla y residió en Madrid. Además de la *Lírica poesía* es autor de *El perfecto señor, sueño político y últimas poesías* (Madrid, 1936) y de *Poesías varias* (Madrid, 1652), aparte de distintas obras en prosa.

FRANCISCO DE FRANCIA Y ACOSTA *

(† d. 1624)

198

ROMANCE

Tormento que ha tantos días
que en mi corazón estáis,
no os vais, que ya la costumbre
hizo placer el pesar.
Algún tiempo fuistes pena, 5
pero sois tan otro ya,
que si con vos me perdía,
sin vos no me puedo hallar.
El ave que se ve libre,
si a la prisión hecha está, 10
solicitando la cárcel,
desprecia la libertad.
Por ser el llorar alivio,
aún no me atrevo a llorar:
que aquello que no es veneno 15
veneno mío será.
Pesares, llegad aprisa,
pero despacio llegad:
que la gloria de teneros,
temo que me ha de acabar. 20
Cobarde estoy con mis males,
porque es mi fortuna tal,
que me quitará el tormento,
sólo por me atormentar.
Agora vendrá la muerte, 25
que tengo por bien el mal:
que en cuanto por mal le tuve,
no quiso venir jamás.

* También portugués, quizá de Oporto, amigo del Príncipe de Esquilache y asistente a las Academias madrileñas de su tiempo.

199 A UN GALÁN QUE CALZABA MUY JUSTO

Que no mueras de dolor,
oh, Fabio, me maravilla,
que haces pie de redondilla
tu pie, que es de arte mayor.

[Del *Jardín de Apolo,* Madrid, 1624, fols. 32v y 49v.]

ANTONIO HURTADO DE MENDOZA

(1586?-1644)

200 ROMANCE

Pastores, que me abraso,
encanto hay en las selvas
peligros en las flores,
veneno hay en las hierbas.
Cristales disimulan 5
engaños de sirenas,
y efecto de mudanzas
lo firme de las peñas.
Cuanto se toca es fuego,
cuanto se escucha, quejas, 10
cuanto se ve, milagros,
cuanto se siente, penas.
Yo vi del sol los rayos
ceñir mayor esfera,
al alba en una risa, 15
al cielo en dos estrellas.

Hermosa cazadora
tiranizó la sierra,
debiendo el campo flores
a breves plantas bellas. 20
De un arco defendida
en una aljaba encierra
mil flechas para una alma,
y una alma en cada flecha.
Temedla, pues, zagales, 25
que trata su belleza
las fieras como a hombres,
los hombres como a fieras.
Escarmentad de verme
temiendo su violencia 30
con voces porque escuche,
con pasos, porque vuelva.
Cazadora enemiga,
mátame y vete,
¿qué más fieras deseas, 35
si me aborreces?

201 ROMANCE

De un obispo de cristal,
de un licenciado de perlas,
de un corregidor de rosa,
de un alcalde de azucenas,
de un jazmín en su garnacha, 5
de un clavel en su espetera,
de un alba en su oriente mismo,
de un cielo en su altura mesma,
yo pecador nada errado
me enamoré, y tan de veras, 10
que anda Amor de capa, y gorra,
ceños viste, y calza flechas.
Cuando esperé, que en la niña
brillando tantas bellezas
florecía el sol auroras, 15
el cielo nevaba estrellas,

hallo en la injusta rapaza,
pero todo hermoso en ella,
desnudo lo Chumacero,
y flechado lo Contreras. 20
Que hoy Dorazo en Buen Retiro
mostró la faz tan severa
entre lisonjas de yeso,
y entre mentiras de piedra.
¿Qué ministro seco, y duro 25
de los que en dudosa audiencia
caducan una esperanza,
granizan una respuesta,
fue más crespo y más helado
que vos (él tu guarda fuera), 30
que vos digo, Anfrisia hermosa,
gloria mía hasta en mi pena?
Bello serafín togado,
que entre madres y entre suegras,
tremola en dulces mesuras 35
ancianidades tan tiernas.
De un milagro de hermosura,
¿cómo una hermosa tan fiera
nació, siendo herencia suya,
la perfección, en que reina? 40
Bellísima cien mil veces
(que pocas son para vuestras),
y otras cien mil veces cruda,
que muchas son para ciertas.

19 *Chumacero*: don Juan Chumacero y Carrillo, jurisconsulto y diplomático (1580-1660), que gozó de muchos honores en la Corte.
20 *Contreras*: quizá don Francisco de Contreras († 1630), también jurisconsulto, a no ser que se trate del famoso aventurero Alonso de Contreras (1582-1644), amigo de Lope de Vega.
21 *Dorazo*: por el contexto parece algún actor representando en el Buen Retiro.

Fría pólvora de azúcar 45
en blanca y rubia pimienta,
justicia de Dios en flores
y cielo gozado en quejas;
mentira hermosa de hielo,
de amor gloriosa cautela, 50
en cuyo incendio erizado
vidas arden y almas tiemblan;
cuando en almíbar de nieve
caer mansamente dejas
palabras que en tibios labios 55
tan airosamente queman;
cuando en tu purpúrea boca
en lucientes primaveras
se baña la vista, y Flora
donaires chispa en tu lengua; 60
cuando en floridos balcones
tanta aurora centellea
ese risueño prodigio,
quietud flaca y traición bella;
cuya voz, que entre desmayos 65
brasas pronuncia y navega
golfos de flor, y en escollos
de rosa y jazmín se quiebra,
tan ardiente batería
hace en mi pecho que apenas 70
deja en mí noticias vivas,
sino en la fe nunca muerta.
Cuando los sentidos tienes
en dulcísima conversa
suspensos, y en tus palabras 75
venenos bebe la oreja,
a tus bellos ojos digo:
"Soles, temed competencias
"de una boca que habla rayos
en tempestades discretas." 80

74 *conversa*: convertida.

Si en piélagos de hermosura
a quien te ve con tormentas
en diluvios desazones,
el que te escucha se anega;
si, en fin, a ningún sentido 85
tus perfecciones no dejan
en paz y cuanto respira
tocas arma y mueves guerra,
¿qué ha de hacer un alma tuya,
que te llama y te confiesa 90
deidad sí, porque es justicia;
dueño no, porque es soberbia;
pero que te adora humilde?
Aun las ansias no le niegan,
que cobardes, cuando finas, 95
aun se están negando ofensas.
¡Oh venturoso aquel día
que yo te adoré! Aunque sea
morir desaprovechado:
que ya logra lo que acierta. 100
Hermosísima señora,
que en dulce tropel de inmensas
beldades, a tus beldades
aun la inmensidad es deuda,
con la ley común de amantes 105
ofenda el vivir, ofenda
todo, pero no permita
profanar vulgares huellas.
Pero el amor con respecto
haga ley, y ley tan nueva, 110
que sólo en los imposibles,
quien los creyere, los venza.

[De las *Obras poéticas,* edic. de R. Benítez Claros, I (Madrid, 1947), p. 279; II, p. 60.]

GARCÍA DE SALCEDO CORONEL *
(?-1651)

202 A UN ARROYO

En prisiones de hielo detenido
te viste un tiempo menos ambicioso;
ya libre, entre esmeraldas bullicioso,
cristales das al prado agradecido.

Acento dulcemente repetido 5
formas, cuanto agradable, si quejoso;
tu agravio solicitas presuroso
en las guijas que honoras ofendido.

Así adviertes del tiempo la mudanza
y del que obedeciste prisionero 10
mormuras hoy en libertad ufano.

¡Ay de aquél que sin luz de la esperanza
iguales siempre en su tormento fiero
el abril mira y el diciembre cano!

[De las *Rimas* (Madrid, 1627), fol. 21.]

203 CONTRA LA ESPERANZA HUMANA

Lisonja de la vida, engaño hermoso,
que el deseo venera suspendido,
áspid entre las flores escondido,
veneno más süave que piadoso;

* El insigne comentarista de Góngora, don García de Salcedo Coronel nació en Sevilla y murió en Madrid. Estuvo en Italia con el Duque de Alcalá, virrey de Nápoles, que le nombró gobernador de la ciudad de Capuz, y más tarde fue caballerizo del infante cardenal don Fernando de Austria. Se le debe la preciosa edición comentada de las *Obras de don Luis de Góngora* (Madrid, 1634-1648).

grato sueño en desvelo cuidadoso, 5
incierta luz que al corazón rendido,
por diversas tinieblas divertido,
guías a precipicio lastimoso;

ciega inquietud, sosiego imaginado,
breve consuelo de prolijos males, 10
gusto sin posesión, infiel bonanza,

¿quién ama tus errores engañado,
¡oh caduca esperanza de mortales!,
si tu mayor virtud es la mudanza?

[De *Cristales de Helicona* (Madrid, 1650), fol. 18v.]

SEBASTIÁN FRANCISCO DE MEDRANO *

(† 1653)

204 EN LA MUERTE DE JUAN MARTÍNEZ, MÚSICO DE CÁMARA DEL REY NUESTRO SEÑOR

EPIGRAMA

Volved, aves, volved a vuestro canto;
seguid, orbes, seguid el movimiento;
creced, flores, creced al blando viento;
dejad, hombres, dejad el triste llanto.

* Sebastián Francisco de Medrano fue clérigo madrileño y secretario del Duque de Feria. Es también autor de unos *Soliloquios del Ave María,* en prosa, y de diversas comedias en los *Favores de las Musas, en varias rimas y comedias.* Lope de Vega lo elogió en el *Laurel de Apolo.*

Coja la noche su funesto manto; 5
muestre la aurora su risueño aliento;
todo vierta placer, todo contento;
vuélvase admiración lo que fue espanto.

Faltó a la tierra Orfeo, el más famoso
que a la envidia causó mortal desvelo: 10
llevóle el cielo a su inmortal reposo.

Que era su voz del cielo y así el cielo
justo determinó, mostró piadoso
que no era digno de gozarlo el suelo.

[De *Favores de las Musas* (Milán, 1631), fol. 110.]

FR. JERÓNIMO DE SAN JOSÉ *

(1587-1654)

205 INFELIX EGO, ¿QUIS ME LIBERABIT DE CORPORE MORTIS HUJUS?

¡Triste infeliz de mí!, ¿quién, oh Dios mío,
me librará del cuerpo de esta muerte?
¿Quién del lazo cruel, del yugo fuerte
con que oprimido gime el albedrío?

* Fray Jerónimo de San José, Jerónimo Ezquerra de Rojas y Blancas, nació en Mallén (Zaragoza), asistió muy joven a la Academia de la *Pítima contra la ociosidad* de la condesa de Guimerá; estudió en Zaragoza, Lérida y Huesca, y en 1615 tomó el hábito de carmelita descalzo. Amigo de Lastanosa, Gracián y Uztarroz, es autor del *Genio de la Historia* y de un retrato en prosa de San Juan de la Cruz.

¡Ay Dios!, ¿y quién podrá del desvarío 5
con que a su ley la carne me convierte
ponerme en libertad, y a mejor suerte
reducir su pasión, domar su brío?

Mas ¿quién ha de poder, sino la gracia
de Dios, por Jesucristo merecida, 10
por Jesucristo dada en eficacia?

Cese, pues, tu dolor, alma afligida,
cese el temor, pues cesa la desgracia,
y en ti, mi Dios, espere agradecida.

206 VITA NOSTRA VAPOR ADMODICUM PARENS

Al trasmontar del sol, su luz dorada
cogió de unos fantásticos bosquejos
la tabla, y al matiz de sus reflejos,
dejóla de colores varïada.

Aquí sobre morado cairelada 5
arden las finbras de oro, en varios lejos,
acullá reverbera en sus espejos
la nube de los rayos retocada;

Suben por otra parte, en penachera
de oro, verde y azul, volantes puros, 10
tornasolando visos y arreboles.

Mas ¡oh breve y fantástica quimera!
Pónese el sol, y quedan luego oscuros
los vaporcillos, que eran otros soles.

207 EL RUISEÑOR Y LA ROSA

Aquélla, la más dulce de las aves,
y ésta, la más hermosa de las flores,
esparcían blandísimos amores
en cánticos y nácares süaves.

Cuando suspensa, entre cuidados graves, 5
un alma, que atendía a sus primores,
arrebatada a objetos superiores,
les entregó del corazón las llaves.

"Si aquí —dijo— en el yermo de esta vida
tanto una rosa, un ruiseñor eleva 10
(¡tan grande es su belleza y su dulzura!),

¿cuál será la floresta prometida?
¡Oh dulce melodía siempre nueva!
¡Oh siempre floridísima hermosura!"

[Textos de las *Rimas de Pedro Liñán de Riaza y poesías selectas de Fray Gerónimo de San José* (Zaragoza, 1876), pp. 39, 47. Pero el último lo publicó Gracián en su *Agudeza* (Huesca, 1649), p. 367.]

JOSÉ DE VILLAVICIOSA

(1589-1618)

208

LA MOSQUEA

[FRAGMENTO]

[...] Éste entre sí decía: "¿Qué te falta,
digno rey de las moscas, si lo eres
de cuanto el cuerno de la luna esmalta,
sin que las vueltas de fortuna esperes?
En ti se ve la dignidad más alta 5
colmada de los gustos y placeres,
sin temer los menguantes de la luna
ni las vueltas contrarias de fortuna.

"Tú tienes lleno el mundo de vasallos,
y todos hijos de la gran Mosquea, 10
que en diferentes suertes de caballos
el más pobre de todos se pasea;
y no me alargo mucho en alaballos,
pues no hay alguno que tan pobre sea,
que no sea rico por la tierra extraña, 15
más que los genoveses por España.

"¿Qué príncipe, qué rey ni qué monarca
puede tener, por mucho que le sobre,
cuanta riqueza en todo el mundo abarca
de todos mis vasallos el más pobre? 20
Si es porque a los tales en el arca
les sobra la moneda, plata o cobre,
mayor de mis vasallos es la fama,
pues el dinero ya mosca se llama.

"Pues si son de los bienes que produce 25
la madre tierra, ¿cuál se les escapa?;
¿cuál a su paladar no se reduce,
o cuál se les encubre o se les tapa?;
¿qué oculta mesa no se les trasluce,
y aunque se siente a ella el Rey o el Papa, 30
siempre la mosca su derecha ocupa,
y ella de todo la sustancia chupa.

"¿Qué rico mercader o trapacista
hay en el mundo, que contrate o venda
sin que el testigo mosca por su vista 35
note los malos tratos de su tienda?
¿Qué honra con secreto se conquista
sin que ella no lo sepa ni lo entienda?
¿Qué asalto hay, qué encuentro, qué batalla
donde la fuerte mosca no se halla? 40

"Siempre está en los registros y adüanas,
y siempre es quien preside en los escaños;
en Florencia la rica trata en lanas,
en la ciudad de Londres trata en paños;

24 *mosca*: "llaman en estilo familiar y festivo al dinero". *Dicc. de Auts.*

a África también pasa con granas, 45
con caballos a reinos que, aunque extraños,
no hay en los puertos guarda que la impida
ni le haga tuertos, ni derechos pida.
"En África, en España, en Alemania,
en Arabia, en Tiro y en Sidonia, 50
en Francia, en Flandes, en Mesopotamia,
en la Pullia, en Austria y en Sajonia,
en Lidia, en Libia, en Persia y en Hircania,
en Grecia, Trapisonda y Macedonia,
en Vallecas, en Meco y la Zarzuela, 55
la mosca en todas estas partes vuela.
"¿Qué diré de la India, adonde envía
Febo con grande fuerza sus calores?
Las moscas son sus hijas, pues las cría
y las engendra sólo en sus ardores; 60
la provincia también de Andalucía
es donde se producen las mejores,
y es por tener el temple muy caliente,
en moscas y caballos excelente.
"Sólo la mosca el septentrión helado 65
muy raras veces en su vida pasa,
no porque tenga espacio limitado
ni el largo vuelo suyo tenga tasa;
sino que es sitio estéril, mal templado,
que nunca el sol sus términos abrasa, 70
y danle del invierno en la aspereza
vaguidos importunos de cabeza.
"Ningún amante con igual destreza
en servir a su dama se señala.
¡Con cuánta gallardía y gentileza 75
alegres vueltas hace por su sala!
¡Con cuánto desenfado y sutileza
le muestra el tornasol de una y otra ala!
¡Qué galán y cortés la dama toca,
su amor le dice, y bésala en la boca! 80
"Ni tampoco ha faltado quien escriba
que ella fue de la música inventora,
y que este mismo nombre se deriva

del propio que la mosca tiene ahora;
y cualquiera que entrambos los perciba, 85
en la cuenta dará luego a la hora,
pues casi entrambos una cosa anuncian
si en la lengua latina se pronuncian.
"Y este símil es propio y importante
y para prueba desto de provecho, 90
porque siempre la cosa semejante
por prueba se recibe en el derecho;
demás que la razón está delante
con que cualquiera quede satisfecho,
pues si música en síncopa le nombres, 95
no se quitan tajada los dos nombres.
"¡Con qué sonora voz, con qué zumbido
las alas de su música concierta!
Con qué del dubio arriba referido
nos muestra la verdad patente y cierta; 100
la vez que el dulce son llega al oído,
al más metido en sueño le despierta,
y algunas también hace de manera
que le oiga el que no quiere, aunque no quiera.
"¡Oh dichoso animal, y más dichoso 105
yo, pues que vengo a ser en tiempos tales
temido, respetado y poderoso
rey de tan singulares animales!
Mas ¿de qué sirve ser tan venturoso,
si no conoce el mundo las señales 110
que puedo darle, cómo soy más rico
que cuanto con palabras le publico?"

[De *La Mosquea* (Cuenca, 1615), pero lo copio de la edic. de la BAE, XVII, pp. 577-578.]

84 La palabra 'mosca' deriva de la latina 'musca', que está muy cerca de 'musica'.
99 *dubio*: "la cosa que se duda". *Dicc. de Auts.*

ESTEBAN MANUEL DE VILLEGAS
(1589-1669)

209

ODA V

Suelta al céfiro blando
ese vellón que luce en tu cabeza,
verás que, tremolando,
a cautivar amantes, Lida, empieza,
y que en cada cabello 5
enreda un alma y aprisiona un cuello.
Como en el mes ardiente
el viento mueve las espigas de oro
con soplo diferente,
así las hebras, que en el alma adoro, 10
del céfiro movidas,
darán mil muertes, vencerán mil vidas,
No de otra suerte Apolo
con su resplandeciente cabellera
viste de luz el polo, 15
ni el mismo sol resplandecer pudiera,
si de tu roja frente
no hurtara rayos para darle a oriente.

210

ODA VI

¡Oh cuán dulce y süave
es ver al campo cuando más recrea!
En él se queja el ave,
el viento espira, el agua lisonjea,
y las pintadas flores 5
crían mil visos, paren mil olores.

[210] 6 *viso*: "se toma asimismo por la onda de resplandor que hacen algunas cosas heridas de la luz". *Dicc. de Auts.*

El álamo y el pino
sirven de estorbos a la luz de Febo;
brinda el vaso contino
del claro arroyo con aljófar nuevo, 10
y la tendida grama
mesa a la gula es, y al sueño cama.
Tú solamente bella
nos haces falta, Tíndaris graciosa;
y si tu blanca huella 15
no te nos presta como el alba hermosa,
lo dulce y lo süave
¡cuán amargo será!, ¡cuán duro y grave!

211 ODA XXII

A márgenes y ríos
detengo y enternezco:
¡tal es el llanto de los ojos míos!,
¡tal es la pena que de amor padezco!
Tú solamente, Asteria, 5
eres a quien no muevo en tal miseria.
Pues aunque hubieras sido
hija del ciprïota
peñasco, a su pesar endurecido
y sin lastar de lástima una gota 10
miraras el colgado
de tus umbrales triste enamorado,
¡eh! deja, que no agrada
a Venus tal dureza,
por más que guste ver ensangrentada 15
su flecha en juventud y gentileza:
que con el porfiado
castigo, se hace el hombre escarmentado.
Yo, por cierto, no hay duda,
bien pusiera el deseo 20
en Clicie, que me mira menos cruda;
pero temo este mismo devaneo:
que la mujer rogada
se muda de ordinario en obstinada.

Pues mira estas razones 25
y no llegues a verte,
siendo mujer, retrato de leones,
siendo muchacha, imagen de la muerte,
que por eso el desvío
se sabe castigar con mármol frío. 30

212

CANTILENA VII

DE UN PAJARILLO

Yo vi sobre un tomillo
quejarse un pajarillo,
viendo su nido amado,
de quien era caudillo,
de un labrador robado. 5
Vile tan congojado
por tal atrevimiento
dar mil quejas al viento,
para que al cielo santo
lleve su tierno llanto, 10
lleve su triste acento.
Ya con triste armonía,
esforzando el intento,
mil quejas repitía;
ya cansado callaba, 15
y al nuevo sentimiento
ya sonoro volvía;
ya circular volaba,
ya rastrero corría;
ya, pues, de rama en rama, 20
al rústico seguía,
y saltando en la grama,
parece que decía:
"Dame, rústico fiero,
mi dulce compañía"; 25
y a mí que respondía
el rústico: "No quiero."

213 SÁFICOS

Dulce vecino de la verde selva,
huésped eterno del abril florido,
vital aliento de la madre Venus,
Céfiro blando.
Si de mis ansias el amor supiste, 5
tú que las quejas de mi voz llevaste,
oye, no temas, y a mi ninfa dile,
dile que muero.
Filis un tiempo mi dolor sabía,
Filis un tiempo mi dolor lloraba, 10
quísome un tiempo, mas agora temo,
temo sus iras.
Así los dioses con amor paterno,
así los cielos con amor benigno,
nieguen al tiempo que feliz volares 15
nieve a la tierra.
Jamás el peso de la nube parda,
cuando amenace la elevada cumbre,
toque tus hombros, ni su mal granizo
hiera tus alas 20

[Textos de la edic. de *Las eróticas,* de N. Alonso Cortés, en Clásicos Castellanos, pp. 14, 15, 129 y 247.]

MARÍA DE ZAYAS Y SOTOMAYOR

(1590-1669?)

214 En el claro cristal del desengaño
se miraba Jacinta descuidada,
contenta de no amar, ni ser amada,
viendo su bien en el ajeno daño.

Mira de los amantes el engaño, 5
la voluntad, por firme, despreciada,
y de haberla tenido escarmentada,
huye de amor el proceder extraño.
Celio, sol desta edad, casi envidioso,
de ver la libertad con que vivía, 10
exenta de ofrecer a amor despojos,
galán, discreto, amante y dadivoso,
reflejos que animaron su osadía,
dio en el espejo, y deslumbró sus ojos.
Sintió dulces enojos, 15
y apartando el cristal, dijo piadosa:
"Por no haber visto a Celio, fui animosa,
y aunque llegue a abrasarme,
no pienso de sus rayos apartarme."

[De las *Novelas amorosas y ejemplares*, edic. Agustín G. de Amezúa (Madrid, 1948), p. 46.]

MANUEL FARIA Y SOUSA *
(1590-1649)

215 QUIEN ES EL MÁS SUFRIDO

¿Qué me quieres, trabajo? ¿Soy el centro
de tu inevitable tiranía?
Si piensas acabarme en tal porfía
más larga vida en tu diseño encuentro.

* Don Manuel Faria y Sousa, portugués que estudió en Salamanca y más tarde entró al servicio del obispo de Oporto, pero ya en 1618 se encontraba en Madrid en los círculos literarios de la Corte. Es autor de diversas obras poéticas, como las tituladas *Fuente de Aganipe,* de las *Rimas varias* en siete volúmenes (Madrid, 1624-1627) y de los comentarios a *Os Lusiadas,* de Camões. Lo elogió Lope de Vega, de quien fue muy amigo.

Darte el nombre podré, si en cuentas entro, 5
de Josüé, por otra incierta vía,
que es siempre para mí más largo el día
en tanto que del alma vives dentro.

Tú, causador de mis tristezas graves,
o me deja sin ti ver acabado, 10
o contigo te pido que me acabes.

Ya me canso, trabajo, y en tal estado
no te podré llevar, mas, ¡ay!, que sabes
que te lleva mejor el más cansado.

[De *Divinas y humanas flores* (Madrid, 1624), fol. 10.]

ANÓNIMO

216 CEGUEDAD DE UN AMANTE

Desconsolada, lánguida, caída
sobre la faz tristísima del viento,
en nube, en luto, en caos soñoliento,
la alma del mundo está despavorida.

Al hielo la ave y al terror rendida; 5
no canta el río, calla descontento;
van las estrellas por el firmamento
perezosas y negras y sin vida.

[215] 6 Josué, hijo de Jesedec, fue también como su padre sumo sacerdote, que vuelto a Jerusalén reorganizó el servicio divino y en la época de Darío terminó el nuevo templo. El autor del *Eclesiástico* (XLIX, 14) le dedicó grandes elogios.

¡Qué dormido, qué solo que está el mundo!
Ni el pájaro más triste se lamenta; 10
el mar no se oye, el aire está parado.

Las horas pasan con horror profundo.
¿Y yo canto en imagen tan violenta?
Sí, que estoy loco yo y enamorado.

[Ms. 272 de la Bibl. Univ. de Zaragoza, f. 14v.
De mediados del siglo XVII.]

JOSÉ DE SARABIA *
(1593-4 † d. 1630)

217 Ufano, alegre, altivo, enamorado,
cortando el aire el suelto jilguerillo,
sentóse en el pimpollo de una haya,
y con el pico de marfil nevado
entre el pechuelo blanco y amarillo, 5
las plumas concertó pajiza y baya;
y celoso se ensaya
a discantar en alto contrapunto
sus celos y amor junto,
y al ramillo, y al prado y a las flores 10
libre y ufano cuenta sus amores.
Mas, ¡ay!, que en este estado
el cazador crüel, de astucia armado,
escondido le acecha,
y al tierno corazón aguda flecha 15
tira con mano esquiva
y envuelto en sangre en tierra lo derriba.
¡Ay, vida mal lograda,
retrato de mi suerte desdichada!

* José de Sarabia, vecino y natural de Pamplona, fue secretario del Duque de Medinasidonia y caballero de Santiago en 1628.

De la custodia del amor materno 20
el corderillo juguetón se aleja,
enamorado de la yerba y flores,
y por la libertad y pasto tierno
el cándido licor olvida y deja,
por quien hizo a su madre mil amores: 25
sin conocer temores,
de la florida primavera bella
el vario manto huella
con retozos y brincos licenciosos,
y pace tallos tiernos y sabrosos. 30
Mas, ¡ay!, que en un otero
dio en la boca del lobo carnicero,
que en partes diferentes
lo dividió con sus voraces dientes,
y a convertirse vino 35
en purpúreo el dorado vellocino.
¡Oh inocencia ofendida,
breve bien, caro pasto, corta vida!

Rica con sus penachos y copetes,
ufana y loca, con ligero vuelo 40
se remonta la garza a las estrellas,
y, aliñando sus negros martinetes,
procura parecer allá en el cielo
la reina sola de las aves bellas;
y por ser ella de ellas 45
la que más altanera se remonta,
ya se encubre y trasmonta
a los ojos del lince más atentos
y se contempla reina de los vientos.
Mas, ¡ay!, que en la alta nube 50
el águila la ve y al cielo sube,
donde con pico y garra
el pecho candidísimo desgarra
del bello airón que quiso
volar tan alto con tan corto aviso. 55

42 *martinetes*: plumas de la garza "de que se hacían penachos para las gorras y sombreros". *Dicc. de Auts.*

¡Ay, pájaro altanero,
de mi suerte retrato verdadero!
Al son de las belígeras trompetas
y al rimbombar del sonoroso parche,
forma escuadrón el general gallardo: 60
con relinchos, bufidos y corvetas
pide el caballo que la gente marche
trocando en paso presuroso el tardo.
Tocó el clarín bastardo
la esperada señal de arremetida, 65
y en batalla rompida,
teniendo cierta del vencer la gloria,
oyó su gente que gritó victoria;
mas, ¡ay!, que el desconcierto
del capitán bisoño y poco experto, 70
por no guardar el orden
causó en su gente general desorden;
y, la ocasión perdida,
el vencedor perdió victoria y vida.
¡Ay, fortuna contraria, 75
en mis prósperos fines siempre varia!
Al cristalino y mudo lisonjero
la altiva dama en su beldad se goza,
contemplándose Venus en la tierra,
y al más soberbio corazón de acero 80
con su vista enternece y alboroza,
y es de las libertades dulce guerra:
el desamor destierra
de donde pone sus divinos ojos,
y de ellos son despojos 85
los purísimos castos de Dïana,
y en su belleza se contempla ufana.
Mas, ¡ay!, que un accidente,
apenas puso el pulso intercadente,
cuando cubrió de manchas, 90
cárdenas ronchas y viruelas anchas,

59 *sonoroso parche*: el tambor.

el bello rostro hermoso,
trocándole en horrible y espantoso.
¡Ay, beldad malograda,
muerta luz, turbio sol y flor pisada! 95
Sobre frágiles leños, y con alas
de lienzo débil, que del mar son carros,
el mercader surcó sus claras olas:
llegó a la India, y, rico de bengalas,
perlas, aromas, nácares bizarros, 100
dio vuelta a las riberas españolas.
Tremoló banderolas,
flámulas, estandartes, gallardetes:
dio premio a los grumetes
por haber descubierto 105
de la querida patria el dulce puerto.
Mas, ¡ay!, que estaba ignoto
a la experiencia y ciencia del piloto
en la barra un peñasco,
donde, chocando de la nave el casco, 110
dio a fondo, hechos mil piezas,
mercader, esperanzas y riquezas.
¡Pobre bajel, figura
del que anegó mi próspera ventura!
Mi pensamiento con ligero vuelo 115
ufano, alegre, altivo, enamorado,
sin conocer temores la memoria,
se remontó, señora, hasta tu cielo,
y contrastando tu desdén helado,
venció mi fe, gritó el amor victoria, 120
y en la sublime gloria
de tu beldad se retrataba el alma;
el mar de amor en calma
mi navecilla con su viento en popa
llevaba navegando a toda ropa. 125

99 *bengala*: cierto género de velo muy delgado que se fabricaba especialmente en Bengala y de ahí su nombre.
103 *flámulas*: "banderas pequeñas. Estas y los gallardetes sólo se ponen en las embarcaciones". *Dicc. de Auts.*

Mas, ¡ay!, que mi contento
fue el pajarillo y corderillo exento;
fue la garza altanera,
fue el capitán que la victoria espera,
fue la Venus del mundo, 130
fue la nave del piélago profundo;
pues por diversos modos
todas las muertes padecí de todos.
Canción, ve a la coluna
que sustentó mi próspera fortuna, 135
y verás que si entonces
te pareció de mármoles y bronces,
hoy es mujer; y en suma
breve bien, fácil viento, leve espuma.

[Atribución según el ms. hispánico 56 de la Bibl.ª de Harvard, donde reza: *Canción de don José de Sarabia, Secretario del Duque de Medina Sidonia, con nombre impuesto de "Trevijano"*. Como del Trevijano aparece también en distintos ms. de la Nacional. Vid. mi nota en la *RFE,* XXVI, 1942, pp. 80-83. Texto según la edic. de R. Foulché-Delbosc en la *Rev. Hispanique,* t. XVI, 1907, pp. 288 y ss., aunque no acepto todas sus lecciones.]

MIGUEL BOTELLO DE CARVALLO *
(1595 † d. 1647)

218 Leve asombro del mar, peñasco leve,
selva de plumas y de pinos ave,
que dividiendo vas, soberbia nave,
en campos de zafir, montes de nieve,

* Miguel Botello de Carvallo, natural de Viseo, acompañó en 1622 como secretario a don Francisco de Gama, virrey de la India, y más tarde estuvo en París con Vasco Luis de Gama, cuando fue embajador en 1647. Escribió también una *Fábula de Píramo y Tisbe* (Madrid, 1621) y *El pastor de Clenarda* (Madrid, 1622).

si el salobre elemento no se atreve 5
tu pompa a contrastar, si en él no cabe,
soplando agora el céfiro süave,
siendo el altivo mar esfera breve,

con menos lozanía cause asombros,
recelando del golfo las montañas, 10
con menos bríos sus entrañas rompa;

que, en fin, ha de acabar muerta en sus hombros,
o sepultada viva en sus entrañas:
que al fin acaba la mundana pompa.

[De *Rimas varias y tragi-comedia del mártir d'Ethiopia* (Ruan, 1646), fol. 7.]

BERNARDA FERREIRA DE LA CERDA *

(1595-1644)

219 Por entre las peñas duras
que se cuelgan de los cerros,
ya coronando la tierra,
ya siendo basas del cielo,
hay mil cóncavas cavernas 5
de laberintos perfectos,
que en intrincados anfractos,
el aire retumba en ecos.

* Doña Bernarda Ferreira de la Cerda, natural de Oporto, fue educada exquisitamente. En sus *Soledades de Buçaco* dice en el prólogo: "escribo en castellano por ser idioma claro y casi común". Escribió también la *España libertada* (Madrid, 1618). Fue muy elogiada por Faria y Sousa y, sobre todo, por Lope de Vega.

7 *anfracto*: "rodeo de camino áspero". *Dicc. de Auts.*

Habitan muchas especies
de animales dentro dellos, 10
y de cada especie déstas
hay individuos sin cuento.
El cerdoso jabalí,
el pardo ligero ciervo,
que corre los montes altos 15
más veloz que el mismo viento.
También el cobarde corzo
anda por allí sin miedo;
el tejón y la jineta,
la zorra y el lobo fiero. 20
La cauta y tímida liebre,
con el inquieto conejo,
que desde una piedra en otra
salta lascivo y travieso.
Los ligeros pajarillos, 25
son tantos y tan diversos,
que volando por el aire,
forman escuadrones densos.
Rompiendo con sus gargantas
aquel profundo silencio, 30
sin compás, claves ni letras,
hacen concordes acentos.
La Filomena se queja
entre dulcísimos quiebros,
respóndele el sirguerillo 35
con el chamariz parlero.
La negra mirla le ayuda,
mientras en los ramos secos
gime la tórtola triste
por su compañero muerto. 40

36 *chamariz*: "páxaro más pequeño que el canario, de color verde, que canta con suma velocidad". *Dicc. de Auts.*

También gime de otra parte
Progne por el hijo tierno,
que, por vengar a su hermana,
mató con tirano pecho.
Arrulla la palomilla 45
y graznea el negro cuervo,
y el ánade en las lagunas,
mientras se baña contento.
Entre ellas bate las alas
el nevado cisne bello, 50
que con música süave
festeja el día postrero.
La garza y perdiz calzada
andan allí sin recelo;
la galerita y la grulla, 55
vigilante en todo tiempo.
Allí la águila real
tiene larguísimo imperio
y enseña los hijos suyos
a mirar al rubio Febo. 60
Infinitos pececillos
nadan por los arroyuelos,
vistiendo el aire de plata
con sus saltos y rodeos.
Concuerdan sólo en ser peces, 65
que en lo demás son diversos,
con diferencias notables,
con apellidos inmensos.

42 *Progne*: hermana de Filomela, que mató a su hijo y lo dio a comer a su marido Tereo por haber violado a su hermana. Los dioses la convirtieron en golondrina.
55 *galerita*: la cogujada o totovía.

220 SONETO AL DESIERTO DE BUÇACO

Jardín cerrado, inundación de olores,
fuente sellada, cristalina y pura;
inexpugnable torre, do segura
de asaltos, goza el alma sus amores.

Intactas guardas tus hermosas flores, 5
matas la sed, destierras la secura,
ostentas majestad, y desa altura
penden trofeos siempre vencedores.

El verdor tuyo nunca el lustre pierde,
ni se enturbia el candor de tu corriente; 10
firme está tu invencible fortaleza.

Que es el jardín cerrado siempre verde,
es siempre clara la guardada fuente,
y es propia de la torre la firmeza.

[De las *Soledades de Buçaco* (Lisboa, 1634), pero los copio de la *Antología,* de Serrano y Sanz, pp. 258 y 272.]

ANTONIO ALVARES SOARES *
(† d. 1631)

221 AMANTE QUE NO PUEDE OLVIDARSE DE AMOR
Y SEGUIR LA RAZÓN

Se rindió el corazón, cegó el sentido,
con propio aplauso, bella tiranía;
en actos libres la razón porfía
y a sacudir el yugo obedecido.

* Antonio Alvares Soares, natural de Lisboa, siguió la carrera de las armas militando en Flandes.

Mas, ¡ay!, que en las acciones de perdido, 5
tal premio el alma halló, que si me guía
al olvido de Amor la razón pía,
bebo nueva memoria en el olvido.

¡Oh para nuevo mal, por medio extraño,
ilustrada razón, ciego deseo, 10
pues viendo la verdad, sigo el engaño!

Mal tendrá la razón de Amor trofeo,
si le defiendo a Amor mi propio daño,
cuando en favor de la razón peleo.

[De las *Rimas varias* (Lisboa, 1628), edición de A. Pérez Gómez (Valencia, 1963), p. 17.]

MIGUEL MORENO *
(1596-1635)

222 EPIGRAMAS

Matrimonio propusieron
a don Juan, de años sesenta,
con una niña que en cuenta
de diez y seis la pusieron.
Él dijo: "Son necedades; 5
que en tan desigual unión
se vincula la razón,
pero no las voluntades."

* Miguel Moreno, de Villacastín (Segovia), estudió leyes, fue secretario de Felipe IV y pasó a Roma en 1635 con don Juan Chumacero, donde falleció al poco tiempo. Es autor también de dos comedias, dos novelas y del *Diálogo en defensa de las damas.*

223

Conforma con la opinión
frey Tomás en lo discreto,
si explicara su conceto
sin obscura afectación;
y así le digo, después 5
de haber su plática oído,
que siendo bien entendido,
bien entendido no es.

224

Juan a comer convidó
a Pedro, que fue en ayunas,
y poniéndole aceitunas
al principio, lo admiró.
Y dijo: "En mi tierra vi 5
que éstas siempre postres fueron."
Juan respondió: "Y no mintieron,
que también lo son aquí."

[De las *Flores de España* (Roma, 1735), pero los copio de la edic. de Adolfo de Castro en la BAE, XLII,. pp. 167, 168 y 171.]

DIEGO FÉLIX DE QUIJADA Y RIQUELME *

(1597-8 † antes de 1630)

225

No quise ausente el sol a mi sentido,
no que eclipse sus rayos con su ausencia,
no que falte al deseo la paciencia,
luz al ser, fin al mal, rayo al olvido.

* Don Diego Félix de Quijada y Riquelme, quizá sevillano, estudió Filosofía y Teología y murió muy joven, como lamenta Lope de Vega en la Silva II de su *Laurel de Apolo.*

No siento, no, que a haberlo merecido 5
hace a mi sentimiento resistencia;
mas lloro por mi daño y su violencia,
que habiendo sol mirarle no he podido.

Si el sol cuando nos mira se dejara
mirar sin abrasarnos el deseo, 10
por gloria tal, tal pena se llevara.

¡Oh triste yo, que mi esperanza empleo
en querer y buscar la lumbre clara
que adoro siempre, pero nunca veo!

226 Suele mancebo Sol de espuma cana,
y aunque cana de joven hermosura,
violar o la viudez o la clausura:
que un poderoso amor todo lo allana.

Goza pura beldad, mas no profana 5
rayos ardientes en el agua pura,
que ardientes quedan más si más procura
abrasar el cristal a que se humana.

Otro material fuego en aguas tales
yace olvidado; pero tú, contento, 10
en topacios conviertes los cristales.

Imagen eres, Sol, de otro avariento
que presente a mi llanto y a mis males
ni se humedece ni hace sentimiento.

[De las *Soliadas,* publicadas por don M. Pérez de Guzmán (Sevilla, 1887), pp. 4 y 12.]

BERNARDINO DE REBOLLEDO
(1597-1676)

227

LETRA

Entraréis en el agua,
barquero nuevo,
y sabréis a qué sabe
batir los remos.

Vos, que los mares de amor 5
no habéis jamás navegado,
ni habéis los golfos pasado
que hay del desdén al favor,
conoceréis el rigor
de su instable variedad; 10
probaréis la tempestad
de los procelosos vientos,
y sabréis a qué sabe
mover los remos.

Cuando las ondas surquéis 15
de sus inquietas mudanzas
aunque a dulces esperanzas
vuestro vïaje fiéis,
en sirtes encallaréis,
que, sin poderlo excusar, 20
os trague el airado mar,
estando a vista del puerto,
y sabréis a qué sabe
mover los remos.

Veréis sosegado el viento 25
claro el sol, el mar tranquilo,
que con engañoso estilo
os da grato acogimiento,
y trocarse en un momento

todo en tanta confusión, 30
que hace el airado Aquilón,
subir las ondas al cielo,
y sabréis a qué sabe
mover los remos.

[De *Ocios del Conde don Bernardino de Rebolledo,* I (Madrid, 1778), pp. 70 y 636.]

228 Señor, no con furor me reprehendas,
ni castigues con ira; [1]
ten lástima de mí que soy enfermo;
y sáname, Señor, porque mis huesos [2]
están atormentados, 5
el alma perturbada.
¡Oh, Señor!, ¿hasta cuándo
estarás su socorro dilatando?
Señor, vuelve a librarla
por tu misericordia, y a salvarla. 10
¿Pues en la muerte quién tendrá memoria,
ni del sepulcro exaltará tu gloria? [3]
Trabajado suspiro;
toda la noche nada
en lágrimas mi lecho, 15
y en ellas mi sitial está deshecho.
El enojo mis ojos enflaquece, [4]
el continuo pesar los envejece.
Separaos de mí cuantos
obráis iniquidades, 20
que oyó Dios de mi llanto los acentos:
Jehová mi voz ha oído,
el Señor ha mis ruegos admitido.

[1] Sal., 38, 1.
[2] Sal., 38, 3.
[3] Sal., 30, 9; Isa., 38, 18.
[4] Job, 17, 7; Sal. 31, 10.

Avergonzados teman
todos mis enemigos; 25
de vergüenza el temor bañe su frente
arrebatada y repentinamente.

[De la *Selva sagrada o Rimas sacras del conde don Bernardino de Rebolledo* (Madrid, 1778), p. 7.]

229

SALVAS DÁNICAS

[FRAGMENTO]

[...] El peñasco interior pródigamente
de sus venas desata
caudal extraordinario para fuente,
materia no, pues es bruñida plata,
en círculo no breve, 5
que cóncavo en la peña se dilata
con igualdad, sin el favor del arte,
y la humedad procura
de esmeralda fingir verde moldura,
con primor rudamente artificioso, 10
a tanto espejo de cristal undoso.
De los ultimos velos despojadas
la deidad y las ninfas afrentaban
del estanque las cándidas espumas,
que con inquietos juegos aumentaban; 15
compitiendo en belleza
disposición, agilidad, destreza,
cuando Acteón atento las miraba
a luz que felizmente le cegaba;
de sentirle asustadas, 20

18 Acteón, educado en el arte de la caza por el centauro Quirón, cierto día que vio a Diana bañándose desnuda, fue convertido en ciervo y muerto por los perros de la diosa.

en otra parte juntas se mostraban,
y a Dïana cercaban,
que de su vista defender querían,
y al tiempo que encubrirla procuraban,
a sí se descubrían. 25
Ella, bañando en rosicler la nieve,
ofendida de ver como la vía,
de la agua que sedienta más la bebe,
le disparó con rigurosa mano,
desmentidas en líquidos cristales, 30
iras, si celestiales,
por el efecto nunca presumido,
indignas aun del corazón humano:
que menos infeliz hubiera sido
si en funesta ceniza desatado 35
quedara a su rigor sacrificado.
Apenas en el rostro le tocaron
las ondas, para él mas vengativas
que las del Aqueronte y del Leteo,
cuando la humana forma corrompieron, 40
de la tez las colores fugitivas
en sombras escondieron,
y el hermoso semblante quedó feo;
los cabellos que el oro escurecieron,
en crespos de las almas laberintos, 45
reducidos a ramos mal distintos
en formidables cuernos se volvieron,
que horror mortal al proprio dueño dieron;
de pies y manos los ebúrneos dedos
duramente calzados 50
dejaban en el suelo
bipartidos vestigios señalados;
los miembros todos viste híspido velo,
y en ciervo convertido,
de sí mismo se ve desconocido; 55
y la velocidad agradeciera,
si lograrla en huir de sí pudiera.
Los canes, que obedientes le seguían,
feroces le asaltaron,

y huyendo le sacaron 60
adonde le esperaban los monteros,
que también le acosaron,
ni compasivos más ni menos fieros,
y cuando ya cercado le tenían,
de presumirle ausente se dolían; 65
con las bocinas le solicitaban
y a gritos parecia que le llamaban,
y que él su ingratitud reprehendiera,
si al afecto la voz correspondiera.
De tantos perseguido, 70
y por diversas partes atajado,
es de los mas veloces detenido,
de todos infestado,
y con rabioso enojo destrozado.

[De *Las selvas dánicas,* en *Ocios,* tomo primero, parte segunda (Madrid, 1778), pp. 464-466.]

JACINTO ALONSO MALUENDA *

(† d. 1656)

230 EPITAFIO A UN MOZO PRECIADO DE LINDO

Debajo esta piedra dura
yace un niño Lanzarote;
mártir fue de su bigote,
confesor de su hermosura.

66 *bocina*: instrumento de música "que tiene el sonido como de trompeta". *Dicc. de Auts.*

* Jacinto Alonso Maluenda, nacido en Valencia, a fines del siglo XVI, en 1622 era 'alcaide' de la casa de las comedias de su ciudad natal, cargo que había tenido ya su padre. Es autor de diversas comedias y bailes, del *Bureo de las musas del Turia* (Valencia, 1631) y del *Tropezón de la risa* (Valencia, s.a.).

Ten, caminante, atención, 5
que éste que en lindo repara,
si se pulió cara a cara,
tuvo peligro a traición.

231 EPITAFIO A UN POETA CULTO

Yace aquí un versificante,
que con lenguaje no terso,
gastaba en todo su verso
candor, sandalia y brillante.
En lo claro fue ignorante, 5
lo culto tuvo por guía,
entre confusión vivía,
tanto, que fue en tal abismo
tan obscuro, que aun él mismo
no entendió lo que escribía. 10

[De la *Cozquilla del gusto* (Valencia, 1629), pp. 57 y 72.]

DIEGO DE MORLANES *

(† 1633)

232 CANCIÓN A LA PRIMAVERA

Pregona abril la verde primavera
y por muestra primera
el prado ofrece en rústicos colores
gusto a la vista y al olfato olores,

* Diego de Morlanes pertenecía a una distinguida familia de juristas aragoneses y quizá estudiase en Salamanca a juzgar por el epígrafe de algún romance. Fue consejero civil de Aragón y murió violentamente en 1633.

y el terreno, agraviado 5
del hielo y surco airado,
se hace estimar con frutos que atesora,
y así quien lo injuriaba ya lo adora,
y con galán vestido
es lisonja al sentido; 10
que, en los despojos del invierno cano,
pone aquestas primicias el verano.
El ruiseñor, en su retrete umbroso,
ya amante, ya celoso,
despliega al aire dulces melodías, 15
que acaudaló sagaz por largos días,
callado y mudo, en tanto
que refinó su canto,
para que la esperanza y el deseo
de nuevo autorizase su gorjeo, 20
y saliese esperado
a ser cantor del prado,
esparciendo su voz dulzuras tantas
en el sordo auditorio de las plantas.
Alivia su cristal el arroyuelo 25
las prisiones de hielo
y risueño entre guijas se dilata,
por ser del campo guarnición de plata,
dando a las bellas flores
mil ocultos favores, 30
y juntando en su margen ricas galas
por pulir el estrado a las zagalas,
que en bizarra cuadrilla
ilustrarán su orilla,
y, por serles galán y enriquecerlas, 35
franco será de aljófar y de perlas.
El ganado, reliquia de los fríos,
cobra alegre sus bríos
y las primeras hierbas pace ufano,
del abril dones y honra del verano; 40
y huella licencioso
el llano más gozoso,
que como le es pechero en darle flores

a ultrajarle se atreve sus colores,
y aliña blanda cama 45
en colchones de grama,
donde reposa en regalado sueño
hasta que ve brillar al dios risueño.
Escuadras de pastores coronados,
vecinos de los prados, 50
alegres dan al prado norabuenas,
feliz restaurador de heladas penas;
y, en tropas diferentes,
saludan a las fuentes,
que entre espadañas y entre arenas de oro 55
ven de las ninfas aumentado el coro,
que a provocar deseos
vienen ricas de arreos
y a ser de libertades dulce guerra,
flechas de amor y rayos de la tierra. 60

[Del *Cancionero de 1628,* edic. de J. M. Blecua (Madrid, 1945), p. 601.]

HERNANDO DOMÍNGUEZ CAMARGO *
(1600-d. 1659)

233 SAN IGNACIO DE LOYOLA

[FRAGMENTO]

Aquel a cuya huella aún no vacila
el jazmín que del aura ha vacilado,
y al ardiente clavel le despabila
las cenizas, del alba no violado,

* Hernando Domínguez Camargo, natural de Santa Fe de Bogotá, figura también en el *Ramillete de varias flores poéticas,* que en 1675 publicó Jacinto de Hevia. Pese a su gongorismo, fue elogiado por Menéndez Pelayo. (El fragmento que incluyo describe un banquete.)

su muerte en el del can dentado Scila 5
el ciervo halló infeliz, pues destrozado
de aquello que le rompe el arrecife,
un plato y otro fue dorado esquife.
Alada de dos remos la barquilla,
halcón a quien dio el remo leve pluma, 10
de la alcándora absuelta de la orilla
rompe en región azul nubes de espuma.
No las caladas de su aguda quilla
—garzón del mar— el sábalo presuma
falsear veloz o desmentirlas mudo, 15
que es su garra el harpón que sintió agudo.
Del coso sale, que muró una roca,
a la plaza del piélago espumoso,
toro, el atún marino que convoca
al uno y otro remo perezoso; 20
cálase al mar el fresno que lo toca
de un joven impelido así nervioso,
que, borrándole al mar limpios cristales,
es ya varado escollo de corales.
Cimiento el plomo, si la corcha almena, 25
nudoso muro al mar, la red se tiende;
provincias mil de escollos encadena
y ciudadanos mil del agua prende;
ni al de lúbrica piel vale la arena,
ni el de escamas armado se defiende, 30
que es la mesa teatro en tanta suma
del secreto ignorado aun de la espuma.
El que el arroyo cristalino muerde,
bruñido junco, ya oficioso cubre
panal de leche, en su colmena verde, 35
de a oveja labrado en ubre y ubre,
con quien helada por morena pierde
la que ordeñó a las nubes nieve otubre;
canas ésta peinó siempre vulgares,
porque es la leche Adán de los manjares. 40

11 *alcándora*: como 'alcándara', percha de ave.
25 *corcha*: corcho.

Peinóse hebras de nieve la pechuga
sobre la leche, que templó süave
electro, que la abeja (que madruga
a libarlo a la flor) cuajarlo sabe;
o se densa en las llamas, o se enjuga 45
éste que —medio leche, medio ave,
centauro de la gula— en el convite,
del griego el metamórfosis repite.
El cadáver augusto de la fruta
que en bálsamo de almíbar se preserva, 50
en las mesas al huésped se tributa
en la embebida en ámbares conserva.
Por imán de las tazas se disputa,
cuanto salada más, menos acerba,
en sazón a la sed siempre oportuna, 55
—retaguardia a las mesas— la aceituna.
Pelícano de frutas la granada
herida en sus purpúreos corazones,
su leche les propina colorada
en muchos que el rubí rompió pezones. 60
Baco, que la admiró desabrochada,
apiñados le ofrece los botones
en el racimo, que cató respeto
al vino de quien es diez veces nieto.
Hijas del soplo, nietas de la yerba, 65
las tazas débilmente cristalinas,
y las que el chino fabricó y conserva
en las que pudre al sol conchas marinas,
con las que antigua sucesión reserva,
parto de Ofir en sus primeras minas, 70
dora el antiguo Baco, aún más precioso
que el cristal puro y oro luminoso.

[De *San Ignacio de Loyola* (Madrid, 1666), pero lo copio de la *Antología poética en honor de Góngora,* de Gerardo Diego (Madrid, 1927), pp. 184-186.]

43 *electro*: lo mismo que ámbar.
70 *parto de Ofir*: el oro de Ofir.

JERÓNIMO DE CAMARGO Y ZÁRATE *

(† d. 1648)

234 SONETO A UN HIJO DE UN MÉDICO, QUE, POR SERLO, LE HICIERON ALCALDE, Y LE DIERON HÁBITO DE SANTIAGO, SIENDO NIETO DE UN SASTRE

Por hijo de ministro de la muerte
lo eres del Rey; tu daño se repara,
pues como la de Arón tu recia vara,
ya en lagarto, ya en sangre se convierte.

Tanta felicidad, si bien se advierte, 5
¿en quién, si no en tus méritos, se hallara?
Que tu antiguo linaje se declara
en el blasón de tu dichosa suerte.

Mucho ha sido el haberte desastrado;
pero dante la cruz, porque la pongas 10
en el pendón de lo que hurtó tu abuelo.

Pero con este honor no estás pagado;
a más cruces es bien que te dispongas,
pues da ciento por una siempre el cielo.

* Jerónimo de Camargo y Zárate es autor de unas *Obras divinas y humanas, así heroicas como bucólicas y joviales,* cuyo manuscrito autógrafo extractó Gallardo. Amigo de don Antonio Hurtado de Mendoza, vivió temporadas en Trujillo y su hijo quiso imprimir las obras en 1653.

4 *lagarto*: porque figuraba como emblema en los hábitos de los caballeros de Santiago; *sangre*: alude a la limpieza de sangre.

235 EPITAFIO A UN BORRACHO

En esta tierra sellada
que sepulta un botiller,
una cepa ha de nacer,
que está con uva sembrada.
¡Oh tú, beata cansada, 5
que estás al sepulcro atenta!,
del difunto no hagas cuenta,
pues tu sufragio le irrita:
no le eches agua bendita,
que el tormento se le aumenta. 10

[De Gallardo, *Ensayo,* II, col. 199 y 201.]

LEONOR DE LA CUEVA Y SILVA *
(† d. 1650)

236 LIRAS A LA HERMOSURA Y VARIEDAD DE FLORES DE LA PRIMAVERA

Plantas bellas y hermosas
resucitadas de el abril ufano
que anuncia vuestras rosas,
sacándoos del rigor tan inhumano
de el cano invierno helado 5
a ser gallarda ostentación de el prado;
jacintos que primicias
sois, y violetas, de las otras flores,
que parece que albricias
pedís al mundo, provocando amores 10
de que ya el mayo hermoso
se le acerca con paso presuroso;

* Doña Leonor de la Cueva y Silva, nació en Medina del Campo, fue sobrina del curioso don Francisco de la Cueva y autora de la comedia *La firmeza en el ausencia.*

dorados alhelíes
bellos, blancos narcisos y mosquetas,
rosas, sí, carmesíes, 15
de la purpúrea sangre más perfetas
de la Ericina diosa,
que su color os dio su planta undosa;
olorosos junquillos,
poblada madreselva, jazmín blanco, 20
de los montes tomillos,
fragante azahar, en quien el cielo franco
mostró con mil primores
más divino poder en tus olores;
campanillas moradas, 25
casta azucena y trébol oloroso,
manutisas rosadas,
azul espuela, toronjil hojoso,
encarnados claveles,
menuda albahaca y verdes mirabeles; 30
rajadas clavellinas,
lirio que haces gallardos tornasoles,
gigantas que divinas
os mostráis, pues seguís los arreboles
de Cintio celestiales, 35
que su rosa os llamamos los mortales;
árboles de mil nombres,
que viste abril de flor y mayo de hoja,
regalo de los hombres,
a quien noviembre robador despoja 40
el galano vestido,
de verdes esmeraldas guarnecido;
arroyuelos helados
que el rubio sol los grillos os desata,
adorno de los prados, 45
risa de el monte, bulliciosa plata,

17 *ericina diosa*: Venus. Alude a la citada transformación de la rosa blanca en roja.
35 *Cintio*: el sol. Alude al girasol.

y de las aves lira
por cuyo aliento cada flor respira;
  puras fuentes hermosas,
espejos claros de la blanca Aurora; 50
vida, sí, de las rosas,
gloria de el campo, espíritu de Flora,
de la vista recreo,
satisfacción süave del deseo;
  jardines deleitosos 55
donde se cifran máquinas tan bellas,
amenos y espaciosos,
morada hermosa de quien son estrellas
las siempre refulgentes
hermanadas cabrillas más lucientes; 60
  plantas, flores y fuentes,
invierno, abriles, mayos y arroyuelos,
árboles diferentes,
jardín ameno, estrellas de los cielos
y campos dilatados, 65
todos sois del verano
  y primavera galas excelentes,
librea de su mano,
que os da y reparte en tiempos diferentes
en mil varias colores 70
con que suspende el alma en sus primores.

[De la citada *Antología de poetisas líricas*, p. 368.]

ANASTASIO PANTALEÓN DE RIBERA (1600-1629)

237 A UN RELOJ QUE JUNTAMENTE ERA CANDIL Y ALUMBRABA SU LUZ AL ÍNDICE QUE SEÑALABA LOS NÚMEROS, MORALIZADO A LO CADUCO DE LA LLAMA Y LO VELOZ DE LAS HORAS

A nuevo ya esplendor restituida,
hermosísima luz, tu ser mejoras,
pues a la noche las tinieblas doras
de su seno, la sombra desmentida.

Si de la edad, que vive repetida, 5
aun los caducos términos ignoras,
en el índice vuelve de las horas
segunda vez a regular tu vida.

¡Oh tú, feliz, a quien el fin violento
tantos avisan mudos desengaños 10
que un momento te da y otro momento!

Y yo, si en el ejemplo de tus daños
como llegué a observar el escarmiento,
llego también a castigar mis años.

238 AL RETRATO DE PEDRO DE VALENCIA, CORONISTA DE SU MAJESTAD

Deste lienzo la voz, oh peregrino,
pórfido calla, bien que no la vida,
hoy del primer pincel restituida,
robada ayer del último destino.

El que admiras silencio, ya ladino 5
habla en la docta imagen, que, o mentida
en su primera forma, o repetida,
finge la humanidad viviendo el lino.

La verdad desta copia muda yace
aun más que en el pincel que se eterniza 10
en breve espacio de sepulcro breve.

Oh no el sepulcro, Pedro, se embarace,
el cielo sí, de tu inmortal ceniza,
que al menos grave pórfido no es leve.

[De las *Obras,* edic. de R. de Balbín Lucas (Madrid, 1944), pp. 207 y 217.]

PEDRO CALDERÓN DE LA BARCA

(1600-1681)

239 EN LA MUERTE DE LA SEÑORA DOÑA INÉS ZAPATA, DEDICADA A DOÑA MARÍA ZAPATA

Sola esta vez quisiera,
bellísima Amarili, me escucharas,
no por ser la postrera
que he de cantar afectos suspendidos,
sino porque mi voz de ti confía 5
que esta vez se merezca a tus oídos
por lastimosa, ya que no por mía.
No tanto liras hoy, endechas canto;
no celebro hermosuras,
porque hermosuras lloro; 10
quien tanto siente que se atreva a tanto,
si hay alas mal seguras
que deban a su vuelo esferas de oro
sin pagar a su vuelo ondas de llanto.

¡Ay, Amarili!, a cuánto 15
se dispuso el afecto enternecido,
mas si el afecto ha sido
dueño de tanto efecto,
enmudezca el dolor, hable el afecto;
si pudo enmudecer o si hablar pudo 20
retórico dolor y afecto mudo.
¿Diré que el cierzo airado,
verde ladrón del prado,
robó el clavel y mal logró la rosa?
Mas no, porque era Nise más hermosa. 25
¿Diré que obscura nube,
nocturna garza que a los cielos sube,
borró el lucero, deslució la estrella?
No, porque era más bella.
¿Diré que niebla parda 30
la vanidad del sol tanto acobarda
que muere al primer paso
y el oriente tropieza en el ocaso
mintiéndonos el día?
No, porque Nise más que el sol ardía. 35
¿Diré que el mar violento
hidrópico bebió, bebió sediento,
la fuentecilla fría
que en su orilla nacía,
siendo cuna y sepulcro, vida y muerte? 40
Mas no, que en Nise más beldad se advierte.
¿Diré que rayo libre,
ya fleche sierpes, ya culebras vibre,
en cenizas desate el edificio
que en los brazos del viento nos da indicio 45
de que en sus hombros el zafir estriba?
Mas no, que aún era Nise más altiva.
¿Pues qué diré que mi dolor avise?
Diré que murió Nise.
Sí, pues murió con ella 50
deshecha flor, desvanecida estrella,
día abortado, mal lograda fuente,
y torre antes caduca que eminente,

fingiéndose la muerte en un desmayo
el cierzo, niebla, nube, mar y rayo. 55
  Nise murió. Dura pensión del hado
que no tenga en el mundo la belleza,
por belleza siquiera, algún sagrado.
Nise murió. ¡Qué asombro! ¡Qué tristeza!
¡Oh ley del hado dura, 60
decretado rigor, fatal violencia,
que no tenga en el mundo la hermosura,
por hermosura, alguna preeminencia!
  Nise murió. ¡Qué extraña desventura
que no goce el ingenio por divino 65
privilegio en las cortes del destino!
Todos a su despecho,
a mayor majestad rindan el pecho;
el pecho, en esta ley determinado,
tercera vez dura pensión del hado. 70
  A tres Gracias tres Parcas combatieron,
y las Gracias vencieron,
que su rigor a profanar no atreve
tanta luz, tanta rosa, tanta nieve.
Y aunque Nise quedó muerta y rendida, 75
dejó despierta en su beldad la vida;
y así las Parcas lágrimas lloraron,
las Parcas su sepulcro acompañaron,
esfera breve donde
la luz se eclipsa, el resplandor se esconde. 80
  A cuya sepultura
un mármol consagraron que dijera:
"Aquí debajo de esta losa dura
la hermosura naciera,
si naciera sembrada la hermosura." 85
  Pero siga el consuelo
al llanto, a la tristeza el alegría;
corra la niebla el velo
y a la noche suceda alegre el día.
La noche muestre ya la estrella hermosa, 90
lama el Aura el clavel, beba la rosa,

pues Nise coronada
de nueva luz, la Nise laureada,
la adama el sol, y en trono de diamante
está pisando estrellas, 95
imagen ya de aquellas luces bellas,
carácter ya de aquellos otros puros
que bordan paralelos y coluros.
Y tú, hermosa Amarili, el sentimiento
trueca en gusto, en invidia el escarmiento, 100
pues la tierra sabiendo que tenía
dos soles, y uno apenas merecía,
liberal con el cielo
quiso partir y te dejó en el suelo
a ti, porque más bella 105
fénix ya del amor, venzas aquella
competencia dichosa,
pues ya sola en el mundo eres hermosa.

[Del *Cancionero de 1628,* edic. de J. M. Blecua (Madrid, 1945), p. 618.]

240 Estas que fueron pompa y alegría,
despertando al albor de la mañana,
a la tarde seran lástima vana,
durmiendo en brazos de la noche fría.

Este matiz que al cielo desafía, 5
iris listado de oro, nieve y grana,
será escarmiento de la vida humana:
¡tanto se emprende en término de un día!

98 Sobre *paralelos,* véase la nota 404 de la p. 124; *coluros*: "voz de Astronomía. Son dos círculos máximos, que se consideran en la esphera, los quales se cortan en ángulos rectos por los Polos del mundo y atraviesa el Zodíaco, de manera que el uno passa por los primeros grados de Aries y Libra, y se llama Coluro de los equinoccios, y el otro por los de Cáncer y Capricornio, que se llama Coluro de los solsticios". *Dicc. de Auts.*

A florecer las rosas madrugaron,
y para envejecerse florecieron; 10
cuna y sepulcro en un botón hallaron.

Tales los hombres sus fortunas vieron:
en un día nacieron y expiraron;
que, pasados los siglos, horas fueron.

241 Esos rasgos de luz, esas centellas
que cobran con amagos superiores
alimentos del sol en resplandores,
aquello viven que se duele dellas.

Flores nocturnas son; aunque tan bellas, 5
efímeras padecen sus ardores;
pues si un día es el siglo de las flores,
una noche es la edad de las estrellas.

De esa, pues, primavera fugitiva
ya nuestro mal, ya nuestro bien se infiere; 10
registro es nuestro, o muera el sol o viva.

¿Qué duración habrá que el hombre espere
o qué mudanza habrá que no reciba
de astro que cada noche nace y muere?

[De *El príncipe constante,* act. II.]

242 [ELOGIO DEL SILENCIO]

[FRAGMENTO]

Es el silencio un reservado archivo,
donde la discreción tiene su asiento;
moderación del ánimo, que altivo
se arrastrara sin él del pensamiento;

mañoso ardid del menos discursivo, 5
y del más discursivo entendimiento:
pues a nadie pesó de haber callado,
y a muchos les pesó de haber hablado.
Es contra el más colérico enemigo
el más templado freno de la ira, 10
de la pasión el más legal testigo,
pues dice más que el que habla el que suspira;
de la verdad tan familiar amigo,
que a la simulación de la mentira
se destiñe la tez, pues cuanto, errante, 15
mintió la lengua, desmintió el semblante.
Es quietud del espíritu divina,
a quien el mundo contrastar no pudo;
de la modestia imagen peregrina,
que una mano da al labio, otra al escudo. 20
De cuantos sacrificios vio la indigna
adoración el pez, animal mudo,
prohibido fue que a luz de sacrificio,
aún no estragó a esta virtud el vicio.
Y si de hablar y de callar le dieron 25
tiempo al que más la perfección codicia,
fue porque al corazón árbitro hicieron
de su sinceridad o su malicia.
No porque del silencio no creyeron
ser el culto mayor de la justicia, 30
pues si a Dios en sus obras reverencio,
el idioma de Dios es el silencio.
Dígalo el cielo en el primero día
que el poder del Criador manifestaba,
pues en el cielo gran silencio había, 35
mientras Miguel con el dragón lidiaba.
La tierra, pues, la noche helada y fría
que humano la adoró, en silencio estaba,
y ya por arbitro fue de paz y guerra:
lo que la amaron digan cielo y tierra. 40
La escuela de Pitágoras cinco años
solamente lición de callar daba;
la Tebaida, en sus cuerdos desengaños,

a callar solamente se juntaba;
pues si a propios filósofos y a extraños 45
retórico el silencio doctrinaba.
¿qué Gimnasio se orló de más laureles
que el que cursaron fieles y no fieles? [...]

[Del poema *Psalle et Sile,* edición facsímil de L. Trenor (Castalia, Valencia, 1945), fols. 4 y 6.]

LICENCIADO GINOVÉS *

243 SELVA AL VERANO

[FRAGMENTO]

[...] De que tantos la miren vergonzosa
purpúrea nace la virgínea rosa,
mostrando en sus vivísimos colores
ser flor del alba y alba de las flores,
si no pavón soberbio, 5
entre las mudas hemisferias aves
de la floresta, con fragante pluma
que, sin embargo de la tosca planta
y de su pie espinoso,
descoge altiva círculo pomposo; 10

* Un licenciado Ginovés figura como autor de la *Selva al verano* en el *Cancionero de 1628,* colegido en Zaragoza. Pero encuentro un Matías Ginovés en los certámenes y Academias de la época y un Doctor Ginovés que aprueba las *Poesías varias de grandes ingenios* de Alfay, que bien podría ser el mismo.

6 *hemisferias aves*: metáfora para designar otras flores.

que aunque encogida es, por ser doncella,
también es arrogante por ser bella.
Como galán de la fragante rosa,
el clavel boquirubio
ámbar respira, bálsamo derrama, 15
de púrpura vestido
por sacar la librea de su dama;
si bien sobre sus sienes de escarlata
le brotan de la rubia cabellera
dos cuernecillos de lucida plata. 20
Porque aun entre las flores,
a cuya guarda asisten
próvidos jardineros y guardianes,
no escapan destas armas los galanes;
sin poder resistirlas 25
las que de verde vaina
sanguinolentas hojas desenvaina,
que, esgrimidas del aire,
embisten al olfato de repente
hasta que herido de su olor se siente. 30
La mosqueta olorosa,
tercera entre el clavel y entre la rosa,
si no ya entre el jazmín y la azucena,
paga sus liviandades
con que el verdugo viento 35
la deja a la vergüenza en un momento
desnuda de sus cándidos vestidos,
si no de infames plumas guarnecida,
de miel tan bien untada
cuanto de las abejas visitada. 40
Entre la multitud de verdes hojas
las suyas abre blancas
el nevado jazmín transcendïente,

36-40 Al ser la 'mosqueta' (rosa pequeña y blanca) 'tercera', es decir, 'alcahueta', la empluman embadurnándola de miel, como a algunas Celestinas.

que de nuestra odorífera potencia
se incluye en la postrera diferencia; 45
del seno amargo de sus verdes ramas,
cargadas de miel nacen las retamas,
brindando a la abejuela su dulzura,
en bernegales de oro, ambrosía pura.
Y la casta azucena, 50
cuanto más casta tanto más fragrante,
que de la blanca castidad triunfante
ámbares sólo el símbolo evapora,
parece entre las flores principales
doña Blanca del Prado, 55
que al céfiro delgado
—su dulce esposo, su galán Medoro—
para dote le ofrece
en fuentes de alabastro, granos de oro;
mas como él con las flores 60
juega de varios modos,
en cuatro días los consume todos.
El azahar de esta suerte,
bueno con ser azahar, en tanta copia
aborta a las mañanas que parece 65
que el alba con sus cándidos albores
sobre sus hojas verdes nevó flores.
Con esta alegre confusión florida
cubierto el fértil suelo,
pretende hacer emulación al cielo, 70
si ya no un fiel traslado
de todo aqueste ejército estrellado.
Soles son los claveles,
lunas las azucenas,
el aurora es la rosa que alegría 75
derrama al despuntar el claro día,
correspondiendo a las demás estrellas
la turbamulta de las flores bellas,

49 *bernegal*: taza para beber.
57 Sobre Medoro, véase la nota 18 de la p. 58.
64 *copia*: abundancia.

que, sobre el epiciclo
del cogollico tierno y delicado, 80
fragrantes rayos dan al verde prado.

[Texto según la edic. de *El poema de Las Selvas,* de Santiago Montero Díaz, en el *Boletín de la Universidad de Santiago de Compostela,* IX, núm. 30, pp. 116 y ss.]

MARTÍN MIGUEL NAVARRO *

(1600-1644)

244 EN ALABANZA DE LA PAZ, SOBRE EL PROBLEMA DE UN ENJAMBRE EN LA CELADA DE UN TROFEO

Trojes de oro fabrica en fiel celada
enjambre audaz, que el néctar de la Aurora
y esplendor del verano que desflora
a su custodia con rumor traslada.

¡Cuánta más gloria adquiere jubilada, 5
por los fragantes robos que atesora,
que si resplandeciera vencedora,
de sangrientos laureles coronada!

Donde lidiaron bárbaros deseos
y la ambición se armó contra la vida, 10
se condensa hoy la miel, reinan las leyes.

* Martín Miguel Navarro y Moncayo, natural de Tarazona, estudió en Zaragoza, después marchó a Roma y más tarde a Nápoles, donde fue secretario del Conde de Monterrey. Vuelto a España, viajó por distintas regiones y obtuvo una canonjía en su ciudad natal, donde murió. Fue muy amigo de Bartolomé Leonardo de Argensola, cuyas obras quiso editar con anotaciones.

Ceda al ocio la guerra sus trofeos,
viva la paz, y a la justicia unida,
triunfe de las victorias de los reyes.

245 A UNA MARIPOSA EN LA RED DE UNA ARAÑA, CON LA LETRA DE VIRGILIO, lib. 4, *Aen. Omnia tuta timens*

Cándida mariposa incierta vuela,
flor del viento que surca, iris alado,
por las delicias de un hermoso prado
y a su confín discurre sin cautela.

Crédula al sol y al aire, no recela 5
mortal peligro en su región librado:
¿qué mucho, si se armó con tal cuidado,
que la luz le desmiente en breve tela?

Llega a la red y la defiende en vano
su belleza infeliz de la licencia 10
inexorable de un rigor tirano.

No engañe más oculta la violencia,
tema sus artes el candor humano,
tema aun lo más seguro la prudencia.

[De las *Poesías,* editadas por J. M. Blecua, en el *Archivo de Filología Aragonesa,* I (1945), pp. 23 y 25.]

ANTONIO ENRÍQUEZ GÓMEZ *

(1602-d. 1660)

246 A LA PERDIDA LIBERTAD DE LA PATRIA

Si de la libertad desposeído
estoy y formo voz, ¿cómo lamento
suspiros que se quedan en el viento,
pesares que no llegan al oído?

Quien su patria perdió tiene perdido 5
el que juzga tener entendimiento,
que el que vive sujeto al sentimiento
y no muere, carece de sentido.

Mas es que como vive la esperanza,
vecina del dolor, por consolarme, 10
dice que tenga en ella confianza;

pero mejor le fuera no engañarme,
pues si me sale falsa su fianza
he de pagar la deuda con matarme.

247 AL CURSO Y VELOCIDAD DEL TIEMPO

Este que, exhalación sin consumirse,
por los cuatro elementos se pasea,
palestra es de mi marcial pelea
y campo que no espera dividirse.

* Antonio Enríquez Gómez nació en Cuenca, aunque su padre era de Lisboa, de origen judío; vivió mucho tiempo en Francia, llegando a ser consejero y mayordomo ordinario de Luis XIV. Es también autor de *El siglo pitagórico* y de la *Vida de Gregorio Guadaña* (Roan, 1644), aparte de numerosas comedias.

Voile siguiendo, y sígueme sin irse, 5
voime quedando, y por quedarse emplea
su mismo vuelo, y hallo que desea
ir y quedarse y con quedar partirse.

Mi error me dice que su rapto apruebe,
pero ¿dónde camino, si su esfera 10
casi lo eterno con las alas mueve?

No me atrevo a seguirle aunque quisiera,
que corre mucho y temo que me lleve
en el último fin de la carrera.

248 A LAS TRES EDADES DEL HOMBRE

Láquesis tuerce el hilo de mi vida,
Cloto dio la materia diligente
y Atropos, cuando venga, fácilmente
cortará la maraña retorcida.

Tela que vino al mundo ya tejida 5
y se deshizo en sí tan brevemente,
fábrica errante fue, y es evidente
que cuando vino, vino ya perdida.

Torced, Parcas, torced este atrevido
aliento firmemente, pues excuso 10
segunda vez el corte desunido.

No el devanarme, como véis, rehuso,
porque polvo que quiso ser tejido
aún no merece ser torcido al uso.

[De las *Academias morales de las Musas* (Valencia, 1647), pp. 38, 71 y 382.]

[247] 8 Es el conocido verso de Lope, que puede verse en la p. 92.

249

ELEGÍA

Cuando contemplo mi pasada gloria,
y me veo sin mí, duda mi estado
si ha de morir conmigo mi memoria.
En vano se lastima mi cuidado,
conociendo que amar un imposible 5
contradice del cuerdo lo acertado.
¿Qué importa que mi pena sea terrible,
si consiste mi bien en mi destierro?
Decreto justo para ser posible.
Despeñado caí de un alto cerro, 10
pero puedo decir seguramente
que no nació de mí tan grande yerro.
Lloro mi patria, y de ella estoy ausente,
desgracia del nacer lo habrá causado,
pensión original del que no siente. 15
Si pudiera mi amor de lo pasado
hacer de olvido un pacto a la memoria,
quedara el corazón más aliviado.
Mas es esta enemiga tan notoria,
que porque sabe que me da disgusto, 20
muerte me da con mi pasada gloria.
¡Oh quién supiera (aun por camino injusto)
dónde la hierba de olvidar se cría,
para morir tal vez con algún gusto!
A la Tesalia fuera, y sufriría 25
(por borrar las especies desta fiera)
que me abrasara el que ilumina el día.
Sin memoria quedara, de manera
que pudiera juzgar con la visiva
de más amor y ciencia verdadera. 30
Pero si quiere el hado que no viva,
presente esta enemiga lo pasado,
pues nunca en mi pesar se mostró esquiva.
Bien quisiera, pues lloro desterrado,
que aliviara de penas al sentido, 35
para quedar de su traición vengado.

Pero querer borrar con el olvido
los bienes, y los males presentarme,
ingratitud parece en un rendido.
Si quiere con lo vano deleitarme, 40
alentando la fe de mi esperanza,
¿cómo segunda vez podrá engañarme?
No tengo, no, segura confianza
de ver lo que perdí, ¡qué necio he sido!
El bien que yo perdí tarde se alcanza. 45
Perdí mi libertad, perdí mi nido,
perdió mi alma el centro más dichoso,
y a mí mismo también, pues me ha perdido.
¿Cómo puedo aguardar ningún reposo,
si el reloj de mi vida se ha quebrado, 50
parándose el volante perezoso?
Dejé mi albergue tierno y regalado,
y dejé con el alma mi albedrío,
pues todo en tierra ajena me ha faltado.
Fuéseme sin pensar mi aliento y brío, 55
y si de alguna gala me adornaba,
hoy del espejo con razón no fío.
Mi sencilla verdad, con quien hablaba,
si la quiero buscar, la hallo vendida;
dejóme, y fuése donde el alma estaba. 60
La imagen en el pecho tengo asida
de aquel siglo dorado, donde estuve
gozando el mayo de mi edad florida.
Una contraria y deslucida nube
turbar pretende el sol de aquella infancia, 65
adonde racional origen tuve.
¡Ay de mí!, que perdí (sin arrogancia)
la ciencia más segura y verdadera,
aunque algunos la den por ignorancia.
Perdí mi estimación, parte primera, 70
del cortesano estilo noble llave,
adonde el juicio halló su primavera.

51 *volante*: aquí, aguja del reloj.

Hablaba el idïoma siempre grave,
adornado de nobles oradores,
siendo su acento para mí süave. 75
Eran mis penas por mi bien menores,
que la patria, divina compañía,
siempre vuelve los males en favores.
Gané la noche, si perdí mi día;
no es mucho que en tinieblas sepultado 80
esté quien vive en la Noruega fría.
Perdí lo más precioso de mi estado,
perdí mi libertad; con esto digo
cuanto puede decir un desdichado.
¡Oh tú, cualquiera bárbaro enemigo, 85
fundamento cruel de mi fortuna,
si gloria quieres, sirve de testigo!
Sin esperanza me dejaste alguna
de volver a cobrar lo que por suerte
el cielo me otorgó desde la cuna. 90
Conténtate de verme desta suerte;
que ya no me ha quedado, si me miras,
más firme bien que el aguardar mi muerte.
Y si por ella, bárbaro, suspiras,
ruega que viva, pues viviendo ganas 95
las saetas, cobarde, que me tiras.
Salieron, sí, mis esperanzas vanas,
pues pensando volver a ver mi esfera,
con la esperanza me llené de canas.
Allá dejé mi alma verdadera, 100
no vivo, no, con la que allí tenía
(o se ha trocado en otra la primera).
Hallo extranjera la que llamo mía,
pues veo rebelados los sentidos,
huyendo de tan justa compañía. 105
Fábula vengo a ser de los nacidos;
no es mucho que lo sea, pues llegaron
a aborrecer verdades los oídos.
No suelen, no, los campos que adornaron
el mayo y el abril helarse al Noto, 110
como todos mis miembros se me helaron.

Ni el brazo suele (aunque al honor le importe)
segar con mano fuerte los vitales,
como mi herida dio sangre en el corte.
No gime entre las selvas y cristales 115
la tórtola su amada compañera,
como yo mis fortunas y mis males.
Ave mi patria fue, mas ¿quién dijera
que el nido de mi alma le faltara,
y que las alas de mi amor perdiera? 120
Si pérdida tan grande se alcanzara
con suspiros, con lágrimas y penas,
con mi sangre otra vez la conquistara.
Mas, ¡ay dolor!, que sin piedad condenas
los lazos que te ha dado la crianza 125
adonde nunca tu pasión refrenas.
Entendió mi perdida confianza
volver a poseer lo que era suyo,
y cerróse la puerta a la esperanza.
Con justa causa y con razón arguyo 130
de cobarde al deseo inobediente,
pues vive cuando de sus brazos huyo.
A penas largas me lloré presente,
no a leves males lastimaba, cuanto
alumbra ese topacio transparente. 135
Si mi sepulcro labro con el llanto,
ofrézcase en las aras de su pira
tan continuo pesar y dolor tanto.
A los aires enciende, si suspira,
mi corazón, pues de centellas lleno, 140
líquidos Etnas por los ojos gira.
Si estuviera el sentido tan ajeno
como lo está de recobrar su fama,
pudiérase beber este veneno.
Mas, ¡ay de mí!, que en la extranjera llama 145
aun no soy mariposa, que muriendo
goza la luz de lo que adora y ama.
En diferente clima entré riendo,
imaginando, como tierno infante,
que era mi patria la que estaba viendo. 150

Halléme rodeado en un instante
de más babeles que en Senar compuso
el soberbio rigor de aquel gigante.
Hallé mi cuerpo convertido en huso;
que el que muda de patria decir puede 155
que a mudar de costumbre se dispuso.
Si en los frases y términos excede
el propio al extranjero, su idïoma
por guerra babilónica me quede.
Bien la patria perdida el brío doma, 160
pues cuando se acredita el movimiento,
de lo que fue, ni aun los amargos toma.
Hablo, y no me entienden, y esto siento
tan sumamente, que me torno mudo,
barrïendo sin fe mi entendimiento. 165
Y si a vengarme del agravio acudo,
el más vil de la tierra le deshace
a la paciencia su divino escudo.
Ninguno de razón me satisface,
todo es a fuerza de pasión tirana 170
cuanto conmigo la malicia hace.
¿Quién de mi patria santa y cortesana
me trujo a conocer diversas gentes,
ajenas de la mía, soberana?
No hay más seguros deudos ni parientes 175
que las piedras del noble nacimiento,
que son siempre seguros y obedientes.
Cuando me paro a contemplar de asiento
lo que al presente soy y lo que he sido,
el ansia se me dobla y el tormento. 180
Cuando me veo solo y perseguido,
reparo si yo soy el que merezco
la imagen de mi ser en tanto olvido.
Y si me llaman, sin sentido ofrezco
la vista al hombre, hallándome engañado 185
de ver que aun a mí mismo me parezco.

151-153 Alude a la torre de Babel en Senar o Senaar, mandada edificar, según Josefo, por Nimrõd.

Si me recuerdan mi perdido estado,
como si algún letargo me dejara,
respondo con semblante alborotado.
Y si en mi rostro el sabio reparara, 190
leyera en letras de color de cera
la pasión del espíritu en mi cara.
Perder la libertad, ¿quién lo sufriera,
sino la ley de honor, que siempre ha sido
en el honrado superior esfera? 195
Bien pudiera volver favorecido,
mas eso fuera bueno si llevara
lo mismo que saqué del patrio nido.
Si con volver mi fama restaurara,
a la Libia cruel vuelta le diera; 200
que morir en mi patria me bastara.
Pero volver a dar venganza fiera
a mis émulos todos, fuera cosa
para que muerte yo propio me diera.
Ampáreme la mano poderosa; 205
que con ella seguramente vivo
libre de esta canalla maliciosa.
Bien sabe el cielo que con sangre escribo
del corazón estos renglones puros;
que al fin el cuerpo es animal nocivo. 210
El no puede seguir estos seguros
dolores del espíritu, que el alma
los llora dentro de sus propios muros.
Y pues se queda mi destierro en calma,
tomen ejemplo en mí cuantos pretenden 215
en tierra ajena vitoriosa palma;
que no hay segura vida
cuando la libertad está perdida.

[Texto según la *BAE,* vol. XLII, p. 366.]

MARTÍN DE SAAVEDRA Y GUZMÁN *

250

A UNAS MANOS

Del arco de marfil, flechando advierte
el ciego dios y despidiendo rayos
de cristal, cuyos dedos son ensayos
de gustosa opresión, de dulce muerte.

Arpones son opuestos a la suerte 5
infeliz mía, produciendo mayos,
con que depuestos hoy tantos desmayos
al sacrificio me presento fuerte.

De aljaba tal, divina Margarita,
sean tus dedos cristal, o sean su afrenta 10
de mi vivir dulcísimos tiranos.

Nada a tu gran deidad poder limita,
y si la resistencia alguno intenta,
rendido quedará a tus bellas manos.

[De *Ocios de Aganipe* (Trani, 1633), fol. 212.]

* En la dedicatoria de sus *Ocios de Aganipe* a don Luis Méndez de Haro dice: "de veinte años a esta parte no he arrimado la pica, ni dejado de sentir el son de la caja, con que difícilmente deja de turbarse la pluma"; al paso que en la propia portada se lee que es "caballero de la orden de Calatrava, presidente y capitán a guerra en la provincia de tierra de Bari por S. M.".

JUAN PÉREZ DE MONTALBÁN
(1602-1638)

251

A UNA BOCA

Clavel dividido en dos,
tierna adulación del aire,
dulce ofensa de la vida,
breve concha, rojo esmalte.
Puerta de carmín, por donde 5
el aliento en ámbar sale,
y corto espacio al aljófar
que se aposenta en granates.
Depósito de albedríos,
hermosa y purpúrea imagen 10
del múrice, que en su concha
guarda colores de sangre.
Cinta de nácar, con quien
Tiro se muestra cobarde,
y aun sentida, porque el cielo 15
más expuso en menos parte.
Bello aplauso de los ojos,
hermosa y pequeña cárcel,
muerte disfrazada en grana,
si hay muerte tan agradable. 20
Tiranía deliciosa,
cuyo vergonzoso engaste
es mudo hechizo a la vista,
siendo un imperio süave.
Guarnición de rosa en plata 25
y de nieve entre corales,
discreta envidia a las flores
que un mayo miran constante.
Y en fin, cifra de hermosura,
si permitís que os alabe, 30
decidme vos de vos misma,
porque os sirva, y no os agravie.

Mas la empresa es infinita;
yo muy vuestro, perdonadme,
porque sólo sé de vos 35
que habéis sabido matarme.

[De las *Poesías varias de grandes ingenios españoles,* recogidas por José Alfay, edic. de J. M. B. (Zaragoza, 1946), p. 44.]

GABRIEL BOCÁNGEL

(1603-1658)

252

LEANDRO Y HERO

[FRAGMENTO]

[...] Ya la ministra súplice en el suelo
la virginal y trémula rodilla
clavó, clavó los ojos en el cielo,
esgrimiendo tres veces la cuchilla;
el corazón bañado de recelo 5
la dibujó el afecto en la mejilla;
tiembla el brazo, la fiera le barrunta,
y el miedo por la víctima pregunta.

Las cejas arqueó y aró la frente
la admiración, ninguno respiraba; 10
disimulóse en la atención la gente,
y el silencio tan sólo se escuchaba;
las aras salpicó rojo torrente
del animal que Venus más odiaba;
mira la sangre el crédulo adivino 15
y al pueblo expone triste vaticino.

1 *súplice*: suplicante.
14 El jabalí, que dio muerte a Adonis.

Digiérese en la llama el sacrificio,
y la sacerdotal venda depone
la ninfa; luego, con afable indicio,
mezclada al pueblo, al pueblo se propone; 20
todos la miran, y el exceso o vicio
del que la mira mal, muda y compone;
bien que si en el delito persevera,
fiera se finge, mas agrada fiera.

No le dejaron ser vulgar, ni ajeno, 25
el mérito, el semblante y la estatura,
a Leandro; bebió cuanto veneno
el áspid le brindó de la hermosura;
quiso hablar, y un suspiro como trueno
del rayo de la voz salir procura; 30
ninguno sale, que ambos se mezclaron,
y después indistintos se escucharon.

Cual mariposa en lumbre imperceptible
con flaco aplauso el riesgo soleniza;
quiere morir, y duda si es posible 35
gozarse, sucediendo a su ceniza;
viendo ya que el vivir es imposible
sin la muerte, en la muerte se eterniza,
porque, resuelta al pretendido abismo,
bebe en su vanidad su parasismo. 40

Así el amante, hidrópico de fuego,
tácito se consume, como activo;
sirve la turbación de cauto ruego,
y el desmayo produce efecto vivo;
viéronse al fin y se miraron luego, 45
como los que en reparo discursivo
dudan si se conocen, dudan donde
se vieron ya, que el tiempo se lo esconde [...]

253

A UN SOLDADO DE QUIEN SE REFIERE QUE MATÁNDOLE EN UN HECHO DE ARMAS SE QUEDÓ UN RATO DE PIE DESPUÉS DE MUERTO

Tu obstinado cadáver nos advierte
que hay vida muerta, pero no vencida,
pues sólo en tu valor, sólo en tu vida
algo miró después de sí la muerte.

Fuerte es la Parca, pero tú más fuerte; 5
no se debió a su golpe tu caída,
tú contra ti la ayudas ya rendida,
¿que quién pudiera si no tú vencerte?

Tú dividiste el trance indivisible
de morir y postrarte, tan altivo, 10
que en el daño común no hallas ejemplo.

¿Cuánto más que inmortal y que invencible
contemplaré que fuiste cuando vivo,
si el cadáver intrépido contemplo?

254

A UN VELÓN, QUE ERA JUNTAMENTE RELOJ, MORALIZANDO SU FORMA

Esta biforme imagen de la vida,
reloj luciente, o lumbre numerosa,
que la describe fácil como rosa,
de un soplo, de un sosiego interrumpida;

esta llama que al sol desvanecida 5
más que llama parece mariposa,
esta esfera fatal, que rigurosa
cada momento suyo es homicida,

es, Fabio, un vivo ejemplo, no te estorbes
al desengaño de su frágil suerte: 10
términos tiene el tiempo y la hermosura.

El concertado impulso de los orbes
es un reloj de sol, y el sol advierte
que también es mortal lo que más dura.

255 PROPONE EL AUTOR DISCURRIR EN LOS AFECTOS DE AMOR

Yo cantaré de amor tan dulcemente
el rato que me hurtase a sus dolores,
que el pecho que jamás sintió de amores
empiece a confesar que amores siente.

Verá cómo no hay dicha permanente 5
debajo de los cielos superiores,
y que las dichas altas o menores,
imitan en el suelo su corriente.

Verá que ni en amar alguno alcanza
firmeza, aunque la tenga en el tormento 10
de idolatrar un mármol con belleza.

Porque si todo amor es esperanza,
y la esperanza es vínculo del viento
¿quién puede amar seguro en su firmeza?

256 OYENDO EN EL MAR AL ANOCHECER UN CLARÍN QUE TOCABA UN FORZADO

Ya falta el sol, que quieto el mar y el cielo
niegan unidos la distante arena;
un ave de metal el aire estrena,
que vuela en voz, cuanto se niega en vuelo.

Hijo infeliz del africano suelo 5
es, que, hurtado al rigor de la cadena,
hoy música traición hace a su pena,
si pena puede haber donde hay consuelo.

Suene tu voz (menos que yo) forzado,
pues tu clarín es sucesor del remo, 10
y alternas el gemido con el canto.

Mientras yo, al mar de Venus condenado,
de un extremo de amor paso a otro extremo,
y porque alivia, aun se me niega el llanto.

257 Huye del sol el sol, y se deshace
la vida a manos de la propia vida,
del tiempo que, a sus partos homicida,
en mies de siglos las edades pace.

Nace la vida, y con la vida nace 5
del cadáver la fábrica temida.
¿Qué teme, pues, el hombre en la partida,
si vivo estriba en lo que muerto yace?

Lo que pasó ya falta, lo futuro
aún no se vive, lo que está presente 10
no está, porque es su esencia el movimiento.

Lo que se ignora es sólo lo seguro,
este mundo, república de viento,
que tiene por monarca un accidente.

[De las *Obras,* edición de R. Benítez Claros, I (Madrid, 1946).]

SALVADOR JACINTO POLO DE MEDINA
(1603-1676)

258 LA AZUCENA

Honesta Venus, azucena hermosa,
vergüenza de la rosa
(pues por ti se le atreve
a avergonzar la púrpura, la nieve)
con los riesgos de linda 5
junto al peligro de una fuente naces.
Aurora de los prados floreciente,
bellísima fragancia de la fuente,
abejuela de plata en su ribera,
bebes sus linfas, sus alientos paces. 10
Estrella de cristal en verde esfera
aroma les influyes a las flores,
y al dejarse escuchar en resplandores
(en ecos de la Aurora), la mañana,
nieve del mayo, madrugaste cana, 15
con alma de oro castidad vestida,
sin que tache una espina tu pureza,
rondada del arroyo tu belleza,
y tu alma del hombre pretendida.

259 LOS NARANJOS

Pomos de olor son al prado
en el brasero del sol
estos naranjos hermosos
que ámbar exhala su flor.
Perpetua esmeralda bella 5
donde, en numerosa voz,
mil parlerías nos cuenta
el bachiller ruiseñor;

entre cuyas tiernas hojas
las flores que abril formó 10
de estrellas breves de nieve
racimos fragantes son.
Metamorfóseos del tiempo
que, en dulce transformación,
hará topacios mañana 15
los que son diamantes hoy;
a cuyas libreas verdes
dan vistosa guarnición
ramilletes de cristal,
fragantísimo candor. 20
Rico mineral del valle,
adonde, franco, nos dio
oro, el enero encogido;
plata, el mayo ostentador.

260 LA ROSA

De un sacro pie de nieve,
experiencia de nácar, esta rosa,
respuesta de coral al golpe aleve
de espina rigorosa,
de lanceta sacrílega atrevida 5
que al derramar rubí la vena rota
se confesó por flor la menor gota;
cuya beldad florida
reina es del prado coronada de oro,
y por la majestad, por el decoro, 10
la lechuguilla abierta de rubíes,
y de sus armas puesto el verdugado,
hermosa Venus enamora el prado,
y sin que cuenten su beldad las horas
vive siempre inmortal siglos de Auroras. 15
De noche, flor de luz al cielo bella;
de día, al prado nacarada estrella.

[260] 12 *verdugado*: "vestidura que las mujeres usaban debajo de las basquiñas". *Dicc. de Auts.*

261 EPIGRAMA IX

A UNA NARIZ MUY GRANDE

Tu nariz, con calidad,
es, por su naturaleza,
símbolo de la largueza,
cifra de la inmensidad.
Primero que tú, Beatriz, 5
sale siempre de tu casa;
y tan adelante pasa,
que ya pasa de nariz.

[De las *Obras completas* (Murcia, 1948), pp. 18, 19, 20 y 282.]

PEDRO DE QUIRÓS *

(¿1607?-1667)

262 AMOROSO

Ruiseñor amoroso, cuyo llanto
no hay roble que no deje enternecido,
oh si tu voz cantase mi gemido,
oh si gimiera mi dolor tu canto.

Esperar mi desvelo osara tanto, 5
que mereciese por lo bien sentido
ser escuchado, cuando no creído
de la que es de mi amor hermoso encanto.

* Pedro de Quirós, sevillano, profesó hacia 1624 en la comunidad de los Clérigos menores; desde 1659 a 1665 fue Prepósito de su orden en Salamanca, y de 1665 a 1667 Visitador general de la provincia de España.

Qué mal empleas tu raudal sonoro,
cantando el alba y a las flores bellas: 10
canta tú, oh ruiseñor, lo que yo lloro.

Acomoda en tu pico mis querellas,
que si las dices a quien tierno adoro,
con tu voz llegarás a las estrellas.

263 AL MISMO ASUNTO

[ALUSIÓN DE LA PERLA. A MARÍA SIN CULPA ORIGINAL]

Del cristalino piélago se atreve
tal vez marina concha a la ribera,
y el sudor puro de la luz primera
su sed menor que su avaricia bebe.

De la preciosa perla apenas debe 5
quedar fecunda al alba lisonjera,
cuando al mar se retira, porque fuera
ver la luz del sol manchar su nieve.

En el mar de la gracia, ¿quién no mira
que eres, ¡oh Vírgen! tú, la perla pura, 10
por cuya luz aun la del sol respira?

Mancha el sol de la perla la blancura,
mas que en ti no haya mancha, ¿a quién admira
si aún al sol presta rayos tu hermosura?

264 MADRIGAL AMOROSO

Tórtola amante que en el roble moras,
endechando en arrullos quejas tantas
mucho alivias tus penas, si es que lloras,
y pocos son tus males, si es que cantas.

Si de la que enamoras 5
su desdén te desvía,
no durará el desdén, pues tu porfía
está un pecho de pluma conquistando:
¿podrá un pecho de pluma no ser blando?
Ay de la pena mía, 10
en que medroso y triste estoy llorando
y enternecer procuro
pecho de mármol cuanto blanco duro.

[De las *Poesías divinas y humanas* (Sevilla, 1887), pp. 20, 22 y 24.]

MIGUEL COLODRERO DE VILLALOBOS *

(¿1608?-d. 1660?)

265 ROSA ULTRAJADA

Detén, agricultor, la divertida
unión de brutos, guía del arado,
no ofendas hermosuras deste prado,
guirnaldado con púrpura florida.

Deja vivir la rosa, cuya vida 5
exhorta prevenciones al cuidado,
pues nace apenas, cuando mira el hado
muerto su olor, su pompa fenecida.

* Miguel Colodrero de Villalobos, natural de Baena, educado en Córdoba y fervoroso gongorino, sirvió toda su vida a don Luis Fernández de Córdoba, duque de Sesa, a quien dedicó sus *Varias rimas*; a su hermano, el Marqués de Poza, el *Alfeo y otros asuntos en verso* (Barcelona, 1636) y al conde de Cabra los *Diversos versos y cármenes sagrados* (Zaragoza, 1656). Es también autor de las *Golosinas del ingenio.*

Corrige el tosco hierro, no arrüine
tanta ejemplar belleza, que las flores 10
aun no fueron nacidas para ociosas.

Ella misma divierta tus rigores
(rústica acción, ¿quién hay que la termine?),
donde esperas el fruto, nazcan flores.

266

HABIENDO PERDIDO UN RETRATO DE LA AMADA

Culto Danteo, si español Apeles,
el retrato de Filis he perdido:
que me copien, segunda vez te pido,
el dictamen del alma tus pinceles.

Azucenas luchando con claveles 5
sea la encarnación, candor florido
sea el rostro, la boca un dividido
rubí con veinte aljófares noveles.

Rizos del sol linea por cabello,
por los ojos del alma dos combates, 10
nieve a las manos da con calentura.

De todo lo que alcanzas echa el sello:
que obrando lo que pido en su pintura,
el cielo te dirá que lo retrates.

[De las *Varias rimas* (Córdoba, 1629), pp. 2 y 37.]

267 EPIGRAMA

De dos luces, mariposa
eres, Celio: la una bella,
mas pobrísima doncella;
la otra, viuda y caudalosa.
Todo lo demás es viento, 5
la segunda te conviene:
que una viuda rica tiene
sabroso el último acento.

[De *Golosinas del ingenio* (Zaragoza, 1642), reedición de A. Pérez Gómez (Valencia, 1960), p. 37.]

JERÓNIMO DE CÁNCER Y VELASCO

(† 1655)

268 LO QUE DEBE HACER EL QUE HA POCO QUE ES GRANDÍSIMO CABALLERO

Hacer con un rocín mucho rüido,
tenelle a eternas ferias vinculado,
jurársela a diez damas en el Prado,
y no ser de ninguno conocido.

Alabar un castor que aun no ha venido; 5
decir "Mi mercader" y "Mi letrado";
mandalle muchas cosas a un criado,
y las que importan menos al oído.

Buscar quien sobre joyas dé dinero;
venir de oír a una mujer que canta, 10
y haber estado siempre en cierta parte

es lo que debe hacer el caballero;
y sobre todo, la Semana Santa,
sin que le llamen, siga su estandarte.

269

JÁCARA

Torote, el de Andalucía,
aquel jayán cuya espada
tiene ya de puro vieja
gastadas todas las marcas,
porque encontró a la Chamusca 5
con Mirlón, el de Trïana,
le dijo los evangelios
la mano sobre la cara.
Pególa con muy buen aire
una pisa de patadas: 10
que cuando el demonio quiere
de entre los pies se levantan.
Siempre es pesado en sus burlas,
y debe de ser desgracia,
porque al paso que es pesado, 15
es la Chamusca liviana.
Su amiga la Peregila,
que allí se halló con la Fraila,
viendo llorar la Chamusca,
esto en puridad la habla: 20
"El galán que pega, amiga,
antes obliga que agravia;
que el rato que abofetea
trae a una mujer en palmas.
"Él sin duda te pegó 25
porque te vio despegada,
y son riñas veniales
las que con golpe se acaban.

10 *pisa*: "la zurra o vuelta de patadas o coces que se da a alguno". *Dicc. de Auts.*, que alega este testimonio.

"Sin razón estás quejosa,
porque hay muy grande distancia 30
del hombre que nos da en rostro,
al hombre que nos da en cara.
"Medio ojo te llevó
de un puntapié, y esto es gala:
que un golpe parece bien 35
cuando lleva una pestaña.
"No faltará quien le corte
lo mismo con que te daba,
que yo sé que antes de un hora
venga las manos cruzadas. 40
"Niña, no llores,
porque nada se pega tanto como los golpes."

270 A UN HOMBRE MUY RICO, QUE A NADIE QUITABA EL SOMBRERO

Murmura el vulgo severo,
a quien nada se le escapa,
que a todos quitas la capa,
pero a ninguno el sombrero;
mas para no ser grosero, 5
oblíguese tu interés,
y haz cuenta, Fabio, que es
con riqueza tan extraña,
tu cabeza Nueva España:
descúbrela y sé cortés. 10

[De *Obras varias* (Lisboa, 1675), pp. 18, 23 y 179.]

FRANCISCO MANUEL DE MELO
(1608-1666)

271 JUNTO A UNA FLOR MARCHITA, ABRÍA OTRA, QUE ANTES DE ABRIR DEL TODO, VOLVIÓ A CERRARSE

Yo vi, Fabio, al romper de la mañana,
de un tierno verde tronco procedida,
una flor, que al teatro de la vida
sacaba entonces su niñez lozana.

Mas viendo de otra flor la pompa vana, 5
confusa, querellosa y desmentida,
presto al botón se vuelve, de advertida
en la igual suerte de la triste hermana.

Pues si una flor, que apenas se divisa,
tanto supo creer que sol ninguno 10
salió después por enjugar sus llantos,

¡quién te disculpará cuando te avisa,
no la tragedia mísera de alguno,
pero los fines trágicos de cuántos!

272 ESTADO DE SUS PENSAMIENTOS

Yo parto a la quietud tan peregrino,
cuanto apenas creer sus señas oso,
y en si es cierto mi bien o si engañoso,
ni me recato ni me determino.

Pero si considero en el destino 5
y por donde me lleva a ser dichoso,
hallo que es aquel fin más peligroso
que las dificultades del camino.

Esto es, Filis, lo más donde ha llegado
mi fortuna y temor; pero la dicha 10
sin la seguridad antes es muerte.

No partir ni llegar, ¡ocioso estado!
Partir y no llegar, ¡común desdicha!
Llegar para volver, ¡terrible suerte!

273 EN FIEBRE MORTAL

Señor, la rama inútil del madero
que por vil arrojaste al fuego humano,
obedeciendo al golpe soberano,
arde infalible en este ardor severo.

Desmaya el pulso al combatir primero, 5
tiembla la vista y túrbase la mano;
si vuela la ceniza al aire vano,
¿quién duda que se abrasa el tronco entero?

Crece el asombro más, y aunque confío
en ti, Señor, mis voces son de suerte, 10
que no sé si te llamo o te desvío.

El tierno llanto, con la llama fuerte,
iguales son en el peligro mío,
manda Tú que se apaguen con la muerte.

274 CON SUS LÁGRIMAS

¿De qué servís, mis lágrimas ociosas
dentro del corazón? Salid corriendo;
pero no, que os dirán que vais huyendo
de padecer sus riesgos temerosas.

Mas también si os quedáis, de lastimosas 5
con el alma callando y padeciendo,
¿quién os escapará de iros perdiendo,
pues sobre ser fieles sois piadosas?

Peregrinad desde el corazón luego
a los ojos, y dellos a la fama 10
tras de aquel bien que para perder vistéis.

Sed, si mérito no, víctima al ruego;
mostraréis a la causa que os derrama.
Lloradas sois las que calladas fuisteis.

275

LÁGRIMAS

ODA

Estas lágrimas mías,
son del alma razones,
o serán relaciones
de las batallas de mis fantasías.
Pero ¿qué dirá el llanto 5
de aquel tan alto afeto,
que un silencio discreto,
cuando no diga más, no diga tanto?
Pues si han de errar los ojos
y llamar, habladores, 10
dolor a mis dolores
¿qué les quedan debiendo mis enojos?
Costosa grosería
medir lo que no sabe,
porque lo que no cabe 15
en su razón, comprenda su porfía.
Ojos, los atrevidos
no siempre son dichosos;
callad, de respetosos,
que harto diréis callados y ofendidos. 20

Las ansias soberanas
no las pongáis indinas:
que verdades divinas
no se cuentan por lágrimas humanas.
Ya no son vanidades, 25
logro sí, que se os prueba,
pues si el llanto os las lleva,
con menos quedaréis de mis verdades.
Si el dolor os provoca
que publiquéis su furia, 30
¿no véis cómo es injuria
hablar los ojos y callar la boca?
Si el corazón difunto
el honra hacéis postrera,
dejad que todo muera, 35
y haréis el funeral de todo junto.
Ojos, no sea querida
esa pasión, de suerte
que perdáis con mi muerte
las lágrimas más proprias de mi vida. 40

[De *Las tres Musas del Melodino* (Lisboa, 1649), fols. 9, 11, 16, 38 y 109v.]

PEDRO DE CASTRO Y ANAYA *

(† d. 1644)

276 Copiaste en mármol la mayor belleza,
oh Lauro, y tanto a Lisis parecida,
que de las dos es una ya la vida,
y de las dos es una la dureza.

* Natural de Murcia, abrazó la carrera de las armas, sirviendo en Nápoles y en otras partes de Italia. En 1630 regresó a Murcia, donde publicó las *Auroras de Diana* con bastante éxito y fue muy elogiado por Lope, Montalbán y Calderón.

Sola a Lisis formó naturaleza, 5
y tú nos diste a Lisis repetida,
Lisi o la estatua en ella convertida,
¿cuál de las dos se debe a tu destreza?

No fue el impulso, no, de la escultura,
que en el mármol viviente y sucesivo 10
Lisis quedase de morir ajena.

Arbitrio fue de Amor, que hermosa y dura
formó otra Lisis, porque en mármol vivo
viva inmortal la causa de mi pena.

277

A LA ROSA

Nueva florida gala del oriente,
corté una rosa, que en el verde prado,
o expirara al descuido del arado,
o lástima muriera de occidente.

Púsela en agua en un cristal luciente 5
por conservar de Lisi algún traslado,
y sólo hallé a la tarde el desmayado
cadáver de aquel sol, que fue accidente.

¡Oh caduca beldad, dije a la rosa,
así acaba la flor de nuestra vida! 10
Y así han de fenecer en tu elemento

el jazmín de la frente más hermosa,
el clavel de la boca más florida,
del alma el más Narciso pensamiento.

[De *Avroras de Diana* (Madrid, 1632), fols. 12 y 38.]

ANTONIO DE SOLÍS Y RIVADENEIRA
(1610-1686)

278 A LA BREVEDAD DE LA VIDA

El curso de los años repetido
gasta la edad con natural violencia,
y el tardo amanecer de la prudencia
conoce el tiempo cuando le ha perdido.

La mitad fue del sueño y del olvido, 5
la otra mitad, o error o negligencia;
mas, ¡oh vivir!, dificultosa ciencia,
¿quién en toda una vida te ha sabido?

Duran los días, ¿pero quién percibe
su duración, si es menos inconstante 10
la intrepidez de nuestra fantasía?

¿O qué importa el durar, si sólo vive
el que sabe acertar aquel instante,
principio y siempre del eterno día?

279 A UN BIEN SOÑADO

Gozaba yo (harto digo), yo gozaba,
(¡oh sin sabor de mi fortuna injusto!);
gozaba, pues (¡gran novedad!), un gusto;
soy infeliz. ¿Quién duda que soñaba?

Fantástica una dicha me alentaba; 5
mas desperté, y la dicha paró en susto:
que sabe ser hipócrita un disgusto,
y el mayor gusto miente si se acaba.

Este rato de muerte fugitivo
viví, y al despertar, muerte enojosa 10
me fue la vida. ¡Oh riesgo de mi suerte!

¡Que muera yo de enfermedad de vivo!
Que una vez que la muerte me es gustosa,
¡ha de haber sido temporal la muerte!

280 HERMAFRODITO Y SALMACIS *

SILVA BURLESCA

[FRAGMENTO]

Hablando con perdón, yo tengo gana
(vergonzoso lo digo) de hacer versos,
obscuros no, sí cándidos y tersos;
no a barrancoso pie, sí a pata llana,
y así, sin más ni más, la venia invoco, 5
y una vez que me cabe, entrarme a loco.
A Hermafrodito canto, necio empeño,
porque este canto es piedra en que tropiezo;
que todos hacen cantos y entre tantos
es cualquiera poeta un echa cantos. 10
Y así, sin gargantear, digo que debo
el acordarme deste asunto nuevo
al gran poeta Ovidio,
a quien no lo Nasón, lo culto envidio;
que, dejando el refrán, villa por villa, 15
Nasones por Nasones, yo en Castilla.
A Hermafrodito, pues, con lindo aliento
diré, tomando el pulso a mi instrumento,

* Sobre Hermafrodito, véase la nota 222 en la p. 101.
15 Alude al refrán que registra Covarrubias en su *Tesoro*: "Villa por villa, Valladolid en Castilla".

si me inspira; mas qué feliz sería
si pudiese empezarlo sin Talía, 20
que es musa que se usa y no se excusa
y siempre en los principios esta musa
se mete, y es con término perverso,
pecado original de todo verso.
Pero volviendo al cuento, 25
Venus, aquella diosa
más bellaca que hermosa,
que apenas al sol hurta lucimiento
en las mortales pausas del ocaso,
cuando del cielo, por el campo raso, 30
o el campo terciopelo,
sale a rondar y va de cielo en cielo
a ser, con dulces tretas,
lasciva tentación de los planetas.
Esta estrella buscona 35
tuvo un poco que ver por sus pecados
con el señor Mercurio, gran persona,
a quien Júpiter fía sus cuidados,
y a quien del reino el peso
y el gobierno comete 40
la vez que no le hace su alcahuete.
Acción, que tanto a Júpiter obligas
que si él en el cielo es el primero,
Mercurio es el segundo, por tercero.
Deste, pues, y de aquella, 45
el uno estrello, si la otra estrella,
nació Hermafroditico
del cielo en un oculto rinconcico,
porque nadie a Vulcano se lo diga.
Llamóle la comadre, 50
con perdón de su padre,
pintiparada imagen de su abuelo;
comadrada común de tierra y cielo.

44 Juego de voces aludiendo a la alcahuetería de Mercurio, porque era mensajero de Júpiter.

Faltóle leche a la recién parida
y allá, en el monte Ida, 55
se la dio una caterva de nayades.
Así lo dice Ovidio, que el muchacho,
perro de muchas bodas,
sin duda alguna las mamaba a todas. [...]

[De las *Varias poesías sagradas y profanas* (Madrid, 1716), pp. 26, 32, 57 y 287.]

CATALINA CLARA RAMÍREZ DE GUZMÁN *
(1611-d. 1670?)

281 SONETO A UN HOMBRE PEQUEÑO: DON FRANCISCO DE ARÉVALO

Mirando con antojos tu estatura,
con antojos de verla me he quedado,
y por verte, Felicio, levantado,
saber quisiera levantar figura.

Lástima tengo al alma que, en clausura, 5
la trae penando cuerpo tan menguado.
Átomo racional, polvo animado,
instante humano, breve abreviatura.

Di si eres voz, pues nadie determina
dónde a la vista estás, tan escondido 10
que la más perspicaz no te termina,

* Doña Catalina Ramírez de Guzmán fue natural de Llerena, donde vivió toda su vida.

4 *levantar figura*: lo mismo que "alzar figura" en Astrología, "es formar plantilla, tema u diseño en que se delinean las casas celestes y los lugares de los planetas y lo demás concerniente para hacer la conjetura y pronóstico que se intenta". *Dicc. de Auts.* (Es ocioso advertir que aquí se trata de un juego de voces.)

Retrato de Calderón que figura en la "Octava Parte", de sus comedias. Biblioteca Nacional. Madrid.

Don Francisco de Quevedo, por Velázquez.

o cómo te concedes al oído.
En tanto que la duda se examina,
un sentido desmiente a otro sentido.

[De las *Poesías,* edic. de J. de Entrambasaguas (Badajoz, 1930), p. 220.]

ALBERTO DÍEZ Y FONCALDA *

282 DESCRIBE UNA DAMA EL SENTIMIENTO DE QUE MATARON A SU AMANTE DESGRACIADAMENTE

Hado inconstante, suerte rigurosa,
muerte del gusto, estrella desdichada,
del alma injuria, del amor llorada,
donde la pena vive, el mal reposa.

¿Quién no ignorará mano, que, alevosa 5
de traiciones y escándalos guiada,
vibró contra mi amor aleve espada,
que no sintiera la venganza ociosa?

No habrá dicha que amaine mi agonía,
que la memoria es el mayor tormento, 10
cercada de fortunas tan crueles.

Viertan cristal en lúgubre porfía
los ojos, y en tan grande sentimiento,
si tú eres Atis, yo seré Cibeles.

[De las *Poesías varias* (Zaragoza, 1653), p. 37.]

* Alberto Díez y Foncalda, caballero de Zaragoza, asistente a la Academia del Conde de Lemos, según afirma el Marqués de San Felices en sus *Rimas.*

14 Cibeles, según algún mitógrafo, fue amante de Atis.

MIGUEL DICASTILLO *

283

AULA DE DIOS

[FRAGMENTOS]

[...] Dentro de la grandeza de este claustro,
hay un jardín ameno y dilatado,
donde a las plantas sirven de vallado
las afeitadas murtas,
y a la vista parece 5
cada cuadro un país iluminado,
donde grato el abril siempre florece.
Aquí las querellosas Filomenas
dan al aire sus penas,
si ya no son requiebros, 10
si ya no son favores,
que cantando se dicen,
porque en tan dulces quiebros,
más que sus penas, cantan sus amores.
Aquí el sol reconoce los laureles 15
más libres de su llama y el Tonante,
los más privilegiados
de sus iras crueles.

* Caballero navarro que desengañado del mundo ingresó en la cartuja de Aula Dei de Zaragoza. En 1637 publicó el libro titulado *Aula de Dios. Cartuxa Real de Zaragoza,* cuyo texto lo forman dos extensas silvas, la primera dirigida por Teodoro (Dicastillo) a Silvio, describiendo, la Cartuja; la segunda, de carácter moral, es de Andrés Cebrián.

4 *afeitada*: acicalada, arreglada.

8 *Filomenas*: los ruiseñores.

15 El laurel, según la mitología, no puede ser herido por el rayo de Júpiter, el Tonante.

Aquí los pinos de la gran Cibeles
se ven con propriedad tan empinados, 20
que quieren descollados
medirse con los altos capiteles,
y descubriendo el monte
ver cómo sale el sol en su horizonte;
que aun a las plantas sirve de contento 25
volver los ojos a su nacimiento.
  Aquí están los madroños,
tan verdes y lozanos
como seguros de golosas manos,
que su fruta gallarda 30
ella misma parece que se guarda
del que su efecto sabe,
porque lo vivo de su fortaleza
fácilmente se sube a la cabeza [...]
  Aquí la Primavera 35
ofrece por primicias al Aurora,
porque las plantas dora,
en copas de esmeralda,
que sirven los floridos azahares
despojos singulares 40
de su flor en aljófares y perlas
para ornato del cuello y de la frente;
y para que en su oriente
no le falte carmín a su belleza,
arreboles le ofrece en la cereza, 45
y en las hermosas guindas carmesíes
le presenta arracadas de rubíes.
  Las ciruelas aquí, que por lo vario,
de las frutas parecen alhelíes,
porque les hurtan todos los colores, 50
símbolos son de los aduladores,
que por diversos modos
saben hablar al paladar de todos.

19 Porque Atis, amante de Cibeles, fue convertido en pino, según Ovidio.

La pálida cermeña,
que se hace sentir, aunque pequeña, 55
muy preciada de aroma,
pendiente de su rama como goma
de algún árbol sabeo,
a que tanto se ajusta,
es almíbar süave a quien le gusta. 60
La camuesa opilada,
por encubrir a todos lo amarillo,
de púrpura se baña y arrebola,
con que ufana se juzga
hermosa entre las frutas ella sola. 65
La sazonada pera,
en especies y tiempos diferentes,
el año casi todo nos espera,
y diversa en lo mismo la manzana
igualmente se muestra cortesana [...] 70

[De *Avla de Dios, cartuxa real de Zaragoza* (Zaragoza, 1637), edic. facsímil de Aurora Egido (*ibid.*, 1978), pp. 23 y ss.]

ANDRÉS CEBRIÁN *

284 [FRAGMENTO]

[...] Veo los devaneos,
los diversos empleos
y los discursos vanos
de todos los humanos,
y encontrados en todo los deseos. 5

58 *árbol sabeo*: el árbol de cuya resina se extrae el incienso.
* Andrés Cebrián, natural de Monterde, fue racionero del Pilar y miembro de la Academia de los Anhelantes de Zaragoza.

De lo que el uno llora, el otro ríe;
de lo que éste se agravia, aquél se engríe,
porque donde uno pone la deshonra,
funda el otro la honra;
lo que éste por inútil desperdicia, 10
aquel por su mayor útil codicia;
el uno olvida lo que el otro ama;
lo que el uno encarece,
el otro vitupera y aborrece,
y lo que éste recoge, aquél derrama; 15
y así apenas en tantos pareceres
concuerdan los pesares y placeres.
Éste sigue la paz, aquél la guerra,
éste trasiega el mar, aquél la tierra,
éste desde su estudio mide el suelo, 20
y inmoble aquél se espacia por el cielo.
Éste quiere el rüido de la caza,
y aquél más el bullicio de la plaza;
éste procura el ocio,
aquél sigue la causa y el negocio, 25
y deste modo nada
de cuanto agrada al uno al otro agrada.
Esto se toma en las inclinaciones,
mas donde están los daños
y mayores engaños 30
es en las mal fundadas opiniones:
el parlero se da por elocuente,
el temerario pasa por valiente,
el rígido, por justo,
el lascivo, por hombre de buen gusto, 35
y el que es un insolente
pasa, en nuevo lenguaje, por corriente.
La mentira es ingenio y agudeza,
la sátira y el chiste sacudido
y su autor es jovial y entretenido. 40
La humildad es bajeza,
pundonor, la venganza,
la afectada lisonja es alabanza,

la cautela es prudencia,
y el artificio del astuto, ciencia. 45
Llámase santidad la hipocresía,
el silencio, ignorancia,
la prodigalidad, caballería,
la detracción, donaire,
el ser vicioso es gala, 50
y el no seguir esta opinión desaire,
estilo que ni el bárbaro lo iguala.
Con tan falsos jüicios,
dan color de virtudes a los vicios,
y creciendo el abuso, 55
el modo de pecar se vuelve en uso,
y prosigue la culpa
con apariencia vana de disculpa.

[De *Avla de Dios,* edic. cit., pp. 70 y ss.]

JOSÉ NAVARRO *
(† d. 1654)

285 HIRIÓSE JULIA UN DEDO ROMPIENDO UNA SORTIJA DE VIDRO

Un cerco de vidro leve
que en tu dedo se rompió
de púrpura matizó
la blancura de tu nieve.
Consigo mismo fue aleve, 5
Julia, el vidro, pues recelo
que es ignorante el desvelo

* Hijo y ciudadano de Zaragoza, secretario del príncipe Ludovisio, amigo del Marqués de San Felices y asistente a las Academias zaragozanas de su tiempo.

que su descrédito ama,
y naciendo de una llama
querer morir en un hielo. 10
Mas, ¡ay!, que tu blanca mano
(bien lo sabe mi dolor)
oculta, Julia, el ardor
y enseña el hielo tirano.
Quede, pues, el vidro ufano, 15
o glorioso con su mal;
que si fuego material
su principio le forjó,
fuego también fin le dio
disfrazado en el cristal. 20

286 A ser aurora de su estancia amena
bajastes al jardín, tirana hermosa,
que tú le revocaste generosa
la ley a que el invierno le condena.

Tu mano hirió, y ocasionó mi pena, 5
la espina, de tu nácar codiciosa,
y con incendios se miró la rosa,
la que con hojas cinco fue azucena.

Dos veces nueva flor tu blanca mano,
con hermosos matices y crueles, 10
luces le ha dado a la fragante esfera.

Mostró el deciembre su rigor en vano:
que, en luces de jazmines y claveles,
Fénix se repitió la primavera.

[De las *Poesías varias* (Zaragoza, 1654), pp. 3 y 22.]

VICENTE SÁNCHEZ *
(h. 1610, † 1679)

287

A TIRSI DOLIENTE

Ciega al aire, la nube escala al viento,
gigante de humo que a la luz conspira,
bostezo melancólico que aspira
a ser doliente eclipse al firmamento.

Al cielo sólo al estallar violento 5
asusta el trueno de la luz que gira,
y en la tierra, distante de su ira,
quejas del rayo humea el escarmiento.

Si de horror viste tu esplendor sereno
ese achaque de nube con ensayo, 10
cielo eres, Tirsi, tu temor condeno.

Contra mí se arma, sienta yo el desmayo;
tú, no, porque aunque más te asuste el trueno,
nunca se forja contra el cielo el rayo.

288

ENDECHAS

Aquella tortolilla
a quien oye la selva
llorar con ansias vivas
sus esperanzas muertas,

* Vicente Sánchez, zaragozano, excelente músico que llegó al cargo de maestro de Capilla en el Pilar, por lo que abundan en su obra los villancicos sacros a distintas festividades. Fue asistente asiduo a las Academias poéticas de su tiempo, como la del Virrey don Fernando de Borja.

al sufrimiento ofende, 5
si al dolor lisonjea,
cuando pasión tan dura
desata en voz tan tierna.
Su llanto es instrumento
que acompaña su queja, 10
donde la destemplanza
es armonía nueva.
Envuelto en melodías,
hace el tormento en ella
que amargamente cante 15
y dulcemente sienta.
Si aun al aire suspende
su sonora tristeza,
mucho es que su dulzura
su dolor no suspenda. 20
No será su tormento
igual a sus querellas,
o finge con su llanto,
o siente con mi pena.

289 A UNOS OJOS NEGROS

Ojos, milagros de amor,
que, exentos de su poder,
tenéis de libres el ser
y de esclavos el color;
negros os volvió el ardor 5
de vuestros incendios puros,
que en vano os previene muros
el pecho del que miráis
cuando vosotros no estáis
de vuestros rayos seguros. 10

[De la *Lyra poética* (Zaragoza, 1688), pp. 66, 74 y 77.]

AMBROSIO DE BONDÍA *

(† d. de 1650)

290

MOTE

La consonancia de amor
tiene tan dulces acentos,
que suspende hasta los vientos.

291

¿DE QUÉ? ¿CÓMO? ¿PARA QUÉ?

¿De qué te afrentas, rosal,
de salir a la luz pura,
cuando ronda tu hermosura
el planeta celestial?
¡No pienses ser inmortal, 5
porque en tu seno se esté
la rosa! Porque yo sé
que apetece verse fuera,
y a la luz no se corriera
de verse; pues tú *¿de qué*? 10
¿Cómo eternizas tu nombre
y estableces tu memoria,
si lo que puede ser gloria
en ti lo ocultas del hombre?
Para pretender se asombre 15
de tu nácar, que un asomo
ve en tus verduras esquivas,

* Ambrosio de Bondía nació en Zaragoza a principios del siglo XVII. En Roma fue capellán del Conde de Monterrey y después residió en Nápoles durante su virreinato. Vivió algún tiempo en Barcelona y volvió después a Zaragoza, donde murió.

es menester que en un tomo
o libro eterno lo escribas;
pero, si lo borras, *¿cómo*? 20

¿Para qué quieres que rompa
con violencia por vivir
tu rosa, si ha de salir
a luz sin que se corrompa?
La eterna fama en su trompa, 25
si quies que gloria te dé,
haz que salga cuando esté
más enredada en tus brazos
y más atada en sus lazos;
porque si no *¿para qué*? 30

Di, ¿qué gloria puede ser
no anticipar tu hermosura?
¿Así puedes merecer
el aplauso y la ventura
que puedes de ella tener? 35
No detengas, créeme a mí,
la gloria en que has de gozarte,
porque es sin duda que allí
llegarás a mejorarte;
porque si no, *¿dónde, di*? 40

¿Por qué no te determinas,
pues cuando en la duda vienes,
a todos consta que tienes
rosas entre tus espinas?
Hermosura peregrina 45
cuando el mundo las miró
en ellas su gloria vio,
y coronando el deseo,
en todos fue dulce empleo;
pues, rosa, en ti, *¿por qué no?* 50

[De la *Cytara de Apolo y Parnaso de Aragón* (Zaragoza, 1650), fols. 23 y 37.]

BALTASAR LÓPEZ DE GURREA *

292 HABLA CON SU PENSAMIENTO, QUEJOSO DE LOS RIGORES DE CELINDA

ROMANCE

Pensamiento mío,
¡qué tristes estamos,
tú por lo que pierdes,
yo por lo que gano!
Cuando pierdes dichas, 5
gano desengaños,
y es para perderte
llegar a ganarlos.
Tus dichas arroja
un olvido ingrato, 10
y yo en tus desdichas
mi locura atajo.
Mas, ¡ay!, que mal puedo,
pues en tanto daño
me tiene más loco 15
tu fino cuidado.
Porque no conoces
que es empleo vano
pagar en finezas,
cobrando en agravios. 20
Si un ingrato dueño
de ti se ha olvidado,
¿por qué sus olvidos
pagan agasajos?

* Natural de Zaragoza, gentilhombre de la cámara de don Juan de Austria y capitán general de Mallorca.

Si el rigor le sale 25
a tu amor al paso,
¿por qué no le templan
ultrajes tan claros?
Si a tu fe se oponen
desvíos tiranos, 30
¿por qué has de ofrecerte
gustoso holocausto?
Si el desdén te hiela,
¿por qué en fuego tanto
has de ser el Etna 35
en que yo me abraso?
Si ingratos rigores
pueden apagarlo,
¿por qué a mis dos ojos
les pides su llanto? 40
Si ya de mi olvido
evidencias hallo,
¿por qué sin razones
pretendes dudarlo?
Si oculto en silencio 45
las penas que paso,
¿por qué has de sufrillas
con quejas al labio?
Si es falsa sirena
la que te ha engañado, 50
¿por qué solicitas
lisonja en su canto?
Mas ¿para qué pido
razón que no alcanzo,
si te hallo tan ciego 55
como desdichado?
Pensamiento mío,
mi vida te encargo,
que la expone mucho
tu amoroso engaño. 60
Ingrata Lucinda,
dulcísimo encanto,

blanco a mi fineza
de amorosos rayos,
templa los rigores 65
del esquivo brazo,
y el verme rendido,
no esfuerce lo airado.

[De las *Classes poéticas* (Zaragoza, 1663), p. 92.]

JUAN DE MONCAYO *
(1614-15?, d. 1656)

293

A UNA FUENTE QUE A POCOS PASOS SE DESPEÑABA EN EL MAR

SONETO

Rompe el inculto espacio de la peña
este cristal que en forma diferente,
náufrago desde el curso de su oriente,
en raudales mayores se despeña.

Allí se extiende a arroyo la risueña 5
velocidad que aquí le inspiró fuente
y, suspensa su líquida corriente,
del alba en los aljófares se empeña.

Rompe y, acreditando de las flores
la común objeción, pretende en vano 10
dilatarse por términos del mundo.

* Don Juan de Moncayo y Gurrea, marqués de San Felices, nació en Zaragoza, fue caballero paje de Felipe IV en 1627, y en 1637 juró de gentilhombre de boca. Además de las *Rimas,* publicó en 1656 su poema de *Atalanta e Hipomenes,* con elogios de poetisas aragonesas.

Cuando, opuesto en empresas superiores,
el mar queriendo conquistar ufano,
bebió su fin en piélago profundo.

294 AL PRIMERO NAVEGANTE

SONETO

Quien osado fió su vida al viento,
del mar rompiendo intrépido el camino,
y quien en tanto golfo cristalino
juzgó las ansias del afán sediento,

no pudo entre las olas su ardimiento 5
extinguir, porque quiso su destino
que, en la seguridad de alado pino,
a los mortales sirva de escarmiento.

La ambición en los ánimos reparte
intentos que ejecutan la ruïna 10
contra el combate de una y otra suerte.

A la paz, el estrépito de Marte,
por ti, en remotos climas, se avecina,
y en inquietudes trágicas convierte.

295 A UNA DAMA QUE TIRÓ UN GÜEVO DE AZAHAR

SONETO

En prisión breve azahares deposita
tu mano bella, siempre rigurosa,
pues con el agua quiere, cautelosa,
el fuego disfrazar, que precipita.

En el tirar de amor el golpe incita, 5
fiando al aire acciones de briosa;
nunca la vio la selva más hermosa,
cuando de Venus la deidad imita.

Rendido el corazón a su luz pura
y abrasado en las perlas que derrama, 10
a mi cuidado acrecentó desvelos.

Divina suspensión de la hermosura,
¿cómo en agua reduces tanta llama?,
¿cómo desatas tanto ardor en hielos?

[De las *Rimas* (Zaragoza, 1652), edic. de Aurora Egido, en Clásicos Castellanos, 209.]

FRANCISCO DE TRILLO Y FIGUEROA
(¿1618?-1680)

296 ÚLTIMOS AFECTOS DE UNA DAMA, MIRANDO EL SEPULCRO DE SU AMANTE

Si con morir pudiera mejorarte,
si viviendo pudiera no perderte,
qué poco mereciera con la muerte,
qué poco me debieras por amarte.

Si con llorar pudiera consolarte, 5
si risueña pudiera no ofenderte,
qué poco me costara el merecerte,
¡oh cuánto mereciera en olvidarte!

Si la elección me fuera permitida,
si en tus cenizas abrigar la pena, 10
que ardiente parasismo es de mi vida,

¡oh cuán gozosa en la fatal cadena
aprisionara el alma condolida,
que tanto está de libertad ajena!

297 A UN DESENGAÑO DE FORTUNA

Quebranta ya Fortuna las prisiones
en que amarrada mi esperanza, incierto,
tantos días halló el amigo puerto,
arrastrando mi fe tus eslabones.

Honren ya tus paredes sujeciones 5
del ánimo rendido al desconcierto,
que en las aras inciertas, encubierto
no está bien el ardor de mis pasiones.

Allá donde tu halago no se esconde,
cual la espina en la flor insidïosa, 10
alimenta el recelo en la esperanza.

Básteme a mí saber que no responde
a mi ruego tu mano cautelosa:
que harto es dichoso quien su riesgo alcanza.

298 LETRILLA

¡Válgame Dios, que los ánsares vuelan!
¡Válgame Dios, que saben volar!

Andando en el suelo
vide un ánsar chico,
y alzando su pico 5
vino a mí de vuelo,
dióme un gran consuelo
de verlo alear.
¡Válgame Dios, etc.
El ánsar gracioso 10
comenzó a picarme,
y aun a enamorarme
su pico amoroso;
mas como alevoso
volvióme a dejar. 15
¡Valgame Dios, etc.

Era tan bonico
que me dejó en calma,
dando gusto al alma
su agraciado pico, 20
pues era, aunque chico,
grande en el picar.
¡Válgame Dios, etc.

Más quisiera yo
nunca haberle visto, 25
pues dulce le asisto
y cruel se huyó.
Sólo me dejó
que sentir y amar.
¡Válgame Dios, etc. 30

¡Ay, amor cruel,
cuando quieres paces
qué de halagos haces,
cuando no, qué infiel!
¿Dónde iré tras él, 35
que no sé volar?
¡Válgame Dios, que los ánsares vuelan!
¡Válgame Dios, que saben volar!

299

NEAPOLISEA

[FRAGMENTOS] *

[...] De anciano robre un tronco mal vestido,
con débiles raíces amarrado
a un mal seguro escollo, desprendido
de una alta roca por el tiempo airado,
cuando rémora no de su alto oído 5
fue prisión a las voces que allí el hado,
o simulacro antiguo, así diciendo
suspendió de las ondas el estruendo:

* Al margen: "Vaticinio por vía de episodio, para dar a conocer las acciones pueriles, que en el poema no se pueden referir por el Poeta."

"Ya los celajes del confuso oriente
el sol desvaneció con esplendores, 10
el sol, aún al ocaso reverente,
a pesar de sus ciegos moradores;
o nunca luctuoso el occidente,
los que ya purpurar mereció ardores,
pálidos reconozca, o nunca o tarde 15
ceniza abrigue quien sin ellas arde.

"Crece, oh tú, cuyas ya fecundas ramas,
dos orbes, zonas cinco, diez esferas,
auxilïar contra las duras llamas
puede ya de la envidia más severas. 20
No el húmedo Trïón, vistiendo escamas
de perezozo hielo, en sus riberas
tormentosas, fluctúe en sus espumas
las ya volantes de tu aliento plumas.

"Del Austro combatido, los atroces 25
quebrantes filos, no sin aspereza,
y aun tierna de tus ramas, los feroces
revoque aceros duros, la corteza.
Las plumas de la envidia más veloces
rodeen todo el orbe, que la alteza 30
igualar no podrán, y vencer menos,
de quien tantos anales serán llenos.

"No menos que de Marte de Minerva
laureles ceñirá su frente augusta;
bien que menos la suerte le preserva 35
la pluma, que el acero a edad robusta.
Tal vez Adonis la amorosa hierba,
y tal, midiendo la campaña adusta,
a deidad mucha el espumoso diente
del jabalí hará temer valiente. 40

La errante selva oprimirá siguiendo
veloces gamos con ligera planta,
desnudo Marte, armado Pan, vistiendo
común aplauso, diferencia tanta.

21 *Trión*: Neptuno.

El cuerno infiel en vano desmintiendo 45
cuanta honora la selva, el monte, cuanta
deidad mentida, las pesadas voces
oirá cadenas a sus pies veloces" [...]

[De las *Obras,* edic. de A. Gallego Morell (Madrid, 1951), pp. 21, 25, 125 y 447-448.]

JUAN DE OVANDO Y SANTAREM *
(1620-25, † d. 1670)

300 BAÑO CÉLEBRE DE UNA HERMOSURA

Cristal daba al cristal que dividía
incentiva deidad, desnuda Elena,
y entre la espuma que su luz serena,
Venus parece que otra vez nacía.

Al tacto de su cuerpo el Dauro ardía, 5
vuelto Troya de amor hasta la arena,
y adorándola sola por sirena,
transpontines de aljófar le mullía.

Julio, a la vista, dijo en su discurso:
"Con cristal a las aguas, ¿por qué sondas, 10
si avivas más mi incendio en su recurso?

"No el que animas marfil, Elena, escondas;
que parece se acaba al día el curso
cuando llegan tus soles a las ondas."

* Aunque se creyó nacido en Málaga y también en Granada, lo cierto es que nació en Archidona y estudió en Granada. Fue caballero del hábito de Calatrava, capitán de infantería en Málaga y también en Italia y Flandes.

8 *transportín*: "colchón pequeño y delgado que se suele echar sobre los otros, e inmediato al cuerpo, por ser de lana más delicada". *Dicc. de Auts.*

301 VIENDO DISPERTAR A AMARILIS, HERMOSA CON EXTREMO POR LO SOÑOLIENTA

En su lecho, Amarilis recordaba,
dando a mi amor celajes con lo hermoso,
y en lo dormido de su albor vistoso,
con dos soles crepúsculo formaba.

De nácares bostezos congelaba 5
con uno y otro párpado medroso,
cuando entre rayos de su pelo undoso,
su luz con desaliños madrugaba.

Si como verla, dije, he merecido,
ser Titán desta Aurora consiguiera, 10
no a mis ojos la dicha hubiera sido.

Que si llegara a su luciente esfera,
tanto la noche hubiera detenido,
que en la Noruega España amaneciera.

302 TEME LA HERMOSURA DE UNA DAMA EN LA BELDAD CELEBRADA DE UNA ROSA

Reina de los palacios de Amaltea,
joyel del vulgo del florido coro,
alma del prado, carmesí tesoro,
que poma del albor eres sabea.

Encarnado Faetonte es la tarea 5
que tan breve despeña tu decoro;
corriste exhalación de nácar y oro,
Iris del valle siendo en la librea.

[301] 1 *recordar*: despertar, como en la p. 67.

Bella eres copia de la que, perdido,
a sus luces me lleva deliciosa 10
del imán de sus luces impelido.

Que tenga la aventura de la hermosa
cual tú, recelo, su vivir florido,
pues también, como tú, su cara es rosa.

[De los *Ocios de Castalia en diversos poemas* (Málaga, 1663), fols. 15, 22v y 26.]

FRANCISCO DE LA TORRE SEVIL *
(† d. 1680)

303 A UNA VELA ARDIENDO

Vela que en golfos de esplendor navegas
por candores lucidos extendida,
hasta desvanecer desvanecida,
y ciega por lucir hasta que ciegas.

Si serena luz hay, presto te anegas; 5
si corre tempestad, vas sumergida;
huyes con breve soplo de tu vida
y con serena calma a tu fin llegas.

* Don Francisco de la Torre Sevil, poeta de Tortosa, nacido bien entrado el siglo XVII, vivió en Zaragoza, donde fue amigo de Gracián, y más tarde en Valencia y en Madrid. Aquí publicó en 1673 las *Agudezas de Juan Oven*. Es autor del *Entretenimiento de las Musas en esta baraxa nueva de versos, dividida en cuatro manjares de asuntos sacros, heroicos, líricos y burlescos* (Zaragoza, 1654); de la comedia *La azucena de Etiopía* (Valencia, 1665) y de otras obras.

Tan sin memoria viene tu occidente,
que aun de breves cenizas, breve copia, 10
noticia no dará de lo luciente;

humo será tu fin, pira no impropia;
dejarás sombra en todo, y solamente
no dejarás la sombra de ti propia.

304 CELEBRANDO EL VIVO PRIMOR DE DOS SIERPES QUE SIRVEN DE ASAS A UNA HERMOSA JARRA QUE SE ADMIRA ENTRE LAS ALHAJAS DE DON VICENCIO LASTANOSA *

Venenosas salivas escupieran,
si el que adornan primor no veneraran,
dos animadas sierpes, y silbaran,
si en el vaso silencio no bebieran.

Fieras esas parecen, y lo fueran, 5
si su inmovilidad aseguraran,
que aunque fijas los ojos las reparan,
cautelosas las manos las ponderan.

Sierpes vivas matar, valor se llama;
pero animar fingidas, ya se advierte 10
raro vigor de Prometeo llama.

En las suyas no triunfa Alcides fuerte,
porque fue mayor pasmo de la fama
dar vida a éstas que a las otras muerte.

[Del *Entretenimiento de las Musas* (Zaragoza, 1654), pp. 64 y 74.]

* Don Vicencio Juan de Lastanosa es el célebre erudito, arqueólogo y numísmata, amigo y protector de Gracián, cuya casa en Huesca encerraba un precioso museo.

[304] 11 Sobre Prometeo, véase la nota 5 de la p. 184.
12 Es una de las primeras hazañas de Hércules, que, niño de ocho meses, ahogó dos sierpes en la cuna.

305 AL MAR, EN METÁFORA DE UN CABALLO

Espumoso caballo en quien procura
ser señal, como estrella, el norte frío;
carreras se le imponen a tu brío
y pasos se le miden a tu altura.

Formidable relincho es tu voz dura; 5
tienes, con extendido señorío,
una torcida crin en cada río
y en cada fuerte puerto una herradura.

Haces mil caracoles de contino;
paras fiel a la calma que te enfrena 10
y pisas lo que abate tu camino.

Pícate espuela el aire que te llena;
el hombre te inventó silla de pino
y Dios te señaló freno de arena.

[*De la Poesía heroica del Imperio,* de L. F. Vivanco y L. Rosales, vol. II (Madrid, 1943), p. 715.]

JOSÉ DE-LITALA Y CASTELVÍ *
(1627-1701)

306 EN METÁFORA DE UNA FLOR, QUE ES RELOJ EN LA INDIA, PONDERA SU AMOR

Sigue del sol los abrasados pasos
flor especiosa que la India cría,
y siendo sus caminos verde espía,
los orientes registra y los ocasos.

13 *silla de pino*: nave.
* Nació en Caller (Caglian), y a los quince años se trasladó a Madrid, fue coronel, caballero de Calatrava y más tarde gobernador de Caller y Gallura.

En sus hojas señala sin acasos 5
las horas que notó en su compañía,
reloj del prado en muda astrología,
así en los turbios como en días rasos.

No de otra suerte yo, bella Sirene,
flor, que los rayos de tus ojos sigo, 10
las horas cuento que en prisión me tiene.

Tu tirano rigor, a quien no obligo,
esto el cuidado mío me previene,
siendo yo mi reloj para conmigo.

[De *Cima del monte Parnaso español* (Caller, 1672), fol. 128.]

ENRIQUE VACA DE ALFARO *

(† d. 1683)

307 A UN RELOJ

Reloj que mides sin cesar la vida
por momentos, por términos y instantes,
y si el tiempo deshace aun los diamantes,
corres veloz y corres sin medida.

Si en tu norte esa antorcha más lucida, 5
bien es que siempre duraciones cantes,
pues despertando cuerdos e ignorantes,
tu aviso al desengaño nos convida.

* Enrique Vaca de Alfaro, famoso doctor cordobés, autor además de una *Obras poéticas* (Córdoba, 1661), que no he logrado ver y de otras obras en prosa, aparte de la *Lyra de Melpomene.*

Cada golpe que das nos hace guerra,
cada punto que corres nos suspende, 10
y tan alto primor tu ser encierra,

que el más docto al Oriente sólo atiende;
que como su principio fue de tierra,
es cuerdo el que te escucha y no se ofende.

[De *Lyra de Melpomene* (Córdoba, 1666), fol. [59v].]

MIGUEL DE BARRIOS *

(1630-d. 1683)

308 Ausente el sol, el prado se oscurece,
reina la noche, madre de temores,
y de las fuentes, árboles y flores
la diversa color igual parece.

Mas cuando con sus rayos resplandece, 5
dando lustre al matiz de sus colores,
por más que apure el sol sus resplandores,
quien negro anocheció, negro amanece.

Bien podría admitir la color verde
con varios accidentes de alegría 10
a la negra color que mi alma viste;

* El capitán Miguel de Barrios o Daniel Leví de Barrios, de origen converso, nació en Montilla y militó en Flandes. Atraído por los rabinos de Amsterdam, abjuró su fe y se tornó judío. Es autor de la *Flor de Apolo* (Bruselas, 1664), *El coro de las musas* (Bruselas, 1672), *Poesías famosas* (Amberes, 1672); de otras obras sueltas, como su *Triunfo del gobierno popular* (Amsterdam, 1683) y de diversas comedias.

mas quien de la esperanza el verdor pierde,
aunque pase la noche y vuelva el día,
triste amanece, si anochece triste.

309 DE UN NÁUFRAGO AL MAR

Enemigo que, herido
del Bóreas riguroso, león rugiente
levantando el bramido,
no has podido templar mi pena ardiente,
porque de mi amor ciego, 5
con ser tanta tu nieve, es más el fuego.

Tu saña fugitiva
mayor venganza toma en perdonarme,
pues mi tormenta aviva,
¡qué pesar!, no acabando de matarme 10
con las ondas de hielo
que a la tierra me arrojas desde el cielo.

¿Por qué de tus cristales
me dejas salir vivo, si procuro
en tan continuos males 15
ser de tu nieve infausto Palinuro,
y no en pena crecida
morir a manos de mi propia vida?

¿Por qué del fuego mío
no apagas el incendio riguroso? 20
¿Por qué en tu centro frío
a mi pena no das sepulcro undoso?
Mas, ¡ay tormento airado!
¡Que aun la muerte desprecia al desdichado!

Lloro a la muerte ansioso, 25
al fuego me lamento sin sentido,
gimo al aire celoso,
al mar me quejo, al cielo favor pido,
y no me dan consuelo
la tierra, el aire, el fuego, el mar ni el cielo. 30

¡Ay prenda de mis ojos!
¡Ay soberana luz, ay Sol querida!,
¿qué atrevidos arrojos
han dejado mi vida sin tu vida?
Si somos en tu calma 35
un amor, un aliento, un ser, un alma.

[De la *Flor de Apolo* (Bruselas, 1665), pp. 66 y 125.]

310 A LA MUERTE DE RAQUEL

Llora Jacob de su Raquel querida
la hermosura marchita en flor temprano,
que cortó poderosa y fuerte mano
del árbol engañoso de la vida.

Ve la purpúrea rosa convertida 5
en cárdeno color, en polvo vano,
y la gala del cuerpo más lozano
postrada en tierra, a tierra reducida.

"¡Ay, dice, gozo incierto, gloria vana,
mentido gusto, estado nunca fijo, 10
¿quién fía en tu verdor vida inconstante?

Pues cuando más robusta y más lozana,
un bien que me costó tiempo prolijo
me lo quitó la muerte en un instante."

311 ENVIDIA EN SU MORIR AL DE LA ROSA

Naces, oh rosa, del amor hermana,
jurada reina de las otras flores,
tan aplaudida de los ruiseñores
que le sirves de risa a la mañana.

Efímera es un día de la vana 5
presunción que tenían, sus verdores,
pues de Febo a la luz y a los ardores
yace ceniza tu luciente grana.

Tu muerte envidio, rosa malograda,
aunque morir cuando nacer te viste, 10
dichosa eres, si fuiste desdichada.

Ya se acabó tu pena pues moriste.
¡Infeliz yo, que, en muerte dilatada,
más desdichado soy viviendo triste.

[Del *Coro de las musas* (Bruselas, 1672), pp. 127 y 533.]

JOSÉ TAFALLA NEGRETE *

(1630?-1702?)

312

PONDERA LA DESGRACIA DE PERDER EL BIEN POSEÍDO

ENDECHAS

Ligera navecilla,
que mal segura y vaga,
espumas arrollando,
pisas campos de plata,
afirma quien te ha visto 5
que en ese undoso nácar,
eres corzo de aljófar,
eres de nieve garza.

* José Tafalla y Negrete, aragonés, doctor en Derecho y abogado ejerciente en Zaragoza, se trasladó a Madrid, donde murió a principios del siglo XVIII.

Las encrespadas ondas
letras son en la playa, 10
y conceptos adonde
se cifran amenazas.
Ya veo tus peligros
cerca de tus bonanzas:
que nunca estuvo lejos 15
el mal que no se aguarda.
Tus vanidades pobres
y tus soberbias flacas
se fundan en el viento
y sobre vidrio cargan. 20
De la fortuna mía
leves señas retratas,
o sean tus velas cierzos,
o sean tus remos alas.
En el mar de mis ojos, 25
se anega mi esperanza,
original perdido,
de quien serás estampa.
Así un pescadorcillo,
sin redes ya y sin cañas, 30
ausente de Amarilis,
en la ribera canta:
"Navecilla, el curso detén,
que el bien que se pierde
no deja otro bien." 35

[Del *Ramillete poético de las discretas flores del amenissimo, delicado numen...* (Zaragoza, 1706), p. 115.]

AGUSTÍN DE SALAZAR Y TORRES *
(1642-1673)

313 A LAS OJERAS DE UNA DAMA

Iluminados del color del cielo
los párpados hermosos de unos ojos,
raudales de zafir, que sin enojos
los sentidos anegan por consuelo,

piratas son del sol, que sin desvelo 5
las luces roban a sus rayos rojos,
que validos blasonan por despojos,
sombra a sus luces y a sus rayos hielo.

Del alma más esquiva las potencias
el sitio azul en cercos y clausura 10
sitiadas rinde sin acción violenta.

Que es imposible en tantas influencias
resistir al imán de su hermosura
por centro de la vida, que la alienta.

314 ALIENTA A SU CORAZÓN A QUE EXPLIQUE EL DOLOR QUE LE AFLIGE

Corazón cobarde mío,
explica más tu dolor,
que no es razón que le ocultes,
si le sientes con razón.

* Natural de Almazán, a los cinco años lo llevó a Méjico su tío don Melchor de Torres, obispo de Campeche. Estudió con los jesuitas y regresó a España acompañando a don Francisco de la Cueva, duque de Albuquerque, a cuyo servicio estuvo muchos años, y terminó como sargento mayor de la provincia de Agrigento.

¿De qué te sirve el silencio 5
si no alivias el dolor?
Y cuando el premio te falta,
¿de qué el silencio sirvió?
La opinión es sospechosa
y disminuye el ardor; 10
pues tarde encuentra el remedio
el que la herida ocultó.
Si es que te obliga el respeto,
mueres sin obligación:
que el que no es capaz de alivio 15
es muy dueño de su voz.
Quien publica su dolencia
suele hallar su compasión;
y es raro el que ha conseguido
que le den si no pidió. 20
A veces suele la queja
explicarse en ocasión;
y a veces suele el callado
padecer porque calló.
Quéjate, en fin, no malogres 25
con una acción otra acción;
sea el exterior descanso
de tu tosigo interior.
Y si en callar prosiguieres,
padece oculto el ardor, 30
para que más presto acabes,
Mongibelo corazón.

Estribillo

Yo sólo triste, de mi mal contento,
de esperanzas vivo y de esperar me muero.

315 FÁBULA DE ADONIS Y VENUS

[FRAGMENTO]

[...] Pasaba Venus a Gnido
a ver desatar su culto,
de la turífera Arabia
ostentaciones en humo.
Y viendo la verde Tempe, 5
donde impelida del rudo
invierno, tiene en su sitio
la primavera refugio,
el carro deja; a la selva
claveles creció purpúreos 10
su marfil, en breve engaste
de cinco argentados puntos.
Vuela el niño, dulce abeja,
a las rosas, que produjo
rigor estivo en su rostro, 15
vinculadas a ligustros.
Y cayendo aguda flecha
(así Amor remata el gusto),
tersa de cristal aljaba
halló en el pecho desnudo. 20
Castigara al hijo Venus,
mas cometido el insulto,
con remos surcó de pluma
mares de viento difusos.
Resonó la selva entonces 25
de venatorios tumultos,
y voces infunden alma
en el valle más profundo.

3 *turífera*: portadora de incienso.
5 *Tempe*: véase la nota 29 de la p. 173.
16 *ligustro*: el árbol llamado 'alheña', con flores de color blanco.

Y sale gallardo joven,
vibrando venablo agudo; 30
claro espejo donde Febo
copia su bello trasunto.
Pululante el bozo, adquiere
respeto de hermoso vulto,
sacando en números de oro 35
la suma de cuatro lustros.
Ostenta doble coleto,
y de Ofir el metal rubio
no le permite ser ante,
entre las franjas oculto. 40
Portátil de plumas monte
era el sombrero, e importuno
céfiro en blandos embates
colores deja confusos [...]

[De la *Cythara de Apolo* (Madrid, 1694), pp. 55, 140 y 170.]

SOR JUANA INÉS DE LA CRUZ

(1651-1695)

316

ROMANCE

Afuera, afuera, ansias mías;
no el respeto os embarace:
que es lisonja de la pena
perder el miedo a los males.

33 *pululante*: de 'pulular', empezar a brotar.
34 *vulto*: rostro, cara.
37 *coleto*: "Vestidura como casaca o jubón que se hace de piel de ante". *Dicc. de Auts.*
38 el metal rubio de Ofir: el oro. Véase otra referencia en la p. 319.

Salga el dolor a las voces 5
si quiere mostrar lo grande,
y acredite lo insufrible
con no poder ocultarse.
Salgan signos a la boca
de lo que el corazón arde, 10
que nadie creerá el incendio
si el humo no da señales.
No a impedir el grito sea
el miramiento bastante;
que no es muy valiente el preso 15
que no quebranta la cárcel.
El que su cuidado estima,
sus sentimientos no calle;
que es agravio del motivo
no hacer del dolor alarde. 20
Mayor es, que yo, mi pena;
y esto supuesto, más fácil
será, que ella a mí me venza,
que no que yo en ella mande.

317 ARGUYE DE INCONSECUENTES EL GUSTO Y LA CENSURA DE LOS HOMBRES QUE EN LAS MUJERES ACUSAN LO QUE CAUSAN

Hombres necios que acusáis
a la mujer sin razón,
sin ver que sois la ocasión
de lo mismo que culpáis:
si con ansia sin igual 5
solicitáis su desdén,
¿por qué queréis que obren bien
si las incitáis al mal?
Combatís su resistencia
y luego, con gravedad, 10
decís que fue liviandad
lo que hizo la diligencia.

Parecer quiere el denuedo
de vuestro parecer loco
al niño que pone el coco 15
y luego le tiene miedo.

Queréis, con presunción necia,
hallar a la que buscáis,
para pretendida, Thais,
y en la posesión, Lucrecia. 20

¿Qué humor puede ser más raro
que el que, falto de consejo,
él mismo empaña el espejo,
y siente que no esté claro?

Con el favor y el desdén 25
tenéis condición igual,
quejándoos, si os tratan mal,
burlándoos, si os quieren bien.

Opinión, ninguna gana;
pues la que más se recata, 30
si no os admite, es ingrata,
y si os admite, es liviana.

Siempre tan necios andáis
que, con desigual nivel,
a una culpáis por crüel 35
y a otra por fácil culpáis.

¿Pues cómo ha de estar templada
la que vuestro amor pretende,
si la que es ingrata, ofende,
y la que es fácil, enfada? 40

Mas, entre el enfado y pena
que vuestro gusto refiere,
bien haya la que no os quiere
y quejaos en hora buena.

Dan vuestras amantes penas 45
a sus libertades alas,

19 *Thais*: célebre cortesana de la antigüedad.
20 Lucrecia: esposa de Tarquino Colatino, que violada por Sexto Tarquino, se quitó la vida.

y después de hacerlas malas
las queréis hallar muy buenas.
¿Cuál mayor culpa ha tenido
en una pasión errada: 50
la que cae de rogada,
o el que ruega de caído?
¿O cuál es más de culpar,
aunque cualquiera mal haga:
la que peca por la paga, 55
o el que paga por pecar?
Pues ¿para qué os espantáis
de la culpa que tenéis?
Queredlas cual las hacéis
o hacedlas cual las buscáis. 60
Dejad de solicitar,
y después, con más razón,
acusaréis la afición
de la que os fuere a rogar.
Bien con muchas armas fundo 65
que lidia vuestra arrogancia,
pues en promesa e instancia
juntáis diablo, carne y mundo.

318 EN QUE DA MORAL CENSURA A UNA ROSA, Y EN ELLA A SUS SEMEJANTES

Rosa divina que en gentil cultura
eres, con tu fragante sutileza,
magisterio purpúreo en la belleza,
enseñanza nevada a la hermosura.

Amago de la humana arquitectura, 5
ejemplo de la vana gentileza,
en cuyo ser unió naturaleza
la cuna alegre y triste sepultura.

¡Cuán altiva en tu pompa, presumida,
soberbia, el riesgo de morir desdeñas, 10
y luego desmayada y encogida

de tu caduco ser das mustias señas,
con que con docta muerte y necia vida,
viviendo engañas y muriendo enseñas!

319 Verde embeleso de la vida humana,
loca Esperanza, frenesí dorado,
sueño de los despiertos intrincado,
como de sueños, de tesoros vana;

alma del mundo, senectud lozana, 5
decrépito verdor imaginado;
el hoy de los dichosos esperado
y de los desdichados el mañana:

sigan tu sombra en busca de tu día
los que, con verdes vidrios por anteojos, 10
todo lo ven pintado a su deseo;

que yo, más cuerda en la fortuna mía,
tengo en entrambas manos ambos ojos
y solamente lo que toco veo.

320 EN QUE SATISFACE UN RECELO CON LA RETÓRICA DEL LLANTO

Esta tarde, mi bien, cuando te hablaba,
como en tu rostro y tus acciones vía
que con palabras no te persuadía,
que el corazón me vieses deseaba;

y Amor, que mis intentos ayudaba, 5
venció lo que imposible parecía:
pues entre el llanto, que el dolor vertía,
el corazón deshecho destilaba.

Baste ya de rigores, mi bien, baste;
no te atormenten más celos tiranos, 10
ni el vil recelo tu quietud contraste

con sombras necias, con indicios vanos,
pues ya en líquido humor viste y tocaste
mi corazón deshecho entre tus manos.

321 PROSIGUE EL MISMO ASUNTO, Y DETERMINA QUE PREVALEZCA LA RAZÓN CONTRA EL GUSTO

Al que ingrato me deja, busco amante;
al que amante me sigue, dejo ingrata;
constante adoro a quien mi amor maltrata;
maltrato a quien mi amor busca constante.

Al que trato de amor, hallo diamante, 5
y soy diamante al que de amor me trata;
triunfante quiero ver al que me mata,
y mato al que me quiere ver triunfante.

Si a éste pago, padece mi deseo;
si ruego a aquél, mi pundonor enojo: 10
de entrambos modos infeliz me veo.

Pero yo, por mejor partido, escojo
de quien no quiero ser violento empleo,
que, de quien no me quiere, vil despojo.

322 EL SUEÑO

[FRAGMENTOS]

[...] Con tardo vuelo y canto, del oído
mal, y aun peor dèl ánimo admitido,
la avergonzada Nictineme acecha
de las sagradas puertas los resquicios,

[322] 3 *Nictineme*: hija de Epopeo, rey de Lesbos, fue amada por su padre y, avergonzada, huyó a un bosque donde Atenea la transformó en lechuza.

o de las claraboyas eminentes 5
los huecos más propicios
que capaz a su intento le abren brecha,
y sacrílega llega a los lucientes
faroles sacros de perenne llama
que extingue, si no infama, 10
en licor claro la materia crasa
consumiendo que el árbol de Minerva
de su fruto, de prensas agravado,
congojoso sudó y rindió forzado.
Y aquellas que su casa 15
campo vieron volver, sus telas hierba,
a la deidad de Baco inobedientes
—ya no historias contando diferentes,
en forma sí afrentosa transformadas—,
segunda forman niebla, 20
ser vistas aun temiendo en la tiniebla,
aves sin pluma aladas:
aquellas tres oficïosas, digo,
atrevidas hermanas,
que el tremendo castigo 25
de desnudas les dio pardas membranas
alas tan mal dispuestas
que escarnio son aun de las más funestas;
éstas, con el parlero
ministro de Plutón un tiempo, ahora 30
supersticioso indicio al agorero,
solos la no canora
componían capilla pavorosa,

12 *árbol de Minerva*: el olivo.
24 *las atrevidas hermanas*: las hijas de Minias, que despreciaron a Baco y por eso sus telares comenzaron a ponerse verdes y los tejidos a convertirse en hojas, tomando el aspecto de la hiedra. Fueron convertidas en murciélagos, según cuenta Ovidio en sus *Metamorfosis,* libro IV.
30 *ministro de Plutón*: Ascáfalo, que fue convertido en búho por su lengua delatora, como relata Ovidio, *Met.*, libro V.

máximas, negras, longas entonando,
y pausas más que voces, esperando 35
a la torpe mensura perezosa
de mayor proporción tal vez, que el viento
con flemático echaba movimiento,
de tan tardo compás, tan detenido,
que en medio se quedó tal vez dormido. 40
Este, pues, triste son intercadente
de la asombrada turba temerosa,
menos a la atención solicitaba
que al sueño persuadía;
antes sí, lentamente, 45
su obtusa consonancia espacïosa
al sosiego inducía
y al reposo los miembros convidaba
—el silencio intimando a los vivientes,
uno y otro sellando labio obscuro 50
con indicante dedo,
Harpócrates, la noche, silencioso;
a cuyo, aunque no duro,
si bien imperïoso,
precepto, todos fueron obedientes—. 55
El viento sosegado, el can dormido,
éste yace, aquél quedo
los átomos no mueve,
con el susurro hacer temiendo leve,
aunque poco, sacrílego rüido, 60
violador del silencio sosegado.
El mar, no ya alterado,
ni aun la instable mecía
cerúlea cuna donde el Sol dormía;
y los dormidos, siempre mudos, peces, 65

34 *máxima*: "la primera nota o punto de Música". *Dicc. de Auts.*; *negra*: la nota que tiene de duración la mitad de una blanca; *longa*: "la segunda nota o punto de Música". *Dicc. de Auts.*

52 *Harpócrates*: el nombre que en Alejandría recibió el dios egipcio Horus.

en los lechos lamosos
de sus obscuros senos cavernosos,
mudos eran dos veces;
y entre ellos, la engañosa encantadora
Alcíone, a los que antes 70
en peces transformó, simples amantes,
transformada también, vengaba ahora.
En los del monte senos escondidos,
cóncavos de peñascos mal formados
—de su aspereza menos defendidos 75
que de su obscuridad asegurados—,
cuya mansión sombría
ser puede noche en la mitad del día,
incógnita aún al cierto
montaraz pie del cazador experto 80
—depuesta la fiereza
de unos, y de otros el temor depuesto—
yacía el vulgo bruto,
a la Naturaleza
el de su potestad pagando impuesto, 85
universal tributo;
y el Rey, que vigilancias afectaba,
aun con abiertos ojos no velaba.

[De las *Obras completas,* edic. de A. Méndez Plancarte, I (México, 1951), pp. 31, 228, 280, 287, 303 y 336-338.]

66 *lamoso*: de 'lama', "el cieno y todo lo que hace el agua". *Dicc. de Auts.*

70 *Alcíone*: Según Ovidio, Ceix, casado con Alcíone, decidió consultar a un oráculo. Durante el viaje, una tempestad destruyó la nave, pereciendo él ahogado. Las olas devolvieron el cuerpo a la orilla, donde lo encontró su esposa y tan desesperada estaba, que los dioses los convirtieron en las aves llamadas 'alciones'. Pero no encontré ninguna referencia a Alcione como "engañosa encantadora".

ANDRE FROES *

(† 1689)

323 SONETO A LO MISMO [QUE MUEVE AL AMOR DE DIOS]

Suspende el barco ya, perdona al remo,
¡oh tú, que errante sin temor caminas!,
que al piélago del mar donde te inclinas
fatal desdicha a tu locura temo.

Si en la bonanza del lugar supremo, 5
seguro de las ondas te imaginas,
verás que de los hados las rüinas
te vuelven de un extremo en otro extremo.

Aprieta, pues, la rienda al curso breve,
antes que de las horas la mudanza 10
acredite el rigor, la paz desmienta.

Mira del bien lo frágil y lo breve,
que como no hay tormenta sin bonanza,
tampoco no hay bonanza sin tormenta.

324 Largad, mis ojos, los cristales fríos
(como nacidos de mi amor, ardientes),
aumentaréis los ríos siendo fuentes,
aumentaréis los mares, siendo ríos.

* Andre Froes de Macedo, humanista y poeta nacido en Santarem, vivió muchos años en Castilla, donde tomó el hábito de la Merced, con el nombre de fray Andrés de Cristo, y en 1689 era misionero en el Marañón.

Para llorar duplicaréis los bríos; 5
sean las fuerzas de llorar vehementes;
que aun es poco, aunque largas las corrientes,
que déis mares al mar, siendo ojos míos.

No canséis de llorar, ojos cansados,
desatad nuevamente los cristales: 10
que antiguas culpas lloraréis de nuevo.

Porque aunque eternamente desatados
siempre os vea en llorar, vuestros caudales
siempre poco serán a lo que debo.

[De *Amores divinos* (Lisboa, 1631), edic. de A. Pérez Gómez (Valencia, 1959), p. 56.]

TINEO *

(† 1693)

325 SONETO A UNA DAMA CORTESANA QUE SIENDO SORDA CANTA EXCELENTEMENTE, Y TEMPLA LA GUITARRA APLICÁNDOLA A LA BOCA

El dulce labio al instrumento aplicas
para templarle; pero ¿en qué instrumento
hay cuerda que no salte de contento
si en tu boca alma y voz le comunicas?

* Tineo, cuyo nombre propio desconocemos, porque el manuscrito que extractó Gallardo carece de portada y sólo en el tejuelo pone "Tineo. Poesías". Según diversos poemas se graduó de doctor en Teología en Ávila y fue amigo de Bocángel, Pellicer, Ulloa y Diego de Colmenares.

¡Qué bien al griego astuto así le explicas 5
del modo que frustrara su ardimiento
ese sonoro imán, cuyo ardimiento
aun lo más insensible vivificas!

Canta, sirena dulce; no enmudezcas,
que aunque entrar de la gloria de tu boca 10
a la parte no quieran los sentidos,

cantando no es posible que ensordezcas;
pues a tu voz, ¿qué áspid o qué roca,
en vez de ensordecer, no se hace oídos?

[Del *Ensayo,* de Gallardo, IV, col. 739.]

POESÍA DE TIPO TRADICIONAL

326

Mal haya la torre,
fuera de la cruz,
que me quita la vista
de mi andaluz.
Mal haya la torre, 5
que tan alta es,
que mi quita la vista
de mi cordobés.

327

—Decidle a la muerte, madre,
que no me lleve.
—Harto le digo, hija,
y ella no quiere. 4

5 *griego astuto*: alude a Ulises y al canto de las sirenas.

328

Por la mar abajo
van los mis ojos;
quiérome ir con ellos,
no vayan solos. 4

329

Al entrar en la iglesia
dije: "Aleluya,
sacristán de mi alma,
toda soy tuya." 4

330

Galeritas de España,
parad el remo,
para que descanse
mi amado dueño. 4

331

Pasas por mi calle,
no me quieres ver:
corazón de acero
debes de tener. 4

332

Si tuviera figura
mi pensamiento,
¡qué de veces le hallaras
en tu aposento! 4

333

Pensamientos me quitan
el sueño, madre,
desvelada me dejan,
vuelan y vanse. 4

334

Mira lo que debo,
niña, a tus labios,
pues me resucitan
si me desmayo. 4

335

Río de Sivilla,
rico de olivas,
dile cómo lloro
lágrimas vivas. 4

336

Como lo tuerce y lava
la monjita el su cabello,
como lo tuerce y lava
luego lo tiende al hielo. 4

337

Por un pajecito
del corregidor,
colgaré yo, mi madre,
los cabellos al sol. 4

338

No me los ame naide
a los mis amores, eh;
no me los ame naide,
que yo me los amaré. 4

[De las *Séguidilles anciennes,* publicadas por R. Foulché-Delbosc, en la *Revue Hispanique,* 8 (1901), pp. 311 y ss.]

339

OTRO ROMANCE

Púsose el Sol,
salióme la Luna;
más me valiera, madre,
ver la noche escura.

De unos ojos bellos 5
vi el sol que salía,
cuando amanecía
mi esperança en ellos;
si para perdellos
vi su lumbre pura, 10
más me valiera, madre,
ver la noche escura.
La gran luz del cielo
se volvió en tinieblas,
cubierto de nieblas 15
mi bien deste suelo;
vivió su recelo,
murió mi ventura:
más me valiera, madre,
ver la noche escura. 20
La luz que solía
guiar mis deseos,
tras mil devaneos
a escuras me guía;
si en mi alegría 25
no hay hora segura,
más me valiera, madre,
ver la noche escura.
La luna voltaria
me salió al encuentro, 30
de mi pensamiento
amiga contraria;
pues su luz es varia
y mi fe segura,
más me valiera, madre, 35
ver la noche escura.

340

No duermen mis ojos,
madre qué harán?
Amor los desvela,
¿si se morirán?

No quiere el tirano 5
que sosiegue un punto,
siempre tiene a punto
la flecha en la mano;
y aunque en morir gano,
me hace penar. 10
Amor los desvela,
¿si se morirán?
No mira el cruel,
que aunque están dormidos,
velan los sentidos, 15
y el coraçón fïel,
amor que está en él,
¿quién le roba ya?
Amor los desvela,
¿si se morirán? 20

341

ENSALADILLA

Quien madruga Dios le ayuda,
si lleva buena intención.

Dominga de Andrés Luis,
Constanza de Gil Marruecos,
Petronilla Rompezuecos, 5
y Malgarida Solís;
Ángela de Castellote,
Inés la de Marivela,
Juana la de Antón Tudela,
y Belilla de Mingote, 10

fueron a ver qué pasaba
en el val Daratuzán,
la mañana de San Juan
al tiempo que alboreaba;
y a coger flores también 15
para que en misa mayor
el cura Frutos Gotor
les dé bendición solén.
Iba Dominga mohina
porque no quiso su suegra 20
prestalle la saya negra
y la prestó a su vecina.
Al fin dejando a una parte
rencillas de entre semana,
con Brígida la hortolana 25
cantó al pandero de este arte:

"*Luna, que reluces,*
toda la noche alumbres.

¡Ay luna, que reluces,
blanca y plateada, 30
toda la noche alumbres
a mi linda enamorada!
Amada que reluces
toda la noche alumbres."

Luego Juana Santorcaz 35
y Aldonza la de Valbuena,
Úrsula de la Patena,
y Agustina Fuenteelsaz,
porque aguardaba a su Andrés
que allá a buen alba vendría, 40
aqueste cantar decía
ordenando un pasa tres:

"*¿Cuándo saldréis, alba galana,*
cuándo saldréis el alba?

Resplandece el día 45
crecen los amores,
y en los amadores
aumenta alegría.
Alegría galana,
cuándo saldréis el alba.” 50

En llegando al val florido
do estaba todo el lugar,
cantó Casilda un cantar
bien cantado y bien tañido:

“Trébole, ay Jesús, cómo huele 55
trébole, ay Jesús, qué olor!

Trébole de la niña dalgo,
que amaba amor tan lozano,
tan escondido y celado,
sin gozar de su sabor. 60

Trébole, ay Jesús, cómo huele,
trébole, ay Jesús, qué olor!

Mencía la granadera,
porque Alonso de Alceguilla
se iba a vivir a la villa 65
cantó de aquesta manera:

“Que no cogeré yo verbena
la mañana de San Juan,
pues mis amores se van.

Que no cogeré yo claveles, 70
madreselva ni mirabeles,
sino penas tan crueles,
cual jamás se cogerán,
pues mis amores se van.”

Fue el Alcalde a pasearse 75
con Valero el escolar,
y Quiteria Palomar
así cantó por vengarse:

"A Salamanca el escolarillo,
a Salamanca irás. 80

Irás a do no te vean,
ni te escuchen ni te crean,
pues a las que te desean
tan ingrato pago das.
A Salamanca el escolarillo, 85
a Salamanca irás."

Tañó a misa el sacristán
y dijo Marina en voz:
"Mala Pascua te dé Dios,
pues tú me das mal San Juan:" 90

¡Oh qué negro de temprano
a tañernos madrugó!
Parece que se acostó
con el badajo en la mano.
Pudiera muy bien dejar 95
por ahora la tañida,
una vez que en nuestra vida
nos venimos a holgar.

Quexóse luego Pascual
de que su vecina Menga, 100
de él sin culpa enojo tenga
y diga no poco mal.
Y porque más no lo atice,
cantó a Marina Buitrago:
"¿Yo qué la hice, yo qué la hago, 105
que me da tan ruin pago?
¿No qué la hago, yo qué la hice,
que de mí tanto mal dice?"

En pago de que la amo
mas que Menga se ama así, 110
me llama su mal a mí
cuando yo mi bien la llamo,
Mucho de quien es desdice
en dejar mi amor en vago.
¿Yo qué la hice, yo qué la hago, 115
que me da tan ruin pago?
¿Yo qué la hago, yo qué la hice
que de mí tanto mal dice?"

La comadre Mari Pina
tuvo celos de Gil Polo, 120
porque le vio venir sólo
con Marta de Tomasina;
y también Marcos Chuzón
el de la chaqueta verde,
riñó con Lucas Monterde 125
por Casilda Tamajón.
Empero Blasco Gastón
cantó poniéndose en medio:
"No sois vos para en cámara, Pedro;
no sois vos para en cámara, no. 130

Venís tan apitonado,
corajudo y enojado,
que temo que habeis cargado
delantero y sin razón.
No sois vos para en cámara Pedro; 135
no sois vos para en cámara, no."

Por ponello todo en paz
dijo el escribano Lemos:
—"Ea, señores, almorcemos
pues hay que almorzar asaz.» 140
Asentáronse a almorzar
no sin gana, yo os lo juro,
y con cada tres de puro
se volvieron al lugar.

342 LETRILLA

Galeritas de España
parad los remos,
para que descanse
mi amado preso.

Galeritas nuevas 5
que en el mar soberbio
levantáis las olas
de mi pensamiento;
pues el viento sopla
navegad sin remos, 10
para que, &c.
En el agua fría
encendéis mi fuego,
que un fuego amoroso
arde entre los hielos; 15
quebrantad las olas
y volad con viento,
para que, &c.
Plegue a Dios que déis
en peñascos recios, 20
defendiendo el paso
de un lugar estrecho;
y que estéis paradas
sin tener encuentro,
para que, &c. 25
Plegue a Dios que os manden
pasar el invierno,
ocupando el paso
de un lugar estrecho;
y que quebrantadas 30
os volváis al puerto,
para que, &c.

343 LETRILLA

En la cumbre madre,
tal aire me dio,
que el amor que tenía
aire se volvió.

Madre, allá en la cumbre 5
de la gentileza
miré un belleza
fuera de costumbre,
cuya nueva lumbre
ciega me dejó, 10
que el amor, &c.
Quísolo mi suerte,
fragua de mis males,
que con ansias tales
llegase a la muerte; 15
mas un aire fuerte
así me trocó,
que el amor, &c.
Dulce ausente mío,
no te alejes tanto, 20
mueva ya mi llanto
ese pecho frío;
mas ay que un desvío
tal pena me dio,
que el amor, &c. 25

344 LETRILLA

Miro a mi morena
cómo en mi jardín
va cogiendo la rama
del blanco jazmín.

Atento la miro 5
su ser contemplando,
que de cuando en cuando
arrojo un suspiro.
Y aunque me retiro
de darle pena, 10
tiénela por buena
por llegar al fin,
porque coge la rama,
del, &c.

Algo desmayada 15
trepa entre las flores,
mudando colores
se queda turbada.
Y es tan agraciada
que con suspirar, 20
me hace recordar
si quiero dormir,
porque, &c.

345 OTRA

Hacen en el puerto
son apacible,
aires de la mar
serenos y humildes.

Parten las galeras 5
con alegría,
cuando viene el día
tremolan banderas.
Y entre las riberas
un son se fragua 10
y hacen en el agua,
son apacible,
aires de la mar,
serenos y humildes.

Guían los remeros 15
do el norte endereza,
van con ligereza
los marineros.
Muestran los aceros
de su confianza, 20
y hacen con bonanza,
son apacible,
aires de la mar,
serenos y humildes.

[Del *Romancero General* (Madrid, 1600), edic. de A. González Palencia (Madrid, 1947), núms. 409, 643 (final), 651, 721, 887, 896 y 993.]

346 JUGUETE

¿Quién te trujo, niña
de Manzanares,
a tierras extrañas
para matarme?

No me des la muerte, 5
niña querida,
pues darte la vida
tengo por suerte.
Pero si el quererte
causa mis males, 10
¿quién te trujo, &c.
¿Quién tus ojos bellos
trujo a esta tierra,
para hacerme guerra
sin ofendellos? 15
Díganmelo ellos,
que ellos lo saben,
¿quién te trujo, niña, &c.

347 JUGUETE

Deje el alma, que es libre,
señor alcaide,
deje el alma, que es libre,
y el cuerpo guarde.

Deje que mis ojos 5
entre estas rejas
al cuerpo cautivo
sirvan de lenguas;
nadie los detenga,
mirando hablen, 10
deje el alma, &c.
No prende las almas
quien prende el cuerpo,
que el alma se rinde
sólo al deseo; 15
y amor es el dueño
de aquesta cárcel.
Deje el alma que es libre,
señor alcaide,
deje el alma que es libre, 20
y el cuerpo guarde.

348 LETRA

Ribericas del río
de Manzanares,
tuerce y lava la niña
y enjuga el aire.

Cuando el paño tiende 5
sobre el agua clara,
la corriente para,
y el agua suspende.
La piedra se enciende

que el golpe recibe, 10
y la hierba vive
de Manzanares,
donde lava la niña
y enjuga el aire.
Parecen cristales 15
las aguas bellas,
do estampa las huellas
a la nieve iguales.
Nácar los rosales
do el paño llega, 20
y un jardín la vega
sin Manzanares,
tuerce y lava la niña
y enjuga el aire.
El aire se para 25
suspendiendo el vuelo,
para el eje el cielo
para ver su cara.
Y entre el agua clara
muestra la pintura 30
de la hermosura,
y entre su donaire,
lava y tuerce la niña,
y enjuga el aire.

349 LETRILLA

Río Manzanares
de orillas verdes,
tálamo de amantes
alfombra de Reyes;
espuma de aljófar, 5
fuentes de cristal,
con más bellos ojos
que un pavo real.
¿Quién te pasase
y al amor de mi vida 10
desengañase?

Árboles frondosos
de Alcides prendas,
donde hace Amor
el arco y las flechas. 15
Jardines y plantas
glorias de mis ojos,
de Amaltea y Flora
ricos despojos.
¿Quién te pasase, &c. 20
Calle de mi gloria,
donde amor perdido
halló acogimiento
gusto y paraíso.
Balcón de mi Oriente, 25
rico y argentado,
con los bellos ojos
de mi sol dorado.
¿Quién te pasase, &c.

[De la *Segunda parte del Romancero General,* de Miguel de Madrigal (Valladolid, 1604), editado junto con la primera parte por A. González Palencia, núms. 1.125, 1.131 y 1.167.]

350 LETRILLA

El cielo me falte,
morena mía,
si en tus ojos no veo
la luz del día.

Rigurosos celos 5
me causan pasión,
y a mi corazón
cerquen desconsuelos,
no me logren los cielos
esta porfía, 10
si en tus ojos no veo
la luz del día.

Si merece verte
mi pecho rendido,
desfavorecido 15
me entregue a la muerte.
Muera desta suerte,
morena mía,
si en tus ojos no veo
la luz del día. 20
Un toro furioso
me haga pedazos,
y vea en tus brazos
otro nuevo esposo;
fálteme el reposo 25
y la alegría,
si en tus ojos no veo
la luz del día.

351 LETRILLA

Si queréis que os enrame la puerta,
alma mía de mi corazón,
si queréis que os enrame la puerta,
vuestros amores míos son.

Si queréis, salid cuando el alba 5
a alumbrarnos salga,
que si mi esperanza
el sí vuestro alcanza,
por mostrar mi fe
el sol cubriré 10
con una enramada
de gran perfición.
Si queréis que os enrame la puerta,
vuestros amores míos son.
Si queréis, poneos de mañana 15
a vuestra ventana,
veréis cómo arranco
un álamo blanco,

y en vuestro servicio
le pongo en el quicio 20
tejido con hojas
de un verde limón.
Si queréis que os enrame la puerta,
vuestros amores míos son.
Si queréis, pondré un verde pino, 25
un nevado endrino,
un cermeño lindo,
un camueso, un guindo,
un tosco nogal,
un bello peral, 30
los unos con fruta,
los otros con flor.
Si queréis que os enrame la puerta.
vuestros amores míos son.
Si queréis, si vuestra presencia 35
me diera licencia,
pondré, si os alegro,
un álamo negro,
hermoso y lozano,
con fruta un manzano 40
que bese los hierros
de vuestro balcón.
Si queréis que os enrame la puerta,
vuestros amores míos son.
Si queréis, pondré mirabeles 45
y lindos claveles,
la haya frondosa,
la palma vistosa,
el cidro cruel,
el sacro laurel, 50
que siempre conserva
la verde color.
Si queréis que os enrame la puerta,
vida mía de mi corazón,
si queréis que os enrame la puerta, 55
vuestros amores míos son.

352 LETRILLA

Con el aire de la sierra
híceme morena.

Un cierzo indignado,
a vueltas del sol,
cualquier arrebol 5
dejan eclipsado,
ellos, y el cuidado
que mi muerte ordena,
con el aire de la sierra
híceme morena. 10
Si blanca nací
y volví morena,
luto es de la pena
del bien que perdí;
que sufriendo aquí 15
dolores de ausencia,
con el aire de la sierra
híceme morena.

[Del *Laberinto amoroso,* de Juan de Chen (Barcelona, 1618), reedición de José Manuel Blecua, Valencia, Castalia, 1953), pp. 9, 47 y 127.]

353 LETRA

A la sombra de mis cabellos
mi querido se adurmió,
¿si le recordaré o no?

Peinaba yo mis cabellos
con cuidado cada día 5
y el viento los esparcía,
robándome los más bellos,
y a su soplo y sombra dellos
mi querido se adurmió,
¿si le recordaré o no? 10

Díceme que la da pena
el ser en extremo ingrata,
que le da vida y le mata
esta mi color morena,
y llamándome sirena 15
el junto a mí se adurmió,
¿si le recordaré o no?

354

LETRA

El cabello negro
y la niña blanca,
entre nubes negras
parece al alba.

Al alba parece, 5
pareciendo ella
el alba más bella
que el sol nos ofrece,
mas aunque amanece
bella y alada, 10
entre nubes negras
parece el alba.
Por aquel cabello
ilustre que peina,
ella es de amor reina 15
y corona es ello.
Alabastro el cuello,
nieve la cara;
entre nubes negras
parece el alba. 20

355 LETRA

Llegamos a puerto,
salté la galera,
a leva tocaron,
quedéme en tierra.

Si galeras fueron 5
de donde escapé,
en otras me hallé,
que el alma rindieron.
Del alma nacieron
las desdichas mías, 10
que locas porfías
al mar me entregan.
A leva tocaron,
[*quedéme en tierra*].
De guerras cansado, 15
la paz escogí,
y en sus ojos vi
a amor disfrazado.
Tal guerra me han dado,
que para librarme 20
dejé de embarcarme
en las galeras.
A leva [*tocaron,*
quedéme en tierra].

356

LETRILLA

No le den tormento a la niña,
que ella dirá la verdad.

Un libre desasosiego
que no halló descanso alguno,
un suspirar importuno 5
y un arrepentirse luego,
es como tocar a fuego
que se abrasa la ciudad.
No le den [*tormento a la niña,*
que ella dirá la verdad]. 10

Ella dirá, yo lo fío,
si por su mal quiere bien,
cuando tormento la den
celos, temor y desvío.
Si deste calor y frío 15
procede su enfermedad,
no le den [*tormento a la niña,*
que ella dirá la verdad].

El semblante desvelado
de andar a caza de duelos, 20
y los dormidos ojuelos
y colorcillo quebrado
publican bien su cuidado,
si es pecado voluntad.
No le den [*tormento a la niña,* 25
que ella dirá la verdad].

357 LETRA

Mientras duerme la niña,
flores y rosas,
azucenas y lirios
le hacen sombra.

En el prado verde, 5
la niña reposa,
donde Manzanares
sus arroyos brota.
No se mueve el viento,
ramas ni hojas, 10
que azucenas y lirios
le hacen sombra.
El sol la obedece
y su paso acorta,
que son rayos bellos 15
sus ojos y boca.
Las aves no cantan
viendo tal gloria,
que azucenas y lirios
le hacen sombra. 20

[De la *Primavera y flor de los mejores romances que han salido aora nuevamente en esta Corte, recogidos de varios Poetas por el Licenciado Pedro Arias Pérez* (Madrid, 1621), pero lo traslado de la edic. de José F. Montesinos (Valencia, Castalia, 1954), pp. 91, 96, 122, 172 y 202.]

ÍNDICE DE AUTORES

ÍNDICE DE PRIMEROS VERSOS

ÍNDICE DE LÁMINAS

ESTE LIBRO
SE TERMINÓ DE IMPRIMIR
EL DÍA 3 DE SEPTIEMBRE DE 1990

ÚLTIMOS TÍTULOS PUBLICADOS

107 / Gonzalo de Berceo
POEMA DE SANTA ORIA
Edición, introducción y notas de Isabel Uría Maqua.

108 / Juan Meléndez Valdés
POESÍAS SELECTAS
Edición, introducción y notas de J. H. R. Polt y Georges Demerson.

109 / Diego Duque de Estrada
COMENTARIOS
Edición, introducción y notas de Henry Ettinghausen.

110 / Leopoldo Alas, Clarín
LA REGENTA, I
Edición, introducción y notas de Gonzalo Sobejano.

111 / Leopoldo Alas, Clarín
LA REGENTA, II
Edición, introducción y notas de Gonzalo Sobejano.

112 / P. Calderón de la Barca
EL MÉDICO DE SU HONRA
Edición, introducción y notas de D. W. Cruickshank.

113 / Francisco de Qrevedo
OBRAS FESTIVAS
Edición, introducción y notas de Pablo Jauralde.

114 / POESÍA CRÍTICA
Y SATÍRICA DEL SIGLO XV
Selección, edición, introducción y notas de Julio Rodríguez-Puértolas.

115 / EL LIBRO
DEL CABALLERO ZIFAR
Edición, introducción y notas de Joaquín González Muela.

116 / P. Calderón de la Barca
ENTREMESES, JÁCARAS
Y MOJIGANGAS
Edición, introducción y notas de E. Rodríguez y A. Tordera.

117 / Sor Juana Inés de la Cruz
INUNDACIÓN CASTÁLIDA
Edición, introducción y notas de Georgina Sabat de Rivers.

118 / José Cadalso
SOLAYA O LOS CIRCASIANOS
Edición, introducción y notas de F. Aguilar Piñal.

119 / P. Calderón de la Barca
LA CISMA DE INGLATERRA
Edición, introducción y notas de F. Ruiz Ramón.

120 / Miguel de Cervantes
NOVELAS EJEMPLARES, I
Edición, introducción y notas de J. B. Avalle-Arce.

121 / Miguel de Cervantes
NOVELAS EJEMPLARES, II
Edición, introducción y notas de J. B. Avalle-Arce.

122 / Miguel de Cervantes
NOVELAS EJEMPLARES, III
Edición, introducción y notas de J. B. Avalle-Arce.

123 / POESÍA DE LA EDAD
DE ORO, I. RENACIMIENTO
Edición, introducción y notas de José Manuel Blecua.

124 / Ramón de la Cruz
SAINETES, I
Edición, introducción y notas de John Dowling.

125 / Luis Cernuda
LA REALIDAD Y EL DESEO
Edición, introducción y notas de Miguel J. Flys.

126 / Joan Maragall
OBRA POÉTICA
Edición, introducción y notas de Antoni Comas.
Edición bilingüe, traducción al castellano de J. Vidal Jové.

127 / Joan Maragall
OBRA POÉTICA
Edición, introducción y notas de Antoni Comas.
Edición bilingüe, traducción al castellano de J. Vidal Jové.

128 / Tirso de Molina
LA HUERTA DE JUAN FERNÁNDEZ
Edición, introducción y notas de Berta Pallarés.

129 / Antonio de Torquemada
JARDÍN DE FLORES CURIOSAS
Edición, introducción y notas de Giovanni Allegra.

130 / Juan de Zabaleta
EL DÍA DE FIESTA POR LA MAÑANA Y POR LA TARDE
Edición, introducción y notas de Cristóbal Cuevas.

131 / Lope de Vega
LA GATOMAQUIA
Edición, introducción y notas de Celina Sabor de Cortázar.

132 / Rubén Darío
PROSAS PROFANAS
Edición, introducción y notas de Ignacio de Zuleta.

133 / LIBRO DE CALILA E DIMNA
Edición, introducción y notas de María Jesús Lacarra y José Manuel Cacho Blecua.

134 / Alfonso X
LAS CANTIGAS
Edición, introducción y notas de W. Mettman.

135 / Tirso de Molina
LA VILLANA DE LA SAGRA
Edición, introducción y notas de Berta Pallarés.

136 / POESÍA DE LA EDAD DE ORO, II: BARROCO
Edición, introducción y notas de José Manuel Blecua.

137 / Luis de Góngora
LAS FIRMEZAS DE ISABELA
Edición, introducción y notas de Robert Jammes.

138 / Gustavo Adolfo Bécquer
DESDE MI CELDA
Edición, introducción y notas de Darío Villanueva.

139 / Castillo Solórzano
LAS HARPÍAS DE MADRID
Edición, introducción y notas de Pablo Jauralde.

140 / Camilo José Cela
LA COLMENA
Edición, introducción y notas de Raquel Asún.

141 / Juan Valera
JUANITA LA LARGA
Edición, introducción y notas de Enrique Rubio.

142 / Miguel de Unamuno
ABEL SÁNCHEZ
Edición, introducción y notas de José Luis Abellán.

143 / Lope de Vega
CARTAS
Edición, introducción y notas de Nicolás Marín.

144 / Fray Toribio de Motolinía
HISTORIA DE LOS INDIOS DE LA NUEVA ESPAÑA
Edición, introducción y notas de Georges Baudot

145 / Gerardo Diego
ÁNGELES DE COMPOSTELA. ALONDRA DE VERDAD
Edición, introducción y notas de Francisco Javier Díez de Revenga

146 / Duque de Rivas
DON ÁLVARO O LA FUERZA DEL SINO
Edición, introducción y notas de Donald L. Shaw.

147 / Benito Jerónimo Feijoo
TEATRO CRÍTICO UNIVERSAL
Edición, introducción y notas de Giovanni Stiffoni.

148 / Ramón J. Sender
MISTER WITT EN EL CANTÓN
Edición, introducción y notas de José María Jover Zamora.

149 / Sem Tob
PROVERBIOS MORALES
Edición, introducción y notas de Sanford Shepard.

150 / Cristóbal de Castillejo
DIÁLOGO DE MUJERES
Edición, introducción y notas de Rogelio Reyes Cano.

151 / Emilia Pardo Bazán
LOS PAZOS DE ULLOA
Edición, introducción y notas de Marina Mayoral.

152 / Dámaso Alonso
HIJOS DE LA IRA
Edición, introducción y notas de Miguel J. Flys.

153 / Enrique Gil y Carrasco
EL SEÑOR DE BEMBIBRE
Edición, introducción y notas de J. L. Picoche

154 / Santa Teresa de Jesús
LIBRO DE LA VIDA
Edición, introducción y notas de Otger Steggink

155 / NOVELAS AMOROSAS DE DIVERSOS INGENIOS
Edición, introducción y notas de E. Rodríguez

156 / Pero López de Ayala
RIMADO DE PALACIO
Edición, introducción y notas de G. de Orduna

157 / LIBRO DE APOLONIO
Edición, introducción y notas de Carmen Monedero.

158 / Juan Ramón Jiménez
SELECCIÓN DE POEMAS
Edición, introducción y notas de Gilbert Azam.

159 / César Vallejo
POEMAS HUMANOS. ESPAÑA. APARTA DE MÍ ESTE CÁLIZ
Edición, introducción y notas de Francisco Martínez García

160 / Pablo Neruda
VEINTE POEMAS DE AMOR Y UNA CANCIÓN DESESPERADA
Edición, introducción y notas de Hugo Montes

161 / Juan Ruiz, Arcipreste de Hita
LIBRO DE BUEN AMOR
Edición, introducción y notas de G. B. Gybbon-Monypenny.

162 / Gaspar Gil Polo
LA DIANA ENAMORADA
Edición, introducción y notas de Francisco López Estrada.

163 / Antonio Gala
LOS BUENOS DÍAS PERDIDOS. ANILLOS PARA UNA DAMA
Edición, introducción y notas de Andrés Amorós.

164 / Juan de Salinas
POESÍAS HUMANAS
Edición, introducción y notas de Henry Bonneville.

165 / José Cadalso
AUTOBIOGRAFÍA. NOCHES LÚGUBRES
Edición, introducción y notas de Manuel Camarero

166 / Gabriel Miró
NIÑO Y GRANDE
Edición, introducción y notas de Carlos Ruiz Silva

167 / José Ortega y Gasset
TEXTOS SOBRE LA LITERATURA Y EL ARTE
Edición, introducción y notas de E. Inman Fox.

168 / Leopoldo Lugones
CUENTOS FANTÁSTICOS
Edición, introducción y notas de Pedro Luis Barcia.

169 / Miguel de Unamuno
TEATRO. LA ESFINGE. LA VENDA. FEDRA
Edición, introducción y notas de José Paulino Ayuso.

170 / Luis Vélez de Guevara
EL DIABLO COJUELO
Edición, introducción y notas de Ángel R. Fernández González e Ignacio Arellano.

171 / Fedrico García Lorca
PRIMER ROMANCERO GITANO. LLANTO POR IGNACIO SÁNCHEZ MEJÍAS
Edición, introducción y notas de Miguel García-Posada.

172 / Alfonso X (vol. II)
LAS CANTIGAS
Edición, introducción y notas de W. Mettmann.

173 / CÓDICE DE AUTOS VIEJOS
Selección
Edición, introducción y notas de Miguel Ángel Priego.

174 / Juan García Hortelano
TORMENTA DE VERANO
Edición, introducción y notas de Antonio Gómez Yebra.

175 / Vicente Aleixandre
AMBITO
Edición, introducción y notas de Alejandro Duque Amusco.

176 / Jorge Guillén
FINAL
Edición, introducción y notas de Antonio Piedra.

177 / Francisco de Quevedo
EL BUSCÓN
Edición, introducción y notas de Pablo Jaural de Pou.

178 / Alfonso X, el sabio
CANTIGAS DE SANTA MARÍA (cantigas 261 a 427), III
Edición, introducción y notas de Walter Mettmann.

179 / Vicente Huidobro
ANTOLOGÍA POÉTICA
Edición, introducción y notas de Hugo Montes.

180 / CUENTOS MODERNISTAS HISPANOAMERICANOS
Edición, introducción y notas de Enrique Marini-Palmieri.

181 / San Juan de la Cruz
POESÍAS
Edición, introducción y notas de Paola Elía.